HISTOIRE
2

L'ÂGE CLASSIQUE 1492-1789

MALET ET ISAAC

HISTOIRE
2

L'ÂGE CLASSIQUE 1492-1789

André Alba

HACHETTE
Littératures

Collection fondée par Georges Liébert
et dirigée par Joël Roman

ISBN 978-2-01-279063-6
© Librairie Hachette, 1959.

Avertissement

Aujourd'hui, alors que le débat sur l'enseignement de l'histoire a quitté les amphithéâtres et les bureaux ministériels, et que les médias s'en sont emparés avec une ampleur sans précédent, il a semblé que la réédition du livre d'histoire qui a formé quatre générations de Français correspondait à une demande de plus en plus vive.

Le «Malet-Isaac» présente en effet au lecteur un récit chronologique clair et précis, un texte solidement charpenté et d'une lecture agréable. Autant de qualités qui font que cet ouvrage prend naturellement place dans une collection de poche à large diffusion. Il allie la saveur de l'image d'Epinal à la rigueur du cours : références essentielles et récits vivants s'y côtoient.

Ce classique de la vie culturelle française demeure donc un irremplaçable ouvrage de référence.

C'est en 1902, sur la recommandation de l'historien Ernest Lavisse, alors au faîte de sa carrière, qu'Albert Malet se vit confier par les éditions Hachette la rédaction d'un nouveau manuel d'histoire. Quatre ans plus tard lui fut adjoint un jeune agrégé, Jules Isaac.

A la mort de Malet, Isaac continua et enrichit l'œuvre de son prédécesseur.

C'est lui qui fit du «Malet-Isaac», plus qu'une réussite exceptionnelle dans le domaine de l'édition, une véritable institution.

Le «cours Malet» était né des programmes du 31 mars 1902. L'étude de l'histoire était alors divisée en deux cycles. De la sixième à la troisième, les lycéens étudiaient l'histoire de l'Egypte ancienne à 1889, date du premier centenaire de la Révolution française. De la seconde à la terminale, les élèves reprenaient l'étude des époques moderne et contemporaine.

Le «Malet-Isaac» proprement dit est issu des programmes mis au point en 1923 et 1925. Aux deux cycles se substituait un cycle unique : de la sixième à la terminale, les élèves suivaient le fil chronologique, en partant des périodes les plus reculées pour aboutir aux plus récentes.

De 1923 à la mort de Jules Isaac en 1963, plusieurs réformes et plusieurs éditions de l'ouvrage se succédèrent. De nombreux historiens de renom y collaborèrent : André Alba, Antoine Bonifacio, Jean Michaud, et Charles H. Pouthas.

La présente édition reproduit les volumes des classes de cinquième et de quatrième de l'édition de 1958 (sous le titre «ROME ET LE MOYEN-AGE»), le volume de troisième de l'édition de 1958 («L'AGE CLASSIQUE»), le volume de seconde de 1960 («LES REVOLUTIONS»), et le volume de première de l'édition de 1961 («LA NAISSANCE DU MONDE MODERNE»).

Pour répondre aux exigences d'une édition populaire en format de poche et pour simplifier la lecture, les illustrations, les documents et la cartographie ont été supprimés et les notes allégées. Le texte n'a subi que quelques modifications de détail (suppression des chapitres XXI, XXVII, XXIX et XXX du livre de première).

Cette édition, fidèle à l'esprit du texte original, met ainsi à la disposition du public un instrument de culture générale introuvable depuis des années.

L'Europe à la fin du XVᵉ siècle

I. Les grands États Européens

1. L'Europe occidentale.

Quand *Charles VIII* commença à gouverner par lui-même, en 1492, la France était beaucoup moins étendue qu'elle ne l'est aujourd'hui. Elle ne dépassait guère la Somme au Nord, la Meuse et la Saône à l'Est. Lyon était ville frontière; ni la Bresse, ni la Franche-Comté, ni la Savoie et Nice ne faisaient partie du royaume. La France n'en était pas moins l'État le plus peuplé (peut-être quinze millions d'habitants), le plus riche et le mieux organisé de l'Europe. Charles VII et Louis XI avaient grandement fortifié l'autorité royale : le premier avait imposé le double principe de l'impôt permanent et de l'armée permanente, le second avait brisé l'opposition des grandes maisons féodales. Le sentiment national, que la guerre de Cent Ans avait contribué à développer, se confondait avec le dévouement à la personne du roi.

L'Angleterre (environ trois millions et demi d'habitants) ne comprenait ni l'Écosse ni l'Irlande centrale et occidentale. En revanche, elle possédait en France la ville de Calais. L'horrible guerre civile des Deux-Roses avait donné un tel désir d'ordre que le Parlement était prêt à voter toutes les mesures que lui proposerait le roi *Henri VII Tudor* (1485-1509).

L'Espagne, où régnaient *Ferdinand d'Aragon* et sa femme *Isabelle de Castille*, comptait six à sept millions d'habitants. Elle comprenait deux États qui avaient les mêmes souverains et la même diplomatie, mais qui n'en étaient pas moins distincts : d'une part, la Castille ; d'autre part, l'Aragon avec ses dépendances : îles Baléares, Sardaigne, Sicile. L'unité de l'Espagne ne se réalisa que sous le petit-fils de Ferdinand et d'Isabelle, le futur Charles Quint, qui devint roi d'Espagne en 1516. Encore les différentes régions du royaume conservèrent-elles chacune ses privilèges particuliers, auxquels elles restaient passionnément attachées. Des assemblées, les *Cortès*, limitaient le pouvoir royal.

Le petit royaume de *Portugal* (un million d'habitants) avait de grandes ambitions coloniales : désireux de s'étendre en Afrique, il en explorait méthodiquement les côtes.

2. Italie. Saint-Empire.

L'Italie comptait sept États principaux. Au Nord, le *duché de Savoie-Piémont*, dont la capitale était Turin ; la *république de Gênes ;* le *duché de Milan ;* la *république de Venise*, encore grande puissance maritime, bien qu'en recul. Plus au Sud, la *république de Florence*, les *États de l'Église*, le *royaume de Naples*.

Au centre de l'Europe, de la mer du Nord à l'Oder et de la mer Baltique aux Alpes et à l'Adriatique, s'étendait le *Saint-Empire Romain de nationalité germanique*. Comme son nom l'indique, l'Empire n'englobait plus guère que des territoires germaniques. Sous la direction nominale d'un *empereur élu par les sept électeurs*[1], et d'une assemblée ou *diète*, l'Empire comprenait plusieurs centaines d'États, les uns fort étendus, les autres minuscules, les uns laïcs, les autres ecclésiastiques, les uns gouvernés par des princes, les autres petites républiques urbaines qu'on appelait *villes libres*.

1. L'organisation du Saint-Empire avait été fixée par la *Bulle d'or* (1356). Des sept électeurs, trois étaient ecclésiastiques (archevêques de Mayence, de Cologne et de Trèves), quatre étaient laïques (duc de Saxe, comte palatin du Rhin, margrave de Brandebourg, roi de Bohême). Depuis 1438 jusqu'à la disparition du Saint-Empire en 1806, tous les empereurs (sauf un) furent choisis par les électeurs dans la famille des Habsbourg.

Des maisons princières d'Allemagne, la plus puissante était celle des *Habsbourg*. Elle possédait, à l'est et au sud de l'Allemagne, de nombreux territoires importants par leurs mines et enrichis par le commerce entre l'Italie et l'Allemagne : c'étaient l'archiduché d'*Autriche*, les régions alpestres de la *Styrie*, de la *Carinthie*, de la *Carniole* et du *Tyrol*, enfin l'*Alsace méridionale*. A ce groupe allemand, Maximilien de Habsbourg, qui avait épousé la fille de Charles le Téméraire, avait ajouté les *Pays-Bas*, c'est-à-dire ce qui constitue aujourd'hui la Hollande, la Belgique, le Luxembourg et nos départements du Nord et du Pas-de-Calais. En 1493, Maximilien devint empereur. Il maria son fils à la fille de Ferdinand d'Aragon et d'Isabelle de Castille. De cette union naquirent deux enfants : l'un, Charles, fut le futur empereur *Charles Quint*; l'autre, Ferdinand, hérita en 1526, à la mort de son beau-frère, des deux royaumes de Bohême et de Hongrie.

Encore officiellement rattachés au Saint-Empire, les dix cantons de la *Confédération suisse* étaient en fait indépendants[1]. Excellents soldats, beaucoup de Suisses se louaient comme mercenaires.

3. Europe septentrionale et orientale.

Les royaumes de *Danemark*, *Norvège* et *Suède* formaient une Union où l'autorité du Danemark était prépondérante. La Suède en sortit en 1525, mais la Norvège resta rattachée au Danemark jusqu'en 1815. Le port de Copenhague contrôlait l'entrée et la sortie des navires qui commerçaient dans la mer Baltique.

L'immense *royaume de Pologne* avait pour capitale Cracovie[2]; il étendait sa suzeraineté sur la Prusse orientale, alors aux mains de l'Ordre religieux des Chevaliers Teutoniques.

Au sud de la Pologne, le *royaume de Hongrie*, uni à celui de Bohême, luttait courageusement contre les Turcs.

A l'est de la Pologne, la Russie ou, comme on disait, le *grand duché de Moscovie*, commençait à jouer un rôle en Europe.

---

1. Au début du XVIᵉ siècle trois autres cantons s'ajoutèrent a la Confédération. Le chiffre de treize cantons ne fut pas modifié entre 1513 et 1798.

2. *Varsovie* ne deviendra capitale qu'en 1566

Son souverain, *Ivan III* (1462-1505), avait rejeté le joug des Mongols, étendu son autorité sur une partie de la Russie centrale et septentrionale, et épousé la nièce du dernier empereur byzantin. Mais la Russie n'atteignait encore ni la mer Noire, ni même la mer Baltique, dont les rives orientales appartenaient aux Suédois, ou aux Chevaliers Teutoniques.

L'*empire ottoman* (ou empire turc) comprenait la péninsule des Balkans et l'Asie Mineure. Il étendait aussi son protectorat sur la Valachie, au nord du Danube, et sur la Crimée et les régions avoisinantes. Il allait bientôt s'agrandir de la Syrie, de la Palestine, de l'Égypte et d'une partie de l'Arabie.

II. La civilisation européenne

4. L'essor économique.

Après la fin de la guerre de Cent Ans, l'Europe avait connu un vif essor de l'activité économique. Non que l'*agriculture* fût en progrès : on ne peut noter aucune amélioration importante dans l'art de cultiver la terre ou d'élever le bétail. Cependant les charrues en fer étaient plus nombreuses et, dans certaines régions, le blé remplaçait le seigle. Mais l'*industrie textile* était très florissante et des progrès techniques donnaient à l'*industrie minière* un essor imprévu. Les Allemands étaient passés maîtres dans l'art d'exploiter les mines : alors apparurent les premiers hauts fourneaux, les grands marteaux-pilons mus par des roues qu'actionnait une chute d'eau, les treuils gigantesques, les souffleries pour envoyer de l'air aux mineurs qui travaillaient dans des mines de plus en plus profondes. On exploita fiévreusement les gisements de fer, de cuivre, d'étain, d'alun[1], de sel et surtout de plomb argentifère, car l'Europe manquait alors de numéraire. La demande accrue de combustible amena une dévastation des forêts, à laquelle on remédia en Belgique et en Angleterre par l'*usage de la houille*.

Le commerce était, lui aussi, très actif. Le principal centre de redistribution des produits de l'Europe était le port d'*Anvers*.

---

1. L'*alun* est un sulfate d'aluminium et de potassium employé pour fixer les colorants sur les étoffes qu'on teignait. Il en existait de très riches gisements dans les États pontificaux.

Là arrivaient soit par la voie de mer et le détroit de Gibraltar, soit par la Suisse et la vallée du Rhin, soit enfin par le Tyrol et les villes allemandes d'*Augsbourg, Nuremberg* et *Francfort*, les marchandises venues d'Italie : soieries et draps de Florence et de Venise, alun et surtout épices d'Extrême-Orient que les Vénitiens allaient chercher en Syrie et en Égypte.

A Anvers arrivaient également les produits miniers de l'Allemagne centrale, de la Bohême et de la Hongrie, le poivre et l'or que les Portugais allaient chercher aux rives du golfe de Guinée, le sucre de canne venu de l'île de Madère, les laines espagnoles, les vins, le sel, les draps de France, les draps et l'étain d'Angleterre, enfin les produits des régions de la mer Baltique : fer, cuivre, goudron, bois, poisson, blé et seigle, fourrures et cire. Dans la mer Baltique et la mer du Nord le trafic était aux mains des marchands allemands de la *Ligue hanséatique*; déjà, pourtant, les navires hollandais et anglais leur faisaient concurrence. Le Danemark s'enrichissait en levant un péage sur tous les navires qui traversaient les détroits danois.

Le développement de l'industrie et du commerce exigeait une masse considérable de capitaux. Ainsi s'explique l'*essor des grandes banques*, celle des *Médicis* à Florence ou des *Fugger* à Augsbourg. Elles avaient des succursales dans toutes les places de commerce importantes : Gênes, Venise, Lyon, Genève, Anvers, Londres. Cependant, malgré les progrès de l'extraction de l'argent et l'apport de l'or soudanais, *le numéraire manquait en Europe* à la fin du XVᵉ siècle. La nécessité de se procurer des métaux précieux allait être la cause principale des grands voyages de découverte.

5. Le renouveau intellectuel. Humanisme et Renaissance.

La fin du XVᵉ siècle, comme d'ailleurs le XVIᵉ siècle tout entier, fut une époque de *vie intellectuelle intense*, marquée par une soif de connaître et de comprendre et par l'espérance qu'une époque nouvelle allait commencer pour l'humanité. Deux mots résument ce mouvement : *Humanisme* et *Renaissance*.

Depuis le XIVᵉ siècle, certains lettrés recherchaient et publiaient les manuscrits perdus ou oubliés des textes de l'Antiquité gréco-romaine : ils rééditaient aussi, en les commentant, les écrits que l'on possédait déjà, mais dont le texte était souvent fautif ou mal compris.

Des savants byzantins, qui fuyaient devant l'avance turque, leur firent connaître les textes originaux de la littérature grecque dont l'Occident ne possédait encore que des traductions. Alors apparurent à Rome, à Venise, à Florence les premières *bibliothèques publiques* et les premières sociétés de lettrés ou *Académies*. Ces lettrés reçurent plus tard le nom d'*humanistes* (du mot latin *humanus*, qui signifie : instruit, cultivé). Les résultats de leurs travaux se répandirent grâce au *développement de l'imprimerie*, simple progrès technique en apparence mais, en fait, l'une des inventions les plus importantes de l'Histoire.

L'enthousiasme pour l'Antiquité amena aussi un renouveau de l'art, qui est connu sous le nom de *Renaissance*. L'Italie avait possédé, sans conteste, la primauté artistique au XVe siècle et elle la conserva au XVIe. Son influence allait s'exercer, plus ou moins rapidement, sur les différents pays de l'Europe.

6. La crise religieuse.

Le XVe siècle avait été pour l'Église une période de crise. Le Grand Schisme avait, pendant près de 40 ans (1378-1417), brisé l'unité du monde catholique. Les papes s'étaient heurtés à l'hostilité des conciles et, dans chaque État, le clergé voulait jouir d'une large autonomie à l'égard du Saint-Siège. Les moines refusaient souvent de reconnaître l'autorité de l'évêque dans le diocèse de qui ils vivaient et les ordres religieux se jalousaient les uns les autres. Des doctrines que l'Église jugeait hérétiques s'étaient répandues en Angleterre chez les partisans de Wyclif et en Bohême chez ceux de Jean Huss. Enfin, un grand nombre d'ecclésiastiques semblaient oublier le sens de leur mission religieuse : beaucoup de prélats ne résidaient pas dans leur diocèse, ils vivaient à la Cour, allaient à la guerre, étaient ambassadeurs : en même temps, ils cumulaient les évêchés et les abbayes. Le cumul n'était pas le seul abus, la commende en était un autre : des laïcs, des femmes même, recevaient un évêché ou une abbaye ; ils en abandonnaient la direction à un ecclésiastique et en touchaient les revenus à titre d'administrateurs, ou *commendataires*.

Tous les catholiques pieux demandaient au Saint-Siège d'entreprendre la lutte contre les abus. Mais la plupart des papes du XVe siècle furent des princes italiens bien plutôt que des pontifes : un *Sixte IV*, un *Alexandre VI Borgia* étaient plus préoccupés d'enrichir leur famille, d'agrandir leurs États et d'élever à Rome des monuments splendides que d'apporter un remède aux maux dont souffrait l'Église. Ainsi les abus subsistaient.

La foi restait pourtant très vive dans toutes les classes de la société. La foule se pressait autour des prédicateurs, qui l'appelaient à la repentance ; elle témoignait d'une ardente dévotion à l'égard de la Vierge ; elle lisait avec ferveur les livres de piété traduits en langue vulgaire et largement diffusés par les progrès de l'imprimerie : vie des saints, *Imitation de Jésus-Christ, Art de bien mourir*, extraits de la Bible[1]. La piété populaire prenait souvent un aspect douloureux : elle était hantée par l'idée de la mort et de la fin du monde. Ainsi s'explique le goût pour le motif de la Danse des Morts et pour les scènes douloureuses de la Passion : le Christ flagellé, crucifié, mis au tombeau, ou bien la Vierge de Pitié tenant sur ses genoux son fils mort.

Ce retour à la Bible, cette foi ardente avaient parfois des conséquences graves. Dans leur désir de s'attacher aux paroles mêmes de Jésus et des Apôtres, telles qu'on les trouvait dans les Livres saints, nombre de chrétiens très pieux en venaient à *dédaigner la Tradition*[2]. Or, d'après l'enseignement de l'Église, la Tradition doit être reçue avec le même respect que l'Écriture sainte, dont elle est seulement le complément. De plus, en un moment où les prélats et les papes ne semblaient guère se soucier de porter remède aux abus, *le prestige du clergé diminua*. D'ailleurs, puisque l'on possédait le texte des Évangiles, c'est-à-dire, pensait-on, la parole même de Dieu, le clergé était-il encore si nécessaire ? On vit des chrétiens développer en eux une piété si individuelle, c'est-à-dire si personnelle, qu'ils

---

1. *L'Imitation de Jésus-Christ* est un livre de piété, écrit en latin vers 1420 par un moine hollandais.

2. L'Église appelle *Tradition* un ensemble de vérités et d'institutions, qu'elle affirme lui avoir été révélé par une autre source que par les Livres Saints.

finissaient par ne plus regarder le prêtre comme l'intermédiaire nécessaire entre eux et Dieu. Il y avait là pour l'Église de redoutables dangers.

Les guerres d'Italie

1. Les ambitions des rois de France en Italie.

Par sa richesse et l'éclat de sa civilisation, l'Italie excitait les convoitises étrangères. On appelle *guerres d'Italie* la série d'expéditions que les rois de France, Charles VIII, Louis XII et François Ier, engagèrent de 1494 à 1516 pour la conquête du royaume de Naples, puis du duché de Milan.

Le royaume de Naples, alors gouverné par un prince apparenté au roi d'Aragon, avait jadis appartenu à la famille française d'Anjou. Louis XI, héritier de cette famille, avait donc des droits sur Naples, mais il s'en était désintéressé. Son fils, *Charles VIII*, les fit valoir : ses prétentions furent la cause première des guerres d'Italie.

Le successeur de Charles VIII, le roi *Louis XII* (1498-1515), descendait par sa mère d'une famille qui avait jadis possédé le duché de Milan, mais en avait été évincée par les Sforza. A ses droits sur Naples, Louis XII ajouta ses droits sur le Milanais.

François Ier (1515-1547) se prévalut des mêmes droits que Louis XII.

2. L'expédition de Charles VIII.

Cette politique aventureuse n'était pas sans dangers. Les rois de France allaient nécessairement se heurter à Ferdinand d'Aragon, déjà maître de la Sardaigne et de la Sicile, à Maximilien de Habsbourg, suzerain du duc de Milan, enfin aux gouvernements italiens, qui ne voulaient pas d'une domination française dans la péninsule.

Mais le jeune roi Charles VIII, esprit faible et chimérique, ne rêvait qu'aventures et grands coups d'épée. Il voulait conquérir le royaume de Naples, reprendre aux Musulmans Constantinople et la Terre Sainte et rétablir à son profit l'Empire d'Orient. Pour s'acquérir la bonne volonté de Maximilien de Habsbourg et de Ferdinand d'Aragon, il céda au premier l'*Artois* et la *Franche-Comté*, et au second le *Roussillon* : trois provinces qu'avait occupées Louis XI. Puis, en 1494, il passa les Alpes et, sans rencontrer de résistance, entra à Naples.

Trois mois plus tard, il dut faire retraite au plus vite. La république de Venise, le duc de Milan *Ludovic Sforza*, dit «le More»[1], Ferdinand d'Aragon, Maximilien, le pape s'étaient unis contre lui. Leurs troupes l'attendaient aux débouchés de l'Apennin, près de *Fornoue*, pour lui barrer le chemin du retour. Il fallut les charges des gendarmes — la *furie française*, dirent les Italiens — pour ouvrir un passage à l'armée (1495). Trois ans plus tard Charles VIII mourut (1498).

3. Succès et revers de Louis XII.

Dès son avènement, Louis XII conquit le Milanais sur Ludovic le More. Puis il voulut reprendre le royaume de Naples. Pour se concilier Ferdinand d'Aragon, il crut habile de lui en abandonner une partie. Mais, sitôt la conquête faite, Français et Espagnols entrèrent en conflit : malgré les prodiges de valeur de *Bayard*, «le chevalier sans peur et sans reproche», les Français furent chassés de Naples. Louis XII reconnut le fait accompli : le Milanais à la France, Naples à l'Aragon, les guerres d'Italie semblaient terminées (1504).

Elles recommencèrent de par la volonté du pape *Jules II* (1503-1513). Vieillard passionné, soldat plus encore que pontife, il rêvait de grouper toute l'Italie sous sa direction. Pour

1. Il avait dans ses armoiries une feuille de mûrier, en italien *moro*.

cela il fallait chasser les «Barbares», c'est-à-dire avant tout les Français. Contre eux, Jules II forma une coalition où entrèrent les Suisses, le nouveau roi d'Angleterre Henri VIII, Venise et Ferdinand d'Aragon. Les coalisés furent d'abord vaincus par un jeune prince de vingt-deux ans, qui se révéla grand homme de guerre, *Gaston de Foix*. Mais il fut tué en plein triomphe à la bataille de *Ravenne* (1512) et les Français durent évacuer le Milanais. La France même fut envahie au Nord et à l'Est. Louis XII venait à peine d'obtenir de ses ennemis une trêve lorsqu'il mourut (1er janvier 1515).

4. François Ier en Italie. Marignan.

La couronne passa à son cousin et gendre qui prit le nom de *François Ier*. Le nouveau roi avait vingt ans. Grand, vigoureux, de goûts chevaleresques, il brûlait de reconquérir le Milanais. Il s'assura l'alliance des Vénitiens, pendant que le duc de Milan obtenait celle des Suisses. L'armée française franchit les Alpes au col de l'Argentière et marcha sur Milan. La bataille décisive se livra non loin de cette ville, à *Marignan* (13 et 14 septembre 1515). Les charges de gendarmes dirigées par le roi, le tir nourri de l'artillerie, enfin l'arrivée de renforts vénitiens qui prirent les Suisses à revers donnèrent la victoire aux Français. Ils réoccupèrent le Milanais.

Découragés, les adversaires de François Ier se décidèrent à traiter. Le nouveau pape, *Léon X* (1513-1520), signa avec lui le Concordat de 1516 ; les Suisses conclurent la *Paix Perpétuelle*, d'après laquelle le roi de France avait le droit de lever des soldats dans les cantons suisses. Enfin le nouveau roi d'Espagne Charles Ier (le futur empereur Charles Quint) garda le royaume de Naples et reconnut à la France le Milanais.

On en était revenu à la situation de 1504. La paix semblait rétablie pour longtemps dans l'Europe occidentale. En fait ce n'était qu'une trêve : les ambitions rivales de Charles Quint et de François Ier allaient bientôt ramener la guerre.

5. Importance militaire des guerres d'Italie.

Les guerres d'Italie n'ont pas seulement une importance politique, elles présentent aussi un grand intérêt militaire. Elles marquent la transition entre les méthodes de combat du Moyen Age et les méthodes de combat modernes.

On continua à se servir des armes anciennes : arc, arbalète, pique, hallebarde, armure d'acier, mais *les armes à feu prirent de plus en plus d'importance* : les *arquebuses* annoncent le fusil[1] et dans aucune bataille l'artillerie n'avait encore joué un rôle aussi décisif qu'à Marignan. De plus, *l'infanterie prit désormais la première place* au détriment de la cavalerie. Les fantassins les plus réputés furent les Suisses, les Allemands et les Espagnols. Les Suisses présentaient à l'adversaire, sur une dizaine de rangs de profondeur, une forêt de piques sur laquelle se brisaient souvent les charges les plus furieuses. Les lansquenets allemands étaient armés de l'épée et de la pique. Les Espagnols organisèrent des régiments de 6 000 fantassins armés les uns de la pique, les autres de l'épée, les autres de l'arquebuse.

Pas plus qu'au Moyen Age, les armées n'étaient encore uniquement nationales. Au moment de commencer une campagne, on recrutait des *bandes de mercenaires* de tout pays. La solde et l'entretien de ces bandes coûtaient cher, aussi les effectifs étaient-ils limités : 30 000 à 40 000 hommes au maximum. Comme les soldats n'étaient pas toujours payés régulièrement, on les voyait souvent abandonner le service et se livrer au pillage, sans distinguer entre amis ou ennemis.

6. Les guerres d'Italie et l'art français

Moins de dix ans après la bataille de Marignan, François Ier perdait le Milanais, et nous verrons que la France ne garda rien de ses conquêtes en Italie. Ces expéditions ne furent pourtant pas sans profit pour elle. Elles la mirent en contact direct avec l'Italie de la Renaissance. Nos rois furent éblouis par l'éclat et le raffinement d'une civilisation qui n'était encore que peu connue en France. Dans leur enthousiasme, ils voulurent l'acclimater dans leur royaume ; ils appelèrent à leur Cour les artistes les plus célèbres. Leurs sujets partagèrent leur admiration. *L'éclatant essor de la Renaissance française est la conséquence la plus importante peut-être des guerres d'Italie.*

---

1. Dans l'*arbalète*, le trait était lancé par une corde qui se détendait brusquement comme un ressort. Dans l'*arquebuse*, il était lancé par le moyen d'une charge de poudre qu'on enflammait avec une mèche.

Les grands voyages de découverte

1. Causes des grandes découvertes.

Au XVᵉ siècle, les Portugais d'abord, puis les Espagnols entre-prirent de grandes expéditions dans l'espoir d'atteindre par mer les pays d'Extrême-Orient : Inde, Insulinde, Chine, Japon.

De ces régions lointaines, encore très mal connues, le Véni-tien Marco Polo avait décrit les fabuleuses richesses. La Chine, qu'il appelait *Cathay*, produisait surtout la soie : le Japon, qu'il appelait *Cipangu*, passait pour regorger d'or : plus au Sud, les îles de la Sonde et l'Inde étaient le pays des épices : poivre, cannelle, clou de girofle, muscade, gingembre, dont l'Europe faisait une extraordinaire consommation en cuisine et en phar-macie. Soie et épices arrivaient à Beyrouth et à Alexandrie, où les Vénitiens venaient les chercher pour les revendre ensuite à des prix très élevés. Portugais et Espagnols voulurent se rendre en Extrême-Orient, pour les y acheter directement et enlever ainsi à Venise le monopole qu'elle détenait.

D'autre part, on l'a vu, les mines d'or et d'argent de l'Europe ne suffisaient plus aux besoins, chaque jour plus considérables, de l'industrie et du commerce. Un second mobile, le plus important sans doute, des voyages de découverte fut de trouver en Extrême-Orient des mines d'or à exploiter.

2. Conditions des grandes découvertes.

Les savants du XVᵉ siècle connaissaient les théories géographiques des Grecs et des Romains. Or le géographe *Ptolémée* avait enseigné, au second siècle ap. J.-C., qu'un même océan entourait toute la terre : il devait donc être possible, en contournant l'Afrique par le Sud, d'arriver dans l'Inde. Il avait affirmé aussi que la terre était une sphère : dès lors, un navigateur qui partirait de l'Europe et avancerait toujours vers l'Ouest atteindrait nécessairement l'Asie orientale. Une erreur contribua même à faire croire ce voyage relativement facile : on imaginait l'Asie beaucoup plus étendue vers l'Est, et donc moins éloignée de l'Europe occidentale qu'elle n'est en réalité.

Depuis longtemps, on utilisait la boussole et le gouvernail axial ; de plus, l'*art de la navigation* avait fait de grands progrès : on avait appris à calculer la latitude en déterminant la hauteur soit de l'étoile polaire, soit du soleil (quand, au sud de l'Équateur, l'étoile polaire n'est plus visible)[1]. Enfin, on avait, depuis le milieu du XVᵉ siècle, mis au point un nouveau type de navire, la *caravelle*, capable d'affronter les fortes houles des océans.

Aussi les explorations maritimes s'étaient-elles multipliées dans l'océan Atlantique aux XIVᵉ et XVᵉ siècles. Les unes, conduites par des navigateurs scandinaves et anglais, avaient atteint l'île de Terre-Neuve et peut-être la côte du Canada ; d'autres, prenant pour point de départ les îles espagnoles des Canaries, avaient cinglé vers l'Ouest et découvert *Antilia* (sans doute l'île de Cuba). Enfin, depuis 1420 environ, les Portugais exploraient méthodiquement la côte occidentale de l'Afrique.

1. En revanche, faute de chronomètres exacts, les erreurs étaient souvent très fortes lorsqu'il s'agissait de déterminer la longitude.

3. Les voyages des Portugais. Vasco de Gama.

Les progrès des Portugais furent d'abord assez lents. On racontait sur ces mers inconnues des détails terrifiants. Il y avait çà et là, disait-on, des «pierres d'aimant» : un navire passait-il a leur proximité, les clous, attirés par l'aimant, se détachaient de la coque, et c'était le naufrage. On affirmait aussi que la mer devenait de plus en plus brûlante vers le Sud, jusqu'à être en ébullition à l'Équateur. Les Portugais découvrirent au passage les îles Açores, puis longèrent les côtes du Sénégal et de la Guinée. Là, ils se procurèrent l'or que les indigènes exploitaient aux sources du Niger : jusqu'alors, cet or était apporté par caravanes jusqu'aux ports algériens de la Méditerranée où les Génois venaient l'acheter pour le revendre en Europe. Les Portugais enlevèrent aux Génois le bénéfice de ce fructueux trafic. En 1471, ils atteignirent l'Équateur. Enfin, en 1488, *Barthélemy Diaz* doubla la pointe extrême de l'Afrique du Sud et l'appela le cap des Tempêtes — nom auquel le roi de Portugal substitua celui, de meilleur augure, de *cap de Bonne-Espérance*. Dans le même temps, les Portugais, alors en lutte avec les Marocains, à qui ils avaient enlevé les ports de Ceuta et de Tanger, envoyèrent deux émissaires à l'empereur d'Éthiopie pour lui demander son alliance. A leur retour, les deux hommes firent connaître combien il était facile d'aller de la côte orientale d'Afrique jusque dans l'Inde en utilisant la mousson d'été.

Encouragé, *Vasco de Gama* quitta Lisbonne en juin 1497, doubla à son tour le cap de Bonne-Espérance, et remonta la côte orientale de l'Afrique jusque vers Zanzibar, d'où un pilote arabe le conduisit à la côte occidentale de l'Inde, à *Calicut* (mai 1498). Après plus de quatre-vingts ans d'efforts, les Portugais avaient atteint leur but.

Mais déjà Christophe Colomb avait découvert l'Amérique.

4. Christophe Colomb.

On connaît très mal l'histoire de Christophe Colomb. C'était un Génois, né vers 1450. D'abord tisserand comme son père, il devint ensuite marin et vint s'établir à Lisbonne (1474). Là, il s'intéressa aux tentatives des Portugais pour aller chercher l'or du Soudan sur les rives du golfe de Guinée. Puis il proposa au roi de Portugal de lancer une expédition vers l'île Antilia, qu'il croyait toute proche du Japon et riche en or. Il fut éconduit. Colomb passa alors en Espagne et soumit son plan à Isabelle de Castille. Après six ans de démarches, il réussit enfin à intéresser la reine à son projet : elle lui accorda le titre d'amiral, le nomma vice-roi des terres qu'il découvrirait et lui abandonna une part de 10 pour 100 sur tous les revenus qu'elles rapporteraient (1492).

5. Les voyages de Colomb.

Le 3 août 1492, Colomb appareilla avec trois caravelles. Après une escale aux îles Canaries, il se lança franchement vers l'Ouest. Pendant trente-trois jours on ne vit que la mer et le ciel. Enfin, dans la nuit du 11 au 12 octobre, on découvrit une terre. C'était une île proche de la Floride et non du Japon, comme l'imaginait Colomb. Les navigateurs longèrent ensuite les côtes des deux plus grandes Antilles : les îles de *Cuba* et de *Saint-Domingue*. Ayant perdu un navire, Colomb décida de revenir en Espagne. Il y arriva sept mois après qu'il en était parti (mars 1493).

Colomb fit encore trois voyages en Amérique (1493 à 1496 ; 1498 à 1500 ; 1502 à 1504). Il découvrit quelques autres Antilles et toucha même deux fois le continent américain : d'abord au Venezuela, puis dans l'Amérique centrale. Mais il n'avait trouvé ni épices ni or, il avait échoué dans sa tentative de coloniser Saint-Domingue, enfin il s'était fait beaucoup d'ennemis. C'est pourquoi Isabelle de Castille lui enleva son titre de vice-roi des terres qu'il avait découvertes et lui donna un successeur. Colomb mourut en 1506, découragé, presque oublié.

6. Magellan. Le premier tour du monde.

Colomb était persuadé qu'il avait abordé à des îles proches de l'Inde. De là le nom d'*Indes occidentales* que l'on donna aux Antilles et le nom d'*Indiens* par lequel nous désignons encore aujourd'hui les indigènes d'Amérique. Cependant, du vivant même de Colomb, les explorations de *Cabot*, le long des côtes du Canada et des États-Unis, celles du Florentin *Amerigo Vespucci*, puis du Portugais *Cabral* le long des côtes du Brésil, donnèrent à penser que les terres découvertes faisaient partie d'un continent nouveau situé entre l'Europe et l'Asie[1]. Aussi redoubla-t-on d'efforts pour trouver au travers de ce continent un passage qui permît d'arriver aux mers de Chine et du Japon. Dès 1513, des Espagnols qui avaient traversé à pied l'isthme de Panama avaient découvert l'océan Pacifique. Le passage par mer de l'Atlantique au Pacifique fut trouvé en 1520 par Magellan.

Portugais au service de l'Espagne, *Magellan* longea les côtes de l'Amérique du Sud, s'engagea dans le détroit qui porte encore son nom et déboucha dans un océan qu'il appela Pacifique, parce qu'il y fut favorisé par le beau temps. Quatre mois plus tard, il fut tué aux îles Philippines. Mais l'un de ses cinq navires réussit à regagner l'Espagne après avoir traversé l'océan Indien et doublé le cap de Bonne-Espérance. L'expédition avait duré trois ans (1519-1522).

C'était le premier voyage autour du monde, la preuve décisive que la Terre était ronde et qu'un quatrième continent s'interposait entre l'Europe occidentale et l'Afrique d'une part, l'Asie d'autre part. On l'avait découvert : il restait à l'explorer et à le conquérir.

---

1. En l'honneur d'Amerigo Vespucci un géographe, en 1507, appela l'Amérique du Sud *America* — Cabot était un Vénitien au service du roi d'Angleterre

La formation des empires coloniaux portugais et espagnol

1. L'éphémère empire portugais.

Dès que les Portugais eurent trouvé la route maritime de l'Inde, ils résolurent d'évincer de l'océan Indien les marchands arabes. Sur la côte occidentale de l'Inde, ils fondèrent des comptoirs, dont le principal fut *Goa*. Pour barrer les deux voies maritimes qui mènent de l'océan Indien vers la Méditerranée, ils occupèrent l'île de *Socotora*, à l'entrée de la mer Rouge, et *Ormuz*, à l'entrée du golfe Persique. Vers l'Est, ils s'installèrent a *Malacca*, aux *Moluques* et à *Java*, enfin à *Macao*, dans la Chine méridionale. Ils jalonnèrent aussi de comptoirs la côte occidentale et orientale de l'Afrique, occupant même parfois l'intérieur du pays, par exemple l'*Angola*. Ainsi se trouva constitué, vers 1550, le premier empire colonial qu'ait possédé un État de l'Europe moderne.

A vrai dire, cet empire n'était guère qu'une série d'entrepôts, protégés par des fortins. Les navires portugais — et eux seuls — venaient y charger les marchandises et les apportaient à Lisbonne. Mais cet empire fut éphémère, d'autant plus que le

Portugal ne comptait qu'un million d'habitants. Dès le milieu du XVIIᵉ siècle, les Portugais ne possédaient plus guère en Asie que Macao et Goa. En revanche, dans l'Amérique du Sud, un de leurs navigateurs, Cabral, avait découvert le *Brésil*. Lentement, à partir de 1550, les Portugais y établirent des colons et ils le conservèrent jusqu'au début du XIXᵉ siècle.

2. L'immense empire espagnol.

Tout différent fut l'empire espagnol. Tant que vécut Colomb, les grandes Antilles avaient seules été occupées : mais, peu après sa mort (1506), les Espagnols commencèrent a conquérir le continent lui-même. En un demi-siècle, ils étendirent leur domination sur le Mexique, l'Amérique centrale et une partie de l'Amérique du Sud, sauf le Brésil.

Cet immense empire fut occupé très facilement par quelques milliers d'hommes. Des circonstances favorables, la crédulité des populations indigènes, l'audace des aventuriers venus d'Europe et surtout la supériorité de leur armement expliquent cet étonnant succès. De cette conquête, deux épisodes surtout sont restés célèbres : l'occupation du *Mexique* par Cortez et celle du *Pérou* par Pizarre

3. Cortez et la destruction de l'empire aztèque.

Le Mexique était alors sous la domination d'envahisseurs venus du Nord, les *Aztèques*. Les Mexicains récoltaient le maïs, le haricot, le melon, la vanille, le cacao (dont ils faisaient une bouillie qu'ils appelaient *chocolat*), le coton, le tabac : en revanche le blé, le seigle, l'orge, la vigne, l'olivier, le riz leur étaient inconnus, de même que les chevaux, les ânes, les chèvres, les moutons, les bœufs, les porcs. Ils ignoraient le fer, mais travaillaient le cuivre, le zinc, l'or et l'argent. Les villes étaient régulièrement bâties, particulièrement la capitale *Mexico*, fondée vers 1350. La religion était cruelle, mais le pays était parvenu à un degré de civilisation assez avancé.

Chargé par le gouverneur de Cuba de conquérir le Mexique, Fernand Cortez aborda en 1519, avec six cents fantassins, seize cavaliers et dix canons, sur la côte orientale. Il y fonda la ville de la *Vera-Cruz* — la Vraie Croix —, puis marcha sur Mexico. La conquête fut facile. Dès le début, les Espagnols furent soutenus par une partie des indigènes qui supportaient mal le joug des Aztèques et attendaient la venue d'un libérateur qui, disaient-ils, arriverait de l'Est ; d'ailleurs les habitants, qui n'avaient jamais vu ni chevaux ni canons, regardaient les envahisseurs comme des êtres surnaturels. Mais bientôt la cupidité des Espagnols amena un soulèvement général : ils furent chassés de Mexico après un terrible combat de rues et il leur fallut un long siège pour reprendre la ville (1521).

4. Pizarre et la destruction de l'empire des Incas.

Cependant on racontait aux Espagnols que, s'ils marchaient vers le Sud, ils trouveraient de l'or. Là régnait un roi dont le corps, disait-on, était couvert de poussière d'or — les *Espagnols* lui donnaient le nom de *El Dorado*, l'homme doré. Quelques aventuriers partirent et conquirent le Pérou.

Le Pérou formait alors, avec l'Équateur, la Bolivie et une partie du Chili d'aujourd'hui, un immense empire, gouverné par le clan des *Incas*. Les Incas affirmaient qu'ils descendaient du Soleil et l'un d'eux était empereur. Le gouvernement dirigeait toute la vie du pays. Chaque famille recevait un champ proportionné au nombre de ses membres, un fils comptant pour deux filles. Tous les hommes et les femmes mariées étaient tenus de cultiver, outre leurs terres, celles de l'empereur et celles consacrées au Soleil. Ces dernières servaient à l'entretien des prêtres, des malades, des infirmes et des veuves. Les indigènes étaient très bons agriculteurs. Ils savaient creuser des canaux d'irrigation, parfois souterrains, ils cultivaient le maïs, élevaient des lamas dont ils tissaient la laine. Ils ne connaissaient ni le fer ni la houille, mais leur pays était riche en or, en argent, en mercure, en plomb, en cuivre, en étain. Pour maintenir leur domination, les Incas avaient fait exécuter des travaux gigantesques : forteresses établies aux points stratégiques, magasins de ravitaillement pour les troupes, réseau de routes larges, rectilignes, bien empierrées. La capitale était *Cuzco*.

En quelques mois, cet immense empire tomba au pouvoir de

deux aventuriers, vrais bandits, *Pizarre* et *Almagro*. Ils
payèrent d'audace, profitèrent de la rivalité de deux princes qui
se disputaient le pouvoir, bénéficièrent de l'impression de stu-
peur que leurs chevaux et leurs arquebuses produisaient sur les
populations et occupèrent sans combat tout le pays (1532). Ils y
fondèrent une capitale nouvelle, *Lima*.

Bientôt les deux vainqueurs se brouillèrent. Almagro fut
assassiné sur l'ordre de Pizarre ; Pizarre fut assassiné par le fils
d'Almagro (1541) et la guerre civile fit rage jusqu'à ce qu'un
gouverneur nommé par Charles Quint rétablît l'ordre.

5. Autres explorations.

Pendant ce temps d'autres conquérants commençaient à explorer dans l'Amérique du Sud la Colombie et le Venezuela,
puis le Chili, où ils se heurtèrent à une résistance farouche, et
enfin, à l'est du Chili, les territoires qui forment aujourd'hui le
Paraguay, l'Uruguay et le nord de l'Argentine.

Par-delà le Mexique, quelques chefs audacieux parcoururent
le sud et le sud-ouest des États-Unis actuels. Mais ces régions
étaient pauvres, on n'y trouvait ni épices ni or. Les Espagnols
n'occupèrent la Floride (vers 1565) que pour empêcher les
Français de s'y installer.

Les Français continuaient en effet à chercher le long des
côtes de l'Amérique du Nord un passage vers l'océan Pacifique
moins dangereux que le détroit de Magellan. En trois voyages,
vers 1540, *Jacques Cartier* découvrit et explora l'estuaire du
fleuve Saint-Laurent, au Canada.

6. Organisation de l'Amérique espagnole.

L'empire espagnol fut rattaché très étroitement à la mère patrie. Un *Conseil des Indes* légiférait sur toutes les questions qui
intéressaient l'Amérique, nommait et contrôlait les fonctionnaires d'outre-mer. Une *Chambre de Commerce*, installée à
Séville, surveillait le commerce entre l'Espagne et ses possessions américaines.

De nombreux Espagnols vinrent s'établir en Amérique. Ils

firent connaître aux indigènes l'usage de la roue ainsi que les animaux et les plantes d'Europe. Ils exploitèrent les mines d'or et d'argent — celles-ci particulièrement riches au Pérou dans le massif du *Potosi*.

Les Indiens furent astreints à travailler sur les terres confisquées par les Espagnols et dans les mines. Ils furent souvent cruellement traités, et beaucoup périrent. Un prêtre espagnol de grand cœur, *Las Casas*, plaida leur cause devant Charles Quint et Philippe II. Ceux-ci promulguèrent en leur faveur des lois très humaines : officiellement, un paysan indien, pourvu qu'il fût catholique, aurait dû être l'égal d'un paysan espagnol. Malheureusement, ces lois ne furent pas toujours appliquées. Pour se procurer une main-d'œuvre abondante et robuste, les Espagnols firent venir d'Afrique des esclaves noirs. Ce commerce des esclaves — on l'appelle la *traite* — allait pousser les roitelets africains à se faire les uns aux autres des guerres incessantes pour se procurer des prisonniers et les vendre aux *négriers* européens.

La langue, la religion et les mœurs espagnoles se répandirent parmi les Indiens. Les mariages mixtes entre indigènes et colons furent nombreux. Aussi les *métis* formèrent-ils, à côté des *créoles*, une grande partie de la population au Mexique, dans l'Amérique centrale et l'Amérique du Sud[1]. Ces pays ont rejeté depuis longtemps l'autorité de l'Espagne, mais ils ont subi si profondément l'emprise de sa civilisation que l'on continue à les grouper sous le nom d'*Amérique espagnole*.

Les Espagnols se réservèrent le commerce avec leur empire d'Amérique aussi jalousement que les Portugais se réservaient le commerce avec leurs possessions d'Afrique et d'Asie. Chaque année, deux flottes partaient de Séville, l'une abordait à l'isthme de Panama, l'autre au Mexique : elles apportaient les produits de l'Europe et embarquaient ceux des colonies, surtout les lingots d'or et d'argent. Puis, après s'être réunies à Cuba, elles revenaient de conserve en Espagne.

---

1. Les *créoles* sont des Espagnols nés en Amérique de parents blancs. Les *métis* sont issus de mariages entre Blancs et Indiens ; les *mulâtres* sont issus de mariages entre Blancs et Noirs.

7. Conséquences des grandes découvertes.

Les grandes découvertes eurent donc pour première conséquence la formation des *empires coloniaux* espagnol et portugais et l'introduction hors d'Europe de la civilisation européenne. Elles amenèrent en même temps la mort de centaines de milliers d'Indiens et la disparition de leurs antiques civilisations ; elles inaugurèrent enfin la *traite des esclaves* entre l'Afrique et l'Amérique.

Beaucoup de *plantes* d'Amérique — maïs, tabac, haricot, tomate, cacao, vanille, quinquina, manioc, ananas — furent introduites dans l'Ancien Monde. Les *routes du commerce* ne furent plus les mêmes, et la Méditerranée perdit, au profit de l'océan Atlantique, une partie de l'importance qu'elle avait depuis des siècles. Les *métaux précieux* affluèrent en Europe, ce qui amena, on le verra, de graves conséquences économiques et sociales. Les rois d'Espagne, qui prélevaient un cinquième du produit des mines d'Amérique et levaient des taxes sur les marchandises qu'exportaient et importaient les colonies, s'enrichirent prodigieusement. Ils purent payer des mercenaires, acheter des alliances, engager de longues guerres : *la prépondérance politique de l'Espagne en Europe au XVIᵉ siècle et dans la première moitié du XVIIᵉ siècle s'explique en partie par la conquête de l'or et de l'argent américains.*

Enfin les grandes découvertes *élargirent tout le savoir humain.* Brusquement l'Europe eut la révélation d'une multitude de choses qui lui étaient jusque-là inconnues : astres, océans, continents, plantes, races humaines, civilisations insoupçonnées. Bien des idées en furent bouleversées et la science fit, en un demi-siècle, de merveilleux progrès.

Aspects de la vie économique

1. L'afflux des métaux précieux.

La conquête d'une partie de l'Amérique eut pour conséquence l'afflux des métaux précieux en Europe. On a calculé qu'on y trouvait en 1550 douze fois plus d'or et d'argent qu'en 1492. Les premiers lingots qui arrivèrent du Nouveau Monde furent des lingots d'or, mais, après la découverte des riches mines d'argent dans le massif du *Potosi* au Pérou (1545) et après l'invention d'un procédé nouveau pour extraire l'argent du minerai, la production de l'argent dépassa de beaucoup celle de l'or. L'argent devint si commun qu'il perdit de sa valeur : le rapport de l'or à l'argent, qui était de 1 à 10, fut désormais de 1 à 15[1].

Par un contraste singulier, la possession des lingots d'or et d'argent n'enrichit pas les Espagnols ; elle les appauvrit plutôt. Depuis longtemps déjà ils méprisaient le travail manuel. Quand ils eurent conquis le Mexique et le Pérou, ils se crurent riches, et moins que jamais ils furent disposés à travailler. Or Isabelle de Castille et Ferdinand d'Aragon venaient d'expulser les Juifs

1 Alors qu'il suffisait de 10 kilogrammes d'argent pour acheter un kilogramme d'or, il en fallut désormais 15 Il semble que, de 1500 à 1650, les mines d'Amérique aient déversé en Europe près de 200 000 kilogrammes d'or et 17 millions de kilogrammes d'argent

et les Musulmans, qui formaient sans doute l'élément le plus laborieux et le plus industrieux de la population. Pour se procurer le nécessaire et aussi tout ce qu'ils devaient envoyer à leurs colons en Amérique, les Espagnols durent appeler chez eux des travailleurs étrangers et faire de grands achats au-dehors. L'or et l'argent d'Amérique ne firent ainsi que passer entre leurs mains pour aller enrichir ouvriers et marchands étrangers. *Du moins cet afflux de métaux précieux contribua-t-il à créer l'essor économique de l'Europe qui est l'un des traits essentiels du XVIe siècle.*

2. Développement de l'industrie.

Le goût plus répandu du luxe, l'accroissement de la population qui augmentait à la fois le nombre des consommateurs et le nombre des travailleurs contribuèrent aux progrès de l'industrie. ×

Des industries nouvelles se répandirent, comme celle du livre, conséquence de l'invention de l'imprimerie et de l'enthousiasme pour l'humanisme. D'abord unies dans les mêmes mains, l'impression et la vente des livres se séparèrent bientôt et donnèrent lieu à deux professions distinctes : celle des imprimeurs et celle des libraires. Dans l'industrie du livre, l'organisation du travail restait encore celle des corporations du Moyen Age : le patron travaillait dans sa boutique, entouré de compagnons et d'apprentis. Ailleurs, la grande industrie se développait rapidement.

Elle existait déjà depuis longtemps en Flandre et à Florence dans l'*industrie textile* : là, de riches marchands-fabricants faisaient travailler la laine à des ouvriers groupés en grands ateliers. Au XVIe siècle, l'industrie de la soie et du coton, à Lyon par exemple, eut les mêmes caractères. Ainsi se développa dans les villes un *prolétariat ouvrier*, généralement très misérable. Souvent aussi le fabricant utilisait la main-d'œuvre des campagnes : il donnait aux paysans un métier, leur fournissait la matière brute (laine, soie ou lin), puis leur achetait la pièce d'étoffe et la revendait pour son compte. Une *industrie rurale à domicile*, qui en certains endroits a duré jusqu'à la fin du XIXe siècle vint concurrencer l'industrie urbaine.

L'*industrie minière et métallurgique*, qui s'était si rapidement développée dans la seconde moitié du XVe siècle, prit, elle aussi, les traits de la grande industrie.

3. Les grandes zones de commerce.

L'une des conséquences des voyages de découverte fut le développement du commerce dans l'océan Atlantique. Les lingots d'argent et d'or apportés du Mexique et du Pérou venaient s'entasser à Séville pour y être monnayés ; les produits de l'Inde et des Moluques arrivaient non plus à Alexandrie ou à Beyrouth, mais à Lisbonne. La Méditerranée, qui depuis tant de siècles était le centre du commerce européen, semblait devoir perdre sa primauté.

Cependant, aucun des ports atlantiques de la péninsule ibérique ne prit l'essor qui paraissait leur être réservé. Les Portugais dédaignèrent, en effet, de revendre eux-mêmes les épices, et ils abandonnèrent ce soin aux marchands d'Allemagne, de France et surtout des Pays-Bas. *Anvers*, où affluaient et d'où repartaient toutes les richesses de l'Europe, devint, au lieu de Lisbonne, le centre de distribution du poivre et du sucre. C'est à Anvers aussi que s'écoulait une partie de l'or et de l'argent apportés par les *galions*[1] espagnols. Aussi la ville fut-elle, au moins jusque vers 1575, la plus grande place financière d'Europe.

Le port d'*Amsterdam* était, lui aussi, en plein essor. Les marchands hollandais s'étaient d'abord enrichis dans la pêche (hareng dans la mer du Nord, morue et baleine dans les mers arctiques). Ils allaient maintenant, de plus en plus, chercher à Riga, à Danzig, à Lubeck, le fer et le cuivre de Suède, le seigle, le goudron , le chanvre de Russie, de Pologne et d'Allemagne du Nord. Les *ports français de l'Atlantique* se développaient aussi : Bordeaux, La Rochelle, Nantes, Saint-Malo, Dieppe et surtout Rouen, dont les relations avec l'Angleterre et l'Europe septentrionale étaient très actives.

Le développement du commerce atlantique avait affaibli mais non ruiné le commerce méditerranéen. Les épices et la

---

1 On appelait *galions* les vaisseaux que les Espagnols utilisaient pour leur commerce avec l'Amérique

soie (en partie, tout au moins) reparurent à Alexandrie et à Beyrouth pour le plus grand profit des Vénitiens. Si l'argent espagnol refluait vers Anvers, il refluait aussi vers *Gênes* puis, à partir de 1580, vers *Livourne*, port nouvellement créé en Toscane pour remplacer celui de Pise envahi par les sables. Malgré les différences de religion, malgré les dangers que les corsaires turcs ou *barbaresques*[1] faisaient courir aux marchands, le commerce fut toujours actif en Méditerranée entre chrétiens et musulmans. *Raguse*, située sur la côte orientale de la mer Adriatique, était comme la sentinelle avancée de la Chrétienté face à l'Empire ottoman. Dans le dernier quart du XVIe siècle, les marchands italiens se heurtèrent à la concurrence des Anglais, qui apportaient aux pays du Levant le plomb, l'étain, les draps, la viande salée et les harengs fumés. Déjà aussi les navires hollandais venaient apporter à l'Italie, souvent affamée, le blé des pays de la mer Baltique.

4. La hausse des prix.

L'afflux d'or et d'argent venu d'Amérique entraîna dans toute l'Europe occidentale et centrale, surtout après 1550, une très forte hausse de prix. L'exploitation des mines du Potosi mit en circulation une quantité énorme de pièces de monnaie. *Or l'abondance de la monnaie contribue toujours à faire monter les prix.* Les souverains essayèrent de fixer le prix maximum des denrées de première nécessité, mais leurs efforts furent vains.

Le renchérissement de toutes choses eut des conséquences très variées. *Certaines classes sociales s'appauvrirent, d'autres s'enrichirent.* La hausse des prix ne toucha pas les paysans, qui n'achetaient ni ne revendaient presque rien. Au contraire, elle frappa durement les ouvriers, dont les salaires n'augmentaient presque pas. De même les nobles peu fortunés, qui passaient leur temps aux armées sans pouvoir surveiller l'exploitation de leurs terres, tombèrent parfois dans une demi-misère et furent contraints à vendre une partie de leurs domaines. En revanche, les gros propriétaires, nobles ou bourgeois, auxquels leurs paysans donnaient en redevance une partie de la récolte, s'enrichirent en la vendant puisque les prix agricoles avaient monté.

---

1 Les chrétiens appelaient *barbaresques* les musulmans de Tunisie, d'Algérie et du Maroc.

Quant à ceux qui s'adonnaient au grand commerce et à la banque, beaucoup d'entre eux firent alternativement fortune ou faillite.

5. Grand rôle des banquiers.

L'essor économique de la première partie du XVIᵉ siècle serait inexplicable si l'on négligeait le rôle que jouèrent alors les banquiers. C'est grâce à l'argent prêté par eux que l'on put financer les grandes entreprises coloniales ou industrielles et faire face aux énormes dépenses qu'entraînaient les guerres presque continuelles[1].

De ces banquiers, les plus puissants étaient les *Fugger* établis en Allemagne, à Augsbourg. D'abord enrichis dans le commerce des étoffes et des épices, ils avaient ensuite dirigé l'exploitation des mines de fer, de cuivre, de sel dans les Etats des Habsbourg; enfin, ils étaient devenus les banquiers des papes, encaissant les impôts que la Curie levait dans l'Europe centrale et septentrionale. Plus tard, ils prêtèrent de grosses sommes à l'empereur Maximilien et financèrent l'élection à l'Empire de son petit-fils Charles Quint (1519). Ce fut l'apogée de leur puissance.

L'importance que prirent alors les banquiers vint en partie de ce qu'ils furent les *bailleurs de fonds des souverains*. Le nombre accru des fonctionnaires, le luxe de la Cour, la construction des châteaux, les pensions aux courtisans, les guerres continuelles exigeaient des sommes énormes. Aussi les rois ne pouvaient-ils se passer des financiers, dont ils devaient accepter les conditions draconiennes. Il est vrai que les hommes d'argent couraient de gros risques. En 1557, le roi d'Espagne Philippe II, puis, en 1559, le roi de France Henri II ne purent faire honneur à leurs engagements. Leur double banqueroute ébranla les banques les plus solides à Lyon et en Allemagne, même celle des Fugger.

---

1. En 1543, François Iᵉʳ lança à Lyon un très gros emprunt pour drainer tout le numéraire et contraindre Charles Quint à signer la paix, faute d'argent pour payer le solde de ses mercenaires.

6. L'appel à l'épargne privée.

Malgré leur richesse, les banquiers ne disposaient pas toujours des capitaux nécessaires à leurs vastes opérations. Alors ils lançaient eux-mêmes des *emprunts dans le public*. L'appel à l'épargne privée, si courant aujourd'hui, était inconnue jusque-là : elle apparut au XVIe siècle.

L'exemple des banquiers fut suivi par les souverains. François Ier fut le premier roi de France qui emprunta à ses sujets : en 1522, il demanda aux notables de Paris de lui fournir la somme de 200 000 livres ; en contrepartie, il leur concéda à perpétuité le produit de certains impôts que levait la municipalité. Cet emprunt est l'origine de notre *Dette publique*. En 1555, Henri II fit un appel semblable à tous les habitants un peu fortunés de Lyon. Le succès de l'emprunt fut prodigieux. Mais bientôt Henri II , on l'a vu, se vit dans l'impossibilité de payer les intérêts des sommes qu'il avait souscrites, et sa banqueroute ruina des milliers de familles.

7. Mercantilisme et économie dirigée.

Pour dépendre le moins possible des banquiers, les souverains développèrent la richesse de leurs Etats. Or, dans les idées du temps, un pays n'était vraiment riche que s'il possédait un stock monétaire important, c'est-à-dire une grosse réserve de pièces d'or et d'argent. Le vrai moyen de s'enrichir était d'empêcher la monnaie de sortir du royaume et, au contraire, d'attirer les monnaies étrangères, Il fallait donc *acheter peu et vendre beaucoup*, développer l'agriculture, l'industrie et le commerce pour que le pays pût non seulement se suffire à lui-même, mais encore exporter une partie de ce qu'il avait récolté ou fabriqué. Dans la même intention, on chercha à *acquérir des colonies* pour en tirer les matières premières dont manquait la métropole, sans avoir à s'appauvrir en les achetant aux pays étrangers. On comprend aussi pourquoi la métropole appliquait à ses colonies le *régime de l'exclusif* : elle se réservait exclusivement le droit de commercer avec elles pour leur vendre les produits de son industrie et leur acheter les produits de leur sol.

Cette théorie d'après laquelle un Etat doit importer peu et

exporter beaucoup pour sauvegarder son indépendance, accroître la richesse et donner du travail à ses habitants s'appelle le *mercantilisme.* Elle a été universellement acceptée jusqu'à la fin du XVIIIᵉ siècle. L'application du mercantilisme suppose une surveillance étroite de la vie économique par l'Etat, ce qu'on appelle aujourd'hui *l'économie dirigée.*

Le duel de la France et de Charles Quint

1. Puissance de Charles Quint

La paix conclue en 1516 dura cinq ans à peine. Dès 1521 la guerre recommençait, mais sur un théâtre beaucoup plus vaste et l'Italie n'en était plus le seul enjeu. Elle eut pour cause essentielle la puissance prodigieuse du roi Charles Ier d'Espagne, élu empereur en 1519 sous le nom de *Charles Quint*. Ce prince était l'héritier de quatre maisons princières.

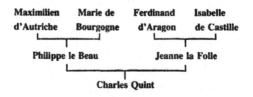

A l'*héritage autrichien* des Habsbourg, Charles Ier d'Espagne ajoutait l'*héritage bourguignon* (Pays-Bas, Flandre, Artois, Franche-Comté), l'*héritage aragonais* (Aragon, Navarre, Sardaigne, Sicile, Naples) et l'*héritage castillan* (Castille et Amérique espagnole). A toutes ces couronnes il joignit en 1519 la *couronne impériale*. Lui et François Ier avaient posé tous deux leur candidature : grâce à l'appui du banquier Jacob Fugger, Charles fut élu sous le nom de Charles V — en latin *Carolus Quintus*, d'où nous avons fait : *Charles Quint*. Son frère Ferdinand devint en 1526 roi de Bohême et de Hongrie.

En ce début du XVIe siècle, Charles Quint avait hérité des prétentions des empereurs du Moyen Age. Comme eux, il voulait être l'arbitre de l'Europe et reprendre les Lieux Saints aux Musulmans. Froid, toujours maître de lui, réfléchi, ce jeune homme de dix-neuf ans était immensément ambitieux : sa devise était : «Toujours plus oultre» (toujours au-delà). Cette ambition était particulièrement redoutable pour la France. En effet, arrière-petit-fils de Charles le Téméraire, Charles Quint entendait reprendre à la France la Bourgogne. Empereur, il prétendait remettre sous sa suzeraineté le Dauphiné et la Provence, qui avaient jadis fait partie de l'Empire.

2. Premières victoires de Charles Quint.

Charles Quint et François Ier se disputèrent l'alliance du roi d'Angleterre, *Henri VIII*. François Ier eut avec ce dernier une entrevue non loin de Calais et le reçut, pour l'éblouir, dans un camp dont les tentes étaient de drap et de toile d'or : le *Camp du Drap d'or* coûta des sommes énormes et ne rapporta rien. Plus habile, Charles Quint sollicita modestement Henri VIII : ce fut lui qui l'emporta.

Puis la guerre commença (1521), à la fois en France et en Italie. Une invasion des Impériaux — c'est-à-dire des soldats de l'empereur — en Provence fut repoussée : elle était dirigée par le *connétable de Bourbon*, grand seigneur français qui était passé au service de Charles Quint (1523). Mais, dans le même temps, les Français étaient chassés du Milanais après des combats malheureux, où périt Bayard. François Ier, accouru pour rétablir la situation, reprit Milan, mais fut battu et fait prisonnier devant *Pavie* (1525). «De toutes choses, écrivait-il à sa mère, ne m'est demeuré que l'honneur et la vie qui est sauve.»

Pour recouvrer sa liberté, François Ier dut s'engager par serment à renoncer au Milanais et même à céder la Bourgogne (1526). Cependant, avant de jurer, il avait protesté que ce traité, imposé par la force était nul. Quand il vit les habitants de la Bourgogne affirmer qu'ils ne se laisseraient jamais séparer de la France, il refusa de tenir sa promesse. La guerre recommença et Charles Quint finit par renoncer à réclamer la Bourgogne (1529). Il contraignit du moins le pape à abandonner le parti de la France, après que les Impériaux eurent pris et saccagé Rome (1527); surtout il réussit à repousser les Turcs, qui avaient mis le siège devant Vienne (1529).

3. Les alliances de François Ier.

François Ier comprit qu'il lui fallait des alliés contre Charles Quint. Il se tourna vers les princes protestants d'Allemagne et vers les Turcs.

L'empire ottoman était alors à l'apogée de sa puissance. Le sultan *Sélim* (1512-1520) avait conquis la Syrie, la Palestine et l'Égypte, pris le titre de *calife* qui faisait de lui le chef de tous les musulmans. Son successeur *Soliman le Magnifique* (1520-1566) avait enlevé l'île de Rhodes aux Chevaliers de Saint-Jean de Jérusalem, annexé presque toute la Hongrie et assiégé Vienne. Pour la France, l'alliance avec le sultan (1535), si scandaleuse qu'elle pût paraître à des chrétiens, était donc précieuse puisqu'elle permettait de prendre les Habsbourg à revers. Elle se resserre encore dans les années suivantes : en 1569, sous le règne de Charles IX, un traité connu sous le nom de *Capitulations* assura aux Français le droit de commercer dans tout l'empire ottoman, d'y exercer leur religion et de n'y être jugés que par leurs consuls.

4. Succès et revers sous François Ier et Henri II.

La lutte entre la France et la Maison d'Autriche reprit en 1536 et, coupée d'ailleurs de longues trêves, ne se termina qu'en 1559. En Italie, les Français furent tantôt vainqueurs, tantôt vaincus. Du moins occupèrent-ils pendant plus de vingt ans, sur les deux versants des Alpes, les États du duc de Savoie-Pié-

mont, allié de l'empereur. La France fut envahie à plusieurs
reprises : Charles Quint poussa même jusqu'à Meaux en 1544.
Après sept ans de paix, la guerre reprit sous *Henri II*, fils de
François I*ᵉʳ*. Henri II, d'accord avec les protestants d'Allemagne alors en lutte contre Charles Quint, occupa en 1552 les
trois villes de *Toul, Metz, Verdun* — ce qu'on appela plus tard
les Trois Évêchés. Quand l'empereur essaya de reprendre
Metz, il échoua devant la belle résistance du duc *François de
Guise* (1553).

Cet échec, l'âge, les maladies poussèrent Charles Quint à
abdiquer (1555-1556). A son fils, qui prit le nom de *Philippe II*,
il laissa les Pays-Bas, la Franche-Comté, le Milanais, la Sicile et
Naples, l'Espagne et les colonies espagnoles. A son frère *Ferdinand*, déjà roi de Bohême et du petit morceau de Hongrie qui
avait échappé à la suzeraineté turque, il laissa les possessions
autrichiennes et allemandes des Habsbourg. Puis il se retira en
Espagne, où il mourut peu après (1558).

Dès 1557, Henri II avait attaqué Philippe II. Comme celui-ci
avait épousé la reine d'Angleterre, Marie Tudor, il fallut
combattre à la fois les Espagnols et les Anglais. Les Espagnols
infligèrent au connétable de Montmorency une terrible défaite
devant *Saint-Quentin* (1557); mais François de Guise s'empara
de *Calais* (1558), que les Anglais occupaient depuis deux cents
ans.

5. La paix bâclée du Cateau-Cambrésis.

Des deux côtés, les adversaires étaient las de la guerre et
acculés à la banqueroute; de plus Henri II, inquiet des progrès
des protestants dans son royaume, tenait à avoir les mains
libres pour se tourner contre eux. La paix fut signée au *Cateau-
Cambrésis*, près de Cambrai (1559).

Les préoccupations d'Henri II expliquent les extraordinaires
concessions auxquelles il consentit : non seulement il renonça
au Milanais, mais il restitua au duc de Savoie ses États et rendit
aux Génois la Corse qu'il leur avait enlevée. Du moins conser-
vait-il Calais et, sans que le traité en fît mention, les Trois
Évêchés. Ces guerres, où l'Italie avait tenu une si grande place,
ne laissaient donc rien à la France au-delà des Alpes, mais elles

renforçaient sa frontière au Nord et au Nord-Est.

Le traité stipulait, comme gage de réconciliation, le mariage de Philippe II, veuf de Marie Tudor, avec une fille d'Henri II. Au cours des fêtes données à cette occasion à Paris, Henri II fut mortellement blessé à l'œil au cours d'un tournoi (juillet 1559).

6. Causes de l'échec des Habsbourg.

Après quarante ans de guerre, les Habsbourg n'avaient enlevé à la France que le Milanais et ils n'avaient pu l'empêcher d'occuper les Trois Évêchés. Comment expliquer ces médiocres résultats ?

C'est que les Habsbourg étaient beaucoup moins puissants qu'il ne paraissait. Leurs possessions étaient immenses, mais elles n'étaient pas d'un seul tenant. Elles n'avaient aucun lien entre elles, même pas celui de la langue : Charles Quint était tenu de savoir tout ensemble l'allemand, l'italien, le flamand, l'espagnol et le Français. Enfin nulle part il n'était sûr d'être obéi. Les villes flamandes se soulevèrent contre lui pour défendre leurs libertés, les princes allemands ne lui donnèrent ni soldats ni argent ; certains lui firent même la guerre et offrirent au roi de France les Trois Évêchés. Si l'on ajoute que les Habsbourg furent sans cesse affaiblis par les progrès du protestantisme en Allemagne et les menaces des Turcs, on s'étonne moins de leur échec. On s'en étonne moins encore quand, à leurs possessions sans unité ni loyalisme, on oppose la France, tout entière unie derrière son roi.

Le royaume de France sous François Ier et Henri II

1. L'absolutisme royal.

La première moitié du XVIe siècle est marquée en France par les progrès du pouvoir royal. Louis XII avait gouverné avec une modération qui lui valut le surnom de « Père du peuple », mais François Ier ramena la royauté dans la voie du despotisme. Ce prince léger et capricieux, ami des plaisirs et des fêtes, était très jaloux de son autorité. La formule qu'on inscrivait au bas de ses ordonnances — « Car tel est notre bon plaisir » — traduisit l'orgueil qu'il ressentait de sa toute-puissance. C'est sous son règne qu'apparut l'expression *Votre Majesté,* jusque-là réservée à l'empereur. Ce régime du bon plaisir se continua sous Henri II.

2. Docilité de la nation.

François Ier et Henri II n'eurent pas de peine à gouverner en souverains absolus parce que personne en France ne pouvait ni même ne voulait s'opposer à leur volonté. Un seul grand seigneur aurait pu inquiéter le jeune François Ier : c'était son «connétable» — titre qui équivalait alors à chef de l'armée — le *duc de Bourbon*, possesseur d'immenses fiefs dans le centre de la France. Mais le connétable, indigné d'un procès que lui avait intenté, assez injustement d'ailleurs, la mère du roi, intrigua avec Charles Quint, dont il était le vassal pour certaines de ses possessions, puis passa à son service, quoique Charles fût alors en guerre avec François Ier. Les domaines du connétable furent confisqués au profit du roi.

Les autres seigneurs, bien loin de penser à désobéir, ne désiraient que servir. En ces temps de hausse des prix, le seul moyen pour eux de tenir leur rang et de mener une vie de luxe était de demander au roi des pensions. Ainsi les descendants des grands féodaux de jadis venaient vivre auprès de lui, à la Cour, et se transformaient en *courtisans.*

Le clergé se montrait aussi docile que la noblesse. Par le *Concordat*[1] signé à Bologne en 1516, Léon X avait reconnu à François Ier le droit de nommer les archevêques, évêques et abbés du royaume ; le pape se réservait de leur donner l'investiture canonique. Ce privilège assurait le roi de l'entière soumission de ses prélats et même des laïcs qui désiraient obtenir de lui des bénéfices ecclésiastiques.

Quant à la bourgeoisie, heureuse de voir l'ordre maintenu et de pouvoir s'enrichir, elle fut tout entière acquise au roi, surtout lorsque celui-ci lui permit d'acheter les charges de fonctionnaires.

3. Le développement de la Cour.

Le signe visible de la puissance royale fut le *développement de la Cour.* De plus en plus magnifique et nombreuse, plusieurs milliers de personnes, elle fut pour la personne du souverain un cadre somptueux. A la fois centre de la vie politique et de la vie mondaine, elle exerça une irrésistible attraction sur tous ceux qui aspiraient au pouvoir et aimaient les fêtes.

On y trouvait d'abord les serviteurs privés du souverain, ceux qui formaient la *Maison du roi*. A la tête de chaque service était

1. On appelle *Concordat* un traité signé entre le pape et un État pour régler l'organisation du clergé dans cet État.

placé un grand officier qui faisait toujours partie de la haute noblesse. La reine et la mère du roi avaient aussi leur «maison», où servaient comme dames d'honneur les femmes et les filles des grands seigneurs de la Cour. Enfin le roi possédait une Maison militaire, en partie composée de soldats étrangers, surtout des Écossais et des Suisses.

La Cour comprenait encore ceux qui aidaient le roi à gouverner ; puis les Princes du sang, enfin tous ceux que le souverain daignait y appeler, par exemple des écrivains et des artistes.

Cette Cour n'avait pas de résidence fixe. Le roi ne trouvait pas à Paris de palais qui lui convînt. Il en fit construire ou agrandir près de Paris et dans la vallée de la Loire : Saint-Germain, Fontainebleau, Amboise, Blois, Chambord. La Cour menait donc une vie nomade, se déplaçant de ville en ville, de château en château. Mais, où qu'elle fût, elle déployait un luxe raffiné, et les plaisirs se renouvelaient sans cesse : chasses, joutes, tournois comme au Moyen Age, mais aussi bals, concerts, représentations théâtrales à l'imitation des Cours italiennes. Les dames y vinrent de plus en plus nombreuses ; certaines, comme Diane de Poitiers sous Henri II, jouèrent un grand rôle politique.

4. Le gouvernement du royaume.

Souverains absolus, François Ier et Henri II entendaient ne pas laisser limiter leur autorité. De 1483 à 1560, les États Généraux ne furent pas convoqués. Il est vrai que les Parlements, tribunaux supérieurs du royaume[1], avaient le droit de présenter des remontrances lorsqu'ils enregistraient (c'est-à-dire transcrivaient sur leurs registres) les ordonnances royales.

Mais François Ier et Henri II s'irritaient souvent de voir les Parlements se mêler de politique : «Je ne souffrirai pas, s'écriait le premier, qu'il y ait plus qu'un roi en France». Et, dans plusieurs circonstances, il le fit bien voir. D'ailleurs les Parlementaires ne lui avaient-ils pas dit eux-mêmes : «Nous ne voulons, Sire, révoquer en doute ou disputer de votre puissance. Ce serait sacrilège et savons bien que vous êtes en sus [par-dessus] les lois.»

---

1 A la mort d'Henri II on comptait, outre le Parlement de Paris, sept Parlements provinciaux (Toulouse, Grenoble, Bordeaux, Aix-en-Provence, Dijon, Rouen, Rennes).

Il n'y avait pas encore de ministres au sens actuel du mot, à l'exeption du Chancelier, qui dirigeait la justice. Mais Henri II confia à quatre secrétaires le soin de s'occuper des affaires financières, et bientôt leur compétence s'étendit à beaucoup d'autres questions. Ces *Secrétaires d'État* sont les ancêtres de nos ministres. Les décisions les plus importantes étaient prises au *Conseil des Affaires,* où le roi convoquait quelques familiers en qui il avait toute confiance. Il y avait, en outre, un *Conseil des Finances* et un *Conseil des Parties,* qui était le tribunal suprême du royaume.

Le règne de François Ier fut marqué par un *grand progrès dans la législation.* C'est alors qu'on acheva de reviser, puis de mettre par écrit les *coutumes,* c'est-à-dire les usages juridiques locaux, jusque-là restées orales. En même temps le roi décidait qu'à l'avenir tous les actes judiciaires seraient rédigés en *français* et non plus en latin. Enfin, il ordonnait que dans chaque paroisse le curé tiendrait *les registres de l'état civil,* c'est-à-dire inscrirait sur un registre les naissances, les mariages et les décès.

5. L'administration locale. Officiers et commissaires.

Si autoritaires qu'ils fussent, François Ier et Henri II n'arrivaient pas toujours à se faire obéir. C'est qu'il n'y avait point dans le royaume de fonctionnaires sédentaires, nommés et révoqués par le roi et chargés de faire appliquer sa volonté. Les villages et les villes jouissaient d'une certaine autonomie administrative ; les fonctionnaires royaux dans les bailliages étaient des *officiers,* dont les charges ou *offices,* données jadis à titre temporaire, étaient petit à petit devenues d'abord viagères, puis même héréditaires. Un officier laissait sa charge à son fils ou bien il la vendait, comme aujourd'hui on vend une charge de notaire ou d'agent de change. Henri II reconnut officiellement, sous certaines conditions, *l'hérédité* et la *vénalité des offices.* Propriétaires de leurs charges, puisqu'ils les avaient achetées ou reçues en héritage, les officiers pouvaient être, par là même, assez indépendants à l'égard du roi.

Aussi, pour faire appliquer leurs ordonnances, François Ier et Henri II chargeaient-ils parfois des hommes de confiance, appelés *commissaires*, d'une mission temporaire sur tel ou tel point du royaume. *A l'officier, propriétaire de sa charge, s'opposait ainsi le commissaire nommé et révoqué par le roi.*

6. Les besoins d'argent.

L'entretien des armées en ces temps de guerres continuelles, les fêtes de la Cour, les pensions aux courtisans, la construction des châteaux entraînaient des dépenses énormes. François Ier et Henri II durent trouver des ressources nouvelles. Ils y arrivèrent par l'organisation des *douanes* c'est-à-dire des droits levés sur les marchandises à l'entrée et à la sortie du royaume, et surtout par l'augmentation des impôts. Les trois impôts les plus importants étaient toujours : la *taille* ou impôt sur toutes les sources de revenus des roturiers, les *aides*, levées sur la vente de certaines marchandises à l'intérieur du royaume, et la *gabelle* ou impôts sur le sel. Pour la levée de la taille, le royaume était divisé en une vingtaine de circonscriptions appelées *généralités*. A partie de 1523, tous les revenus furent centralisés à Paris dans une caisse unique, le *Trésor de l'épargne*.

Ces mesures ne suffirent pas. François Ier eut alors l'idée de demander à ses sujets de lui prêter de l'argent. L'emprunt qu'il lança en 1522 auprès des notables de Paris est à l'origine de notre *Dette publique*. Mais, comme le déficit continuait, il fallut en venir à un autre expédient : la *vente d'offices*, c'est-à-dire de charges de fonctionnaires.

Cette pratique, qui dura jusqu'à la Révolution, eut des effets déplorables. Le gouvernement, à seule fin de se procurer de l'argent, inventa des offices inutiles : on vit Henri II doubler le nombre des juges au Parlement en décidant que chacun ne siégerait que six mois par an. Comme les offices donnaient à leurs titulaires des avantages honorifiques, l'exemption de certains impôts, parfois même l'anoblissement, les acheteurs se présentèrent en foule : c'étaient surtout des bourgeois enrichis. Mais par là même l'État se privait de certaines ressources financières puisqu'il augmentait le nombre des privilégiés ; de plus il détournait de l'industrie et du commerce un certain nombre de bourgeois qui préféraient s'orienter vers les carrières administratives — ce qui diminuait d'autant la richesse nationale.

Tous ces expédients, d'ailleurs, ne suffirent pas à mettre le budget en équilibre.

7. Enrichissement de la France.

Pourtant la France se peuplait et s'enrichissait. Partout dans les villes les églises s'agrandissaient et les faubourgs s'allongeaient au-delà des fortifications. Avec ses 250 000 habitants, Paris était la ville la plus peuplée d'Europe ; très loin en arrière, venaient Lyon, Toulouse, Rouen, qui comptaient respectivement environ 55 000, 50 000, 40 000 âmes.

Si l'on excepte quelques incursions hardies des Impériaux en Provence ou en Champagne, les guerres se déroulèrent en général hors des frontières. Les *paysans* connurent donc une sécurité relative. La production des céréales et des vins s'accrut par le desséchement des marais et le défrichement ; des cultures nouvelles s'implantèrent lentement, comme le sarrasin venu d'Asie Mineure, le haricot, le maïs et le tabac, originaires d'Amérique.

L'industrie était en plein essor : soieries de Tours et déjà de Lyon, draps de Normandie, de Picardie, de Champagne, du Languedoc, toiles de l'Ouest, tapisseries d'Angers et d'Aix, livres de Paris et de Lyon, verreries de Saint-Gobain. On a vu les progrès de la métallurgie, conséquence du rôle sans cesse grandissant joué par l'artillerie ; devant la diminution inquiétante des forêts, Rouen commençait à importer la houille anglaise. Les habitants des côtes s'adonnaient à la récolte du sel et à la pêche : hareng dans la Manche et la mer du Nord, morue autour de Terre-Neuve.

Aussi le *commerce* était-il actif. Si Marseille n'avait encore que peu d'importance, Nantes exportait le sel, Bordeaux les vins, pendant que Rouen trafiquait avec l'Espagne, les Pays-Bas, l'Angleterre, les régions de la mer Baltique et même avec Terre-Neuve et avec le Maroc. De Dieppe et de Saint-Malo partirent les premiers navigateurs français vers l'Amérique du Nord : Jacques Cartier découvrit le fleuve du Saint-Laurent et prit possession du Canada au nom de François Ier.

Enfin, la ville de Lyon jouait un rôle essentiel dans la vie de la nation. Capitale de l'imprimerie française, elle commençait à s'enrichir dans l'industrie de la soie. Surtout elle était un marché international et une grande place financière. Quatre fois par an s'y tenaient des foires, où se retrouvaient les marchands allemands, italiens et français : les banquiers florentins, nombreux dans la ville, étaient prêts à fournir au roi tout l'argent dont il avait besoin.

La Renaissance au XVIe siècle

1. L'expansion de l'humanisme.

A côté de l'enseignement, à base surtout théologique et d'ailleurs routinier, que donnaient dans les Universités des professeurs ecclésiastiques, les humanistes avaient, dans un grand mouvement d'enthousiasme, créé une *culture nouvelle*, où le christianisme se pénétrait de ce qu'il y avait de meilleur dans la pensée antique. Cette culture s'adressait à un large public de laïcs éclairés et elle se répandait, non plus par l'enseignement oral, mais par le *livre*. Quelques grands imprimeurs, eux-mêmes humanistes de valeur, furent, au début du XVIe siècle, les propagateurs les plus ardents de l'humanisme : *Froben* à Bâle, *Alde Manuce* à Venise, *Henri Estienne* à Paris ; dans la seconde moitié du siècle, l'un des plus célèbres fut le Français *Plantin,* établi à Anvers.

A côté de H. Estienne, l'humaniste français le plus connu fut *Guillaume Budé*, directeur de la Bibliothèque royale sous François Ier. A son instigation le roi créa à Paris, en dehors de l'Université, un établissement d'enseignement supérieur qu'on appela plus tard le *Collège de France*. Des «lecteurs royaux» y enseignèrent le grec et le latin, l'hébreu, l'arabe, les mathématiques. A quel point le goût de l'Antiquité se répandit en France, c'est ce que montrent les œuvres de nos grands écrivains au XVIᵉ siècle, poètes comme *Du Bellay* et *Ronsard*, prosateurs comme *Rabelais* et *Montaigne*[1].

Les humanistes furent nombreux aussi aux Pays-Bas, en Allemagne en en Angleterre. Le plus connu de tous fut le Hollandais *Érasme* (1466-1536). Né à Rotterdam, il fit de longs séjours en France, en Angleterre, en Italie, à Bâle ; à vrai dire, il n'eut pas de patrie : il fut un Européen. Grand érudit, il édita et traduisit en latin le texte grec du Nouveau Testament, ainsi que de nombreux écrits de l'Antiquité gréco-romaine et chrétienne. Il entretint avec les autres humanistes une correspondance immense. Mais, dans le moment où se développaient les langues nationales, Érasme, comme Budé, n'écrivit guère qu'en latin.

2. Les humanistes et la science.

En général soumis à l'Église dans le domaine religieux, les humanistes entendaient être, dans les autres domaines, entièrement indépendants. Ils voulaient ne rien croire sur parole, mais tout examiner et ne rien accepter pour vrai qu'ils ne pussent le prouver. Cet état d'esprit, qu'on appelle aujourd'hui l'*esprit critique* ou l'*esprit de libre examen*, permit à beaucoup d'humanistes d'être de grands savants.

Afin de bien comprendre les auteurs anciens pour lesquels ils s'enthousiasmaient, ils étudièrent la langue, la grammaire, les institutions, la civilisation des Grecs et des Romains. Ils furent des *érudits* et fondèrent la *philologie classique*, c'est-à-dire la science qui permet de déchiffrer, de comprendre et d'interpréter les auteurs anciens. *Budé, H. Estienne, Érasme* furent d'illustres philologues.

Le peintre italien *Léonard de Vinci*, aussi grand savant que grand artiste, entrevit les lois de la mécanique et anticipa les

---

1. Du Bellay (1525-1560) est célèbre par ses sonnets et sa *Défense* et *Illustration de la langue française* ; — Ronsard (1524-1585) a écrit des poèmes de toute sorte ; — Rabelais (1490?-1563?) a composé un grand ouvrage en cinq livres, dont les deux premiers sont *Gargantua* et *Pantagruel* ; — Montaigne (1533-1592) est l'auteur des *Essais*. L'Italie avait alors deux très grands poètes : l'*Arioste* et le *Tasse*, et un profond historien, *Machiavel* (1469-1527).

vues de la science actuelle sur la géologie, la botanique, le vol des avions, la marche des sous-marins. Son compatriote *Cardan* fit faire à l'algèbre des progrès décisifs. Au milieu d'un fatras de fausse science, l'Allemand *Paracelse* eut des vues très justes en chimie. Le Belge *Vésale*, l'Espagnol *Michel Servet*, le Français *Ambroise Paré* firent progresser la médecine et la chirurgie. Enfin le Polonais *Copernic* affirma que, loin d'être immobile, la Terre tourne sur elle-même et autour du Soleil, et il donna des règles nouvelles pour le calcul des tables astronomiques. Mais les idées de Copernic ne furent couramment acceptées qu'un siècle et demi après sa mort (1543).

3. Les humanistes et le christianisme.

L'enthousiasme pour l'Antiquité gréco-romaine pouvait être un danger pour l'Église. Les idées des Grecs et des Romains étaient en effet, sur bien des points, opposées à celles du christianisme. L'Antiquité avait affirmé que le but de l'homme est d'être heureux ici-bas, au lieu que, pour un chrétien, la vie véritable est celle de l'au-delà, après la mort. L'Antiquité aimait la vie, la voulait agréable, belle, luxueuse, au lieu que l'idéal du Moyen Age avait été le moine qui fuit le monde et s'enferme dans un couvent. L'Antiquité avait exalté la beauté, la gloire, l'orgueil, au lieu que le chrétien dédaigne le corps et met au rang des plus hautes vertus l'humilité et l'obéissance. L'humanisme pouvait amener une *renaissance du paganisme* : ce fut le cas chez l'Italien Machiavel.

Les humanistes n'en restèrent pas moins presque tous attachés à l'Église catholique et furent, surtout en Angleterre, en Allemagne et en France, des croyants très pieux. Cependant leurs travaux sur la Bible et les grands théologiens des IVe et Ve siècles ap. J.-C. (ceux qu'on appelle les «Pères de l'Église», tels saint Jérôme ou saint Augustin) les amenèrent parfois à des conclusions redoutables. Il leur sembla que, sur certains points, l'Église de leur temps enseignait des doctrines assez différentes de celles qu'ils trouvaient dans la Bible et chez les Pères. Les humanistes conseillaient de s'en tenir strictement à ces dernières. Par là ils contribuèrent à préparer, parfois même ils favorisèrent le mouvement religieux qu'on appelle la *Réforme*.

4. La Renaissance dans les arts.

L'enthousiasme pour l'Antiquité renouvela la vie artistique plus encore que la vie littéraire. A partir du XVIe siècle, l'art italien tendit à s'affranchir des traditions du Moyen Age : d'une part, il se *laïcisa*, c'est-à-dire qu'il se libéra de la tutelle de l'Église ; d'autre part, il s'inspira des modèles antiques. Les architectes employèrent de nouveau l'architrave posée à plat sur des colonnes, et la décoration de pilastres, d'oves, de volutes, de palmettes, de feuilles d'acanthe. Les statues et les bas-reliefs antiques enseignaient également aux artistes la beauté du corps humain. Le Moyen Age, par pudeur chrétienne, avait représenté les personnages vêtus ; la Renaissance les montra souvent nus parce qu'elle voulait faire admirer des formes belles. Réaliser une œuvre belle, sans souci de préoccupations morales, tel fut son mot d'ordre. Les artistes empruntèrent leurs sujets à la mythologie autant qu'aux Livres Saints.

5. La Renaissance italienne.

L'un des traits essentiels de la Renaissance italienne est sa *prodigieuse fécondité*. A aucun autre moment de l'histoire on ne compte pareille abondance, en un même pays, d'artistes de premier ordre. Jamais non plus on ne vit génies aussi *universels*, également grands comme peintres, architectes, sculpteurs, ingénieurs ou orfèvres, humanistes aussi et savants, tels Léonard de Vinci et Michel-Ange.

Du moins ces hommes exceptionnels furent-ils estimés par leurs contemporains autant que le méritait leur génie. Le peuple italien tout entier, du simple artisan jusqu'au prince, s'enthousiasmait pour les œuvres d'art. Dans ce pays épris de luxe et de beauté, tous ceux qui le pouvaient — banquiers florentins, riches marchands de Venise, prélats et pontifes romains, tyrans et condottieri — voulurent avoir des palais, des statues, des tableaux, donner des fêtes splendides dans un splendide décor. Ils furent les plus somptueux et les plus intelligents des *Mécènes* — du nom du Romain Mécène, l'ami des poètes latins Virgile et Horace. Ainsi protégés par les grands, admis dans leur intimité, les artistes purent tenir dans la société une place qu'ils n'avaient jamais tenue jusque-là. A l'époque de saint Louis on ne faisait guère de différence entre un grand sculpteur et un modeste artisan — voilà pourquoi tant de chefs-d'œuvre sont anonymes ; — au XVIᵉ siècle on entendit un pape déclarer, au sujet d'un artiste célèbre, le ciseleur *Benvenuto Cellini* accusé d'assassinat : « Des hommes uniques dans leur art ne doivent pas être soumis aux lois. » Au culte de la beauté s'ajoutait celui de la gloire, tous deux d'origine grecque.

L'abondance des artistes et des Mécènes explique qu'il y ait dans l'Italie de la Renaissance non pas un seul foyer artistique, mais plusieurs. Presque chaque ville put s'enorgueillir d'un grand peintre ou d'un grand sculpteur ; mais trois d'entre elles furent de magnifiques centres d'art : *Florence* d'abord, puis *Rome* et *Venise*.

C'est surtout au XVᵉ siècle que Florence brilla de tout son éclat avec l'architecte *Brunelleschi*, les sculpteurs *Ghiberti* et *Donatello*, les peintres *Fra Angelico, Masaccio, Piero della Francesca*, enfin *Botticelli*, qui ne mourut qu'au début du XVIᵉ siècle. Le *quattrocento*[1] fut dans toute l'Italie l'âge des grands progrès techniques en peinture : on redécouvrit les lois de la perspective, on étudia minutieusement l'anatomie du corps humain.

Ainsi la voie était ouverte aux grands maîtres : Léonard de Vinci, Raphaël, Michel-Ange, Titien.

6. Les quatre grands maîtres.

Génie universel, aussi grand dans les sciences que dans les arts, *Léonard de Vinci* (1452-1519) ne peignit qu'un petit nombre de toiles ou de fresques, dont le temps a souvent abîmé la couleur. Ses principales œuvres sont la *Cène*, fresque d'un couvent de Milan, et quelques tableaux comme la *Vierge aux Rochers ; la Vierge, Sainte Anne et Jésus ;* le portrait connu sous le nom de la *Joconde*. Mieux que tout autre avant lui, il sut par le jeu des ombres et des lumières — ce qu'il appelait le *clair-obscur* — baigner les personnages dans une atmosphère qui les enveloppe d'harmonie et de mystère.

---

1. Les Italiens appellent le XVᵉ siècle le *Quattrocento* parce que les années de ce siècle commencent par «quatre cents» ; de même le *Cinquecento* à notre XVIᵉ siècle

Raphaël (1483-1520) eut une carrière courte, mais triomphale. Il travailla à Florence puis à Rome, où les papes Jules II et Léon X l'occupèrent pendant douze ans à décorer leur palais du Vatican : il y peignit des fresques célèbres. En même temps il représentait en de nombreux tableaux soit des Madones — c'est-à-dire la Vierge — soit ses contemporains, car il fut un admirable portraitiste. Il fit également des *cartons* (c'est-à-dire des dessins) pour des tapisseries que l'on exécutait dans les ateliers d'Arras. Raphaël travaillait avec une extrême facilité, abandonnant souvent à ses élèves le soin de terminer ses œuvres.

Michel-Ange (1475-1564) fut, au contraire de Raphaël, une âme tourmentée. Orgueilleux et susceptible, il avait un sentiment très vif de son génie et rêvait de créer des œuvres qui dépasseraient toutes celles qu'on avait encore vues ; mais il n'était jamais satisfait de ce qu'il réalisait. Patriote ardent, il souffrait de voir l'Italie foulée aux pieds par les Espagnols, les Français et les Impériaux. Son art reflète son âme douloureuse. Il partagea sa vie entre Florence, sa patrie, et Rome, où l'appelaient les papes. Génie universel, il marqua tous les arts de sa personnalité extraordinaire. Sculpteur, il travailla à des tombeaux, celui des Médicis à Florence et celui de Jules II à Rome, qu'il laissa inachevés. Peintre, il décora d'abord la voûte, puis, longtemps après, le mur du fond de la *Chapelle Sixtine* au Vatican. Architecte enfin, il construisit de nombreux palais à Rome et jeta sur la nouvelle *basilique Saint-Pierre* une gigantesque coupole.

Titien (1477-1576) fut exclusivement peintre, mais un peintre d'une étonnante fécondité — nous avons de lui 4 000 tableaux — touchant à tous les genres : il peignit avec ferveur des sujets religieux et se complut, dans des compositions mythologiques, à montrer de beaux corps ; il fut un des plus grands portraitistes de la Renaissance et le plus grand paysagiste : il sut rendre admirablement les tons chauds et colorés des ciels italiens. L'éclat de la couleur se retrouve d'ailleurs chez beaucoup de peintres vénitiens qui furent de somptueux décorateurs, tel *Véronèse*.

A côté de ces maîtres il y eut toute une pléiade de très grands artistes, tels le peintre *Corrège* et les architectes *Bramante* et *Palladio*.

7. Influence de la Renaissance italienne.

L'influence de la Renaissance italienne se fit naturellement sentir en dehors de l'Italie. Nombreux furent les artistes des Pays-Bas ou d'Allemagne qui firent le «voyage d'Italie». Ce fut le cas pour deux Allemands : *Dürer,* graveur de génie aussi bien que grand peintre, et *Holbein,* admirable portraitiste. Mais nulle part la Renaissance italienne n'eut autant d'influence qu'en France.

François Ier, suivant l'exemple de Charles VIII, acheta en Italie des tableaux, des statues antiques, fit venir en France des artistes italiens, qui décorèrent le château de Fontainebleau.

Les traditions françaises restèrent cependant prépondérantes jusqu'au milieu du XVIe siècle et même bien au-delà pour les édifices religieux; bien souvent d'ailleurs on n'empruntait à l'art italien que des motifs d'ornementation. Puis, à l'avènement d'Henri II (1547), l'inspiration gréco-romaine l'emporta et l'art français devint à son tour un art "classique", inspiré de l'Antiquité.

Le Renaissance française présente avec la Renaissance italienne des différences importantes. Elle est infiniment moins riche en grands génies; elle ne compte aucun peintre supérieur : les plus renommés, tel *François Clouet* (1516-1572), étaient d'origine flamande et ils n'excellèrent que dans les portraits, peints ou dessinés au crayon, d'ailleurs merveilleux de finesse et de précision. Au XVIe siècle, comme au Moyen Age, c'est aux architectes et aux sculpteurs que la France dut sa gloire artistique.

8. Architectes et sculpteurs français.

On construisit des églises, mais plus encore des châteaux : non plus des châteaux forts, mais d'élégantes habitations de plaisance, vastes et clairs palais qui devaient servir de décor à des fêtes somptueuses. Au début du XVIe siècle la tradition nationale se maintint partiellement dans les châteaux de la Loire : *Amboise, Blois, Chambord, Chenonceaux, Azay-le-Rideau.* Cependant, dès cette époque, la mode nouvelle se manifeste soit par des détails d'ornementation — chapiteaux et pilastres à l'antique, terrasses à l'italienne — soit par la décoration intérieure des appartements, où triomphent les *stucs* et les *fresques*. Il y eut ainsi un curieux mélange d'art ogival et d'art italien jusqu'à l'époque d'Henri II, qui vit le triomphe du style classique.

Trois architectes, qui avaient visité l'Italie, contribuèrent à cette transformation : *Pierre Lescot*, à partir de 1546, éleva un Louvre nouveau sur l'emplacement du vieux château de Charles V ; *Philibert de l'Orme* construisit, à côté du Louvre, le château des Tuileries, puis, près de Dreux, le château d'Anet ; enfin *Bullant* travailla pour le connétable de Montmorency aux châteaux d'Écouen et de Chantilly, près de Paris.

Chez les sculpteurs aussi on retrouve la lutte entre les deux écoles, la traditionnelle et la nouvelle. A la première appartiennent *Michel Colombe*, *Ligier Richier* et *Pierre Bontemps* : par leur souci d'exactitude et de réalisme, ils continuèrent le Moyen Age. Au contraire, *Jean Goujon* et *Germain Pilon* s'inspirèrent beaucoup de l'art antique : certaines statues de Goujon font penser à des statues grecques.

9. Les arts décoratifs. La musique.

La Renaissance, qui se marque par le *Goût du beau* et l'*amour du luxe*, entraîna un magnifique développement des arts décoratifs ou *arts mineurs* : tapisserie, orfèvrerie, céramique, émaillerie, ciselure, art du meuble. Un casque, une épée, une coupe, un bahut furent souvent de splendides œuvres d'art. Parmi les maîtres des arts mineurs, l'Italien *Benvenuto Cellini* fut un admirable ciseleur, et le Français *Bernard Palissy*, à la fois savant géologue et émailleur de génie, fabriqua des faïences ornées de figures d'animaux, de plantes ou de coquillages.

Dans ce siècle où les fêtes de Cour étaient somptueuses et raffinées, la *musique* connut un vif essor. Les Belges *Lassus* et *Josquin des Prés*, le Français *Jannequin* composèrent des chansons et des airs de danse. La musique religieuse fut renouvelée par le protestant *Goudimel*, mais son plus génial représentant est un catholique, l'Italien *Palestrina*.

La Réforme en Allemagne. Luther

1. Définition et origines de la Réforme.

On appelle *Réforme* le profond mouvement religieux qui poussa, au XVIᵉ siècle, un certain nombre de catholiques à se séparer de l'Église romaine et à fonder, en face d'elle, ce qu'on désigne du mot général de *Protestantisme*. *DÉF.*

Il ne s'agissait pas pour les Réformateurs de créer une religion nouvelle. Ils affirmaient seulement que les papes et les conciles s'étaient écartés, sur certains points essentiels, de l'enseignement du Christ et des Apôtres, et ils se donnaient pour tâche de le rétablir. *Le mouvement de la Réforme eut donc avant tout des causes religieuses.*

Ceux qui ne se sentaient plus à l'aise dans la vieille Église catholique étaient d'accord pour ne tenir compte que de la seule «Parole de Dieu», c'est-à-dire du texte même de la Bible, à l'exclusion de la Tradition ; tous aussi, ils aspiraient à une *X* religion plus *intérieure* (qui fît peu de place aux pratiques du culte et aux cérémonies) et plus *personnelle* (où le fidèle dépendît moins du prêtre). Par ailleurs, ils étaient d'opinions très diverses ; ils hésitaient, cherchaient, tantôt allant de l'avant, tantôt reculant.

Les uns se rattachaient à l'humaniste *Érasme.* ils se ralliaient à son idéal d'un christianisme simple, presque raisonnable, qui insistait surtout sur la morale. Ils pensaient avec optimisme que l'homme peut atteindre à la vertu et au salut si Dieu consent à l'aider de sa grâce. D'autres ne se contentaient pas de ce christianisme qu'ils jugeaient superficiel. Pour eux, Jésus-Christ n'était pas un philosophe qui, tel Socrate, prêchait une morale élevée ; il était le Rédempteur, mort sur la Croix pour sauver les hommes du péché. La question que se posaient, souvent avec angoisse, ces âmes profondément religieuses était : «Comment peut-on être sauvé ?» Et, plutôt que vers Érasme, elles se tournaient vers *Lefèvre d'Étaples.* Professeur à l'Université de Paris, Lefèvre éditait des ouvrages de piété du Moyen Age ; bientôt, il allait traduire et commenter les Psaumes, les Évangiles, les Épîtres de saint Paul.

Ni Érasme ni Lefèvre ne songeaient à rompre avec l'Église catholique ; ils espéraient convaincre les prélats et la Papauté à leur idéal d'une piété plus simple, plus intérieure, plus personnelle. Pour que cette aspiration à la réforme de l'Église se transformât en une révolte contre l'Église et aboutît à une rupture avec elle, il fallut l'entrée en scène d'un homme autrement ardent et passionné qu'Érasme et Lefèvre, l'Allemand Martin Luther.

2. La jeunesse de Luther.

Martin Luther (1483-1546), fils d'un paysan saxon, était devenu moine (1505), puis professeur de théologie à l'Université de Wittenberg, en Saxe. Très pieux, d'une imagination ardente, scrupuleux à l'extrême, Luther craignait toujours de ne pas remplir assez exactement ses devoirs envers Dieu et il fut longtemps torturé parce que, malgré tous ses efforts et toutes ses pénitences, il se sentait toujours pécheur. Il finit par trouver l'apaisement, vers 1513, en adoptant sur la question du salut une doctrine qui était très différente de celle que ses maîtres lui avaient enseignée, mais qui, selon lui, était celle de saint Paul et de saint Augustin.

D'après l'enseignement de l'Église, l'homme peut, dans une

certaine mesure, contribuer à son salut ; il peut, avec l'aide de la *grâce* de Dieu, faire certaines *bonnes œuvres* qui lui acquièrent des *mérites* et lui permettent ainsi d'être sauvé. Pour Luther, au contraire, l'homme, nécessairement pécheur en vertu du péché originel, ne saurait avoir aucune part à son salut. Le salut est l'œuvre de Dieu seul, qui, dans son amour infini, prend l'initiative de sauver une âme quoiqu'elle soit encore pécheresse. Cette irruption de Dieu dans la vie du chrétien crée dans le cœur de celui-ci un sentiment que Luther appelle *la foi.* La foi donne à l'homme la certitude de son pardon et de son union définitive avec Dieu ; en même temps, elle le pousse à faire de bonnes œuvres : celles-ci ne sont donc pas à l'origine du salut, elles n'en sont que la conséquence. Ainsi s'explique la formule que Luther affectionnait (il l'avait empruntée à saint Paul) : *le salut par la foi seule, indépendamment des œuvres.*

3. L'affaire des Indulgences.

Quelques années plus tard, l'*affaire des Indulgences* donna à Luther l'occasion de faire connaître ses idées. On appelle *indulgence* la remise, à des conditions fixées par le pape, des peines que le pécheur, même après l'absolution, peut avoir à subir soit ici-bas, soit au Purgatoire. Vers 1515, le pape Léon X décida qu'une indulgence serait accordée à tout fidèle qui, après s'être confessé, verserait une aumône pour l'achèvement de la basilique de Saint-Pierre à Rome.

Luther en profita pour attaquer le principe même des indulgences. L'indulgence lui paraissait dangereuse parce qu'elle donnait aux fidèles le sentiment qu'ils pouvaient, à des conditions très faciles, acquérir leur salut. A ses yeux, au contraire, le vrai chrétien, bien loin de vouloir être dispensé des pénitences, devrait plutôt les rechercher. Voilà pourquoi, le 31 octobre 1517, Luther afficha à la porte de la chapelle du château de Wittenberg 95 *thèses*, c'est-à-dire 95 affirmations, dans lesquelles il montrait le danger des indulgences. Il ne songeait nullement à rompre avec l'Eglise, il ne faisait que proposer aux théologiens d'ouvrir avec lui un débat sur la question des indulgences.

4. Le pape et l'empereur contre Luther.

Mais, au cours des discussions qu'il eut avec ses contradicteurs, puis dans des pamphlets d'une fougue passionnée, Luther se laissa entraîner très loin. Il en vint à rejeter officiellement la *Tradition* et à affirmer que la Bible était la *seule* autorité en matière de foi. Il rejeta aussi la doctrine de l'Église relative aux sacrements, ainsi que le culte de la Vierge et des saints et la croyance au Purgatoire. Aussi ses écrits furent-ils condamnés par une bulle du pape Léon X. Loin de se soumettre, Luther jeta la bulle au feu devant tous ses étudiants. Il fut alors *excommunié* (1520).

Quelques mois plus tard, Luther fut condamné par Charles Quint comme il venait de l'être par le pape. Convoqué devant la Diète impériale à *Worms* et sommé de se rétracter, il s'y refusa avec un grand courage. Il fut alors *mis au ban de l'Empire* (1521), c'est-à-dire mis hors la loi : n'importe qui avait le droit de le tuer. Pour le sauver, l'électeur de Saxe le cacha au château de *Wartburg*. Luther y resta un an et consacra cette retraite forcée à traduire en allemand le Nouveau Testament. Sa traduction, écrite en langue populaire, eut un immense succès.

5. Premières conséquences de la prédication de Luther.

Quand Luther sortit de Wartburg (1522), il trouva l'Allemagne en pleine effervescence. Comme une traînée de poudre, ses doctrines (elles forment ce qu'on appelle le *luthéranisme)* s'étaient répandues dans tout l'Empire et y suscitaient des controverses passionnées.

Beaucoup de mécontents voulurent profiter de cette agitation pour améliorer leur sort. Les *chevaliers,* qui formaient la petite noblesse, souvent besogneuse, essayèrent de piller les terres des prélats et des riches bourgeois de l'Allemagne occidentale (1522-1523). Les *paysans* crurent que la prédication de Luther inaugurait pour eux un âge d'or où ils n'auraient plus à payer de droits seigneuriaux et où ils deviendraient propriétaires : ils se soulevèrent contre leurs seigneurs et commirent souvent d'affreuses violences. Mais, avec l'approbation de

Luther, les princes coururent sus aux chevaliers et aux paysans, qui furent écrasés.

Ce fut alors au tour des *princes* à profiter de la prédication de Luther. Les électeurs du Palatinat, de Saxe, de Brandebourg, le landgrave de Hesse, d'autres encore, de même que les conseils municipaux de nombreuses «villes libres», se convertirent au luthéranisme et en prirent occasion pour s'adjuger les terres d'Église enclavées dans leurs territoires. Ces confiscations, par lesquelles des biens ecclésiastiques rentraient dans le «siècle» — c'est-à-dire étaient désormais appliqués à des usages laïques, — sont connues sous le nom de *sécularisations*. La plus importante fut opérée en dehors des frontières du Saint-Empire, par un prince allemand de la famille des Hohenzollern, Albert de Brandebourg : grand maître de l'Ordre Teutonique, il se fit luthérien, s'attribua les biens que l'Ordre possédait en Prusse et prit le titre de *duc de Prusse* (1525).

6. Organisation de l'Église luthérienne.

Cependant, parmi ceux qui avaient été les premiers à soutenir Luther, un certain nombre se séparaient de lui. Ils interprétaient la Bible à leur manière et déclaraient que, pas plus que le catholicisme romain, le luthéranisme n'était le vrai christianisme. Luther engagea contre eux de violentes polémiques et il comprit la nécessité de préciser sa doctrine. Il le fit d'abord dans deux catéchismes, puis dans la *Confession de foi d'Augsbourg :* on appelle ainsi un exposé des croyances luthériennes lu devant la Diète réunie par Charles Quint à Augsbourg (1530) ; cette confession de foi avait été rédigée par l'ami intime de Luther, le jeune humaniste *Mélanchthon.*

Luther organisa aussi le culte. Le service religieux comprit la lecture de quelques passages de la Bible, la récitation de prières, le sermon, le chant de psaumes et de cantiques. Le latin, que la plupart des fidèles ne comprenaient pas, fut partout remplacé par l'allemand. Luther traduisit lui-même et mit en musique un certain nombre de psaumes. Il n'y eut plus que deux sacrements au lieu de sept : le Baptême et la Cène (ou Communion). Dans le sacrement de la communion on distribua aux fidèles non seulement le pain, mais aussi le vin, comme on l'avait fait pendant les premiers siècles du christianisme. Luther rejeta enfin les vœux monastiques et le célibat des prêtres : lui-même se maria en 1525 avec une ancienne religieuse.

Luther plaça son Église sous la dépendance étroite des souverains qui s'étaient convertis au luthéranisme. Les *pasteurs* et les *surintendants* qui les inspectaient furent nommés par l'État. Aucune modification ne peut être apportée au culte ou à la doctrine sans l'assentiment de l'État.

7. Charles Quint et les luthériens.

On a vu comment le premier mouvement de Charles Quint avait été de condamner Luther à Worms. Mais, déjà aux prises avec les Turcs et François Ier, il lui fallait compter avec les princes allemands luthériens. En 1526, il leur reconnut le droit de régler à leur gré dans leurs États la question religieuse. Quand, en 1529, il voulut abroger son édit de 1526, plusieurs princes et les magistrats de nombreuses villes protestèrent de leur attachement à la religion de Luther. De là le nom de *protestants* donné plus tard aux partisans de la Réforme[1].

L'empereur tenta alors très sincèrement de réconcilier les luthériens et les catholiques et, dans cette intention, il réunit une Diète à Augsbourg (1530). Comme à cette date l'enseignement de l'Église était beaucoup moins nettement défini qu'il ne l'est aujourd'hui, beaucoup de catholiques et même des évêques jugeaient que l'on pouvait, moyennant quelques concessions réciproques, refaire l'unité de l'Église. Mais, à la *Diète d'Augsbourg*, les deux adversaires restèrent sur leurs positions. Dès lors, Charles Quint décida de recourir à la force pour rétablir le culte catholique dans toute l'Allemagne. Immédiatement, les princes luthériens, réunis à *Smalkalde*, formèrent entre eux une ligue défensive et appelèrent à l'aide François Ier (1531).

Le conflit entre l'empereur et les princes luthériens n'éclata pourtant que quinze ans plus tard parce que Charles Quint fut de nouveau occupé par la guerre contre François Ier et contre

---

1. Le mot *protester* signifie ici : *affirmer*.

les Turcs. En 1546 — l'année même où mourut Luther — il prit l'offensive et infligea aux luthériens une écrasante défaite à Muhlberg en Saxe (1547). Mais les princes continuèrent la guerre, pendant qu'à leur appel Henri II s'emparait des Trois Évêchés. Après son échec devant Metz, Charles Quint, malade, prêt à abdiquer, laissa à son frère *Ferdinand* le soin de signer avec les princes allemands le compromis connu sous le nom de *paix d'Augsbourg* (1555).

8. La paix d'Augsbourg.

Les princes et villes libres de l'Empire se firent reconnaître le droit d'être à leur gré catholiques ou luthériens. Il y eut désormais officiellement deux Allemagnes, l'une catholique, l'autre protestante. Les sécularisations accomplies furent reconnues par l'empereur, mais il fut entendu qu'à l'avenir un évêque ou un abbé qui se ferait protestant n'aurait pas le droit de séculariser les territoires attachés à sa dignité.

Si la liberté de choisir leur religion était accordée aux souverains, elle n'était en aucune manière donnée à leurs sujets. Ceux-ci étaient contraints de professer la même religion que leur maître. On appliquait le principe : *tel prince, telle religion.*

9. L'œuvre de Luther.

On ne saurait exagérer l'importance de l'œuvre de Luther. Au point de vue religieux, il a créé en face du catholicisme romain et de l'orthodoxie grecque une autre forme de christianisme, le luthéranisme. Quand il mourut (1546), le luthéranisme avait remplacé le catholicisme dans la moitié de l'Empire, en Prusse et dans les États scandinaves.

Dans les pays mêmes où le luthéranisme ne réussit pas à s'implanter, par exemple en France, en Suisse ou en Angleterre, il joua le rôle d'*initiateur*. Il poussa beaucoup d'âmes angoissées par le problème de leur salut à ne plus se contenter de la solution catholique, et ceux-là mêmes, parmi les protestants, qui repoussèrent certaines théories de Luther avaient souvent commencé par s'inspirer de lui.

Au point de vue politique aussi, la Réforme luthérienne eut de graves conséquences. D'une part, elle augmenta énormément le pouvoir de certains princes ; d'autre part, en détruisant la seule unité que l'Allemagne avait encore conservée, l'unité religieuse, elle accrut l'anarchie dans l'Empire et affaiblit l'autorité de l'empereur : pour triompher les uns des autres, catholiques et protestants allaient, chacun pour son compte, faire appel à l'étranger.

La Réforme à Genève et en France. Calvin

1. Les débuts de la Réforme en France.

A la fin du XVe et au début du XVIe siècle, de nombreux ecclésiastiques, tant séculiers que religieux, tentèrent courageusement de combattre les abus dont souffrait l'Eglise de France. Tel était, vers 1520, l'évêque *Guillaume Briçonnet* : abbé commendataire de l'abbaye parisienne de Saint-Germain des Prés et en même temps évêque de Meaux, il remplissait avec conscience ses devoirs de prélat et tentait de réformer le clergé de son diocèse. Il choisit bientôt Lefèvre d'Etaples pour vicaire général. Par son enseignement et surtout par ses commentaires sur les Psaumes et le Nouveau Testament, Lefèvre exerçait une influence considérable dans les milieux de Paris et de Meaux.

Comme les disciples de Lefèvre répétaient que le chrétien doit, avant tout, lire et méditer la Bible et qu'ils se référaient aux Évangiles plus qu'à la Tradition, on les appelait *Bibliens* et on donnait à leurs doctrines le nom d'*Évangélisme*. Il se recrutaient aussi bien parmi les cardeurs de laine, que parmi les humanistes et les imprimeurs, les prêtres et les moines. La sœur de François Ier, *Marguerite d'Angoulême,* les protégeait.

A partir de 1520 les doctrines luthériennes se répandirent en France, surtout dans le peuple et parmi les moines. Elles furent immédiatement condamnées par la *Sorbonne* : on appelait ainsi la Faculté de Théologie de Paris, parce qu'elle tenait ses séances dans le Collège de Sorbonne. Dès 1523, un «luthérien» fut brûlé vif à Paris. Cependant, François Ier hésitait à poursuivre les partisans des idées nouvelles. Humaniste lui-même, allié des protestants allemands contre Charles Quint, il écoutait les conseils de modération de sa sœur Marguerite. Les théories de Luther, celles aussi du Suisse *Zwingle* purent ainsi se répandre en bien des régions de France, colportées par d'ardents prédicateurs comme *Guillaume Farel.* Parfois, cependant, la persécution reprenait, par exemple en 1534, quand furent affichés à Paris et jusqu'à la porte de la chambre du roi à Amboise des placards insultants contre le pape, les évêques et la messe. L'*affaire des placards* amena une persécution très dure, mais courte.

Les idées de Luther et surtout celles de Zwingle firent de nouveaux progrès. Mais les novateurs français n'avaient pas encore trouvé de chefs. C'est alors qu'en 1536, l'année même où mourait Lefèvre d'Étaples, parut à Bâle un livre, l'*Institution de la Religion chrétienne* : c'était l'œuvre d'un jeune Français, réfugié à l'étranger, Jean Calvin.

2. La jeunesse de Calvin.

Jean Calvin — il s'appelait Cauvin, dont la forme latine, *Calvinus,* a donné par la suite Calvin — était né en 1509. Aux Universités d'Orléans et de Bourges où il étudia le droit, il apprit à connaître les idées de Luther et dès 1533, il avait cessé d'être catholique. Quand éclata l'affaire des placards, il s'enfuit à Bâle : c'est là qu'il publia, en 1536, un livre écrit en latin, L'*Institution de la Religion chrétienne,* c'est-à-dire «Traité de Religion chrétienne», où l'influence des doctrines luthériennes était très nette.

Quelques mois plus tard, au retour d'un voyage, Calvin passa à Genève. La ville venait de se libérer de ses deux suzerains :

son évêque et le duc de Savoie ; puis elle avait rejeté le catholicisme sous l'influence du Français Guillaume Farel. Mais Farel rencontrait encore de vives résistances. Quand il apprit que Calvin était dans la ville, il lui fit un devoir de rester à Genève et de l'aider. Calvin accepta.

Les deux hommes, très intransigeants, dressèrent bientôt contre eux une terrible opposition et furent expulsés dès 1538. Réfugié à Strasbourg, Calvin y fut pasteur de la petite colonie de protestants français qui avaient fui les persécutions. Ce séjour eut pour lui une grande importance. Calvin modifia gravement sur quelques points les doctrines théologiques de Luther auxquelles il s'était attaché jusque-là. Il affirma aussi que les pasteurs et les laïcs qui les aident dans leur tâche devaient être nommés non par le gouvernement, comme dans les États luthériens, mais par les fidèles. Ainsi se créa, à côté du luthéranisme, une nouvelle forme de protestantisme, qu'on appela le *Calvinisme* ou *Religion réformée*.

En 1541 Calvin fut rappelé à Genève par les autorités de la ville. Il consentit à y revenir et y resta jusqu'à sa mort (1564).

3. Calvin à Genève.

La situation de Calvin à Genève était singulière. Les habitants ayant décidé de vivre d'après les enseignements de la Bible, il leur fallait un théologien qui leur fît connaître ce que la Bible ordonnait. Calvin, en même temps qu'il était pasteur, fut cet interprète officiel de l'Écriture Sainte auprès des autorités de Genève.

Sa première tâche fut de rédiger des *Ordonnances ecclésiastiques* : il y fixait ce que chacun devait croire et comment il devait vivre pour être un bon chrétien. Persuadé qu'il interprétait exactement le texte sacré, Calvin ne supporta aucune opposition. La ville de Genève, gaie jusqu'alors et amie des fêtes, devint brusquement austère. Le *Consistoire* — c'est-à-dire l'ensemble des pasteurs et de douze laïcs appelés *Anciens* — avait toute autorité pour veiller aux bonnes mœurs ; on était cité devant lui, réprimandé, puni d'amende ou de prison pour avoir joué aux dés, fait du bruit dans la rue, s'être abstenu de venir au prêche, avoir dansé, avoir porté des vêtements trop somptueux ou s'être fait servir à table des mets trop recherchés.

Ce régime d'inquisition souleva de violentes colères contre Calvin. Les uns l'accusaient de mal comprendre la Bible, d'autres lui reprochaient d'accueillir trop facilement les protestants persécutés en France, dans le seul dessein d'accroître le nombre de ses partisans à Genève. Peu s'en fallut à plusieurs reprises qu'il ne fut de nouveau chassé de la ville. Contre ses adversaires, Calvin mena une lutte acharnée et sans répit. Il obtint souvent leur bannissement, parfois même leur exécution. L'épisode le plus dramatique fut le procès de *Michel Servet*. Ce savant médecin espagnol avait des idées très hardies : il allait jusqu'à nier le dogme de la Trinité. Arrêté en France par les autorités catholiques, il put s'enfuir, mais, passant par Genève, il fut emprisonné sur l'ordre de Calvin, condamné à mort comme hérétique et brûlé vif (1553). A partir de 1555, l'autorité de Calvin à Genève fut incontestée.

4. Diffusion du calvinisme.

En même temps l'influence de Calvin rayonnait au-dehors. En 1559, il créa à Genève une *Académie* qui était à la fois un lycée et une école de théologie. Des centaines d'élèves y accoururent et s'y donnèrent une solide culture humaniste et théologique. Leurs études terminées, ils en repartaient, habiles polémistes et missionnaires courageux, prêts à répandre dans toute l'Europe les idées de Calvin. Dans un temps où le luthéranisme était affaibli par des rivalités entre théologiens, Genève se dressait comme une Rome protestante. Des Églises calvinistes se fondèrent aux Pays-Bas, en Hongrie, dans l'Allemagne occidentale, en Suisse, en Écosse : en 1559, la grande majorité de la noblesse écossaise abandonna le catholicisme et adopta une confession de foi rédigée par un ancien élève de Calvin à Genève, *John Knox.*

C'est surtout en France que le calvinisme se répandit.

5. Progrès du calvinisme en France.

Dans les dernières années de son règne, François Ier subit fortement l'influence des catholiques intransigeants et se montra disposé à sévir contre les hérétiques. C'est pourquoi il autorisa, en 1545, le *massacre des paysans Vaudois* de Provence[1], qui s'étaient ralliés au calvinisme : le Parlement d'Aix et les seigneurs provençaux leur étaient très hostiles. La répression se fit plus dure sous Henri II, prince autoritaire qui voyait dans les protestants à la fois des hérétiques et des rebelles. Dès lors, la persécution devint méthodique, marquée par le féroce *édit de Compiègne* (1557). Ces rigueurs n'empêchèrent par la Réforme de se répandre dans presque toutes les régions du royaume, surtout dans les villes.

En même temps elle gagnait des milieux qui jusque-là étaient restés fidèles au catholicisme. Beaucoup de membres de la haute bourgeoisie et de la noblesse passèrent au calvinisme — deux mille nobles, disait-on —, parmi lesquels les trois neveux du connétable de Montmorency : l'un était cardinal, l'autre chef de l'infanterie française, et le troisième était l'*amiral de Coligny*. Dans la famille même du roi, Antoine de Bourbon, roi de Navarre, sa femme Jeanne d'Albret (fille de Marguerite de Navarre), son frère Louis de Condé abandonnèrent le catholicisme. En 1559, les Églises protestantes de France, jusque-là sans lien entre elles, se fédérèrent et adoptèrent une confession de foi rédigée par Calvin lui-même. Les progrès de l'hérésie furent, on le sait, l'une des causes qui poussèrent Henri II à signer la paix avec l'Espagne au traité du Cateau-Cambrésis. Le roi entamait une lutte à mort contre la Réforme, quand il mourut (1559).

Mais cette lutte s'annonçait plus redoutable qu'il ne croyait. Les nobles protestants n'étaient pas disposés à se laisser faire : ils allaient défendre leur foi par les armes et répondre aux persécutions par la révolte : les *guerres de Religion* vont commencer.

---

1. Les Vaudois étaient les descendants d'hérétiques du Moyen Age

La Réforme en Angleterre. Henri VIII et Elisabeth

1. Caractères de la Réforme en Angleterre.

La Réforme a présenté en Angleterre des caractères spéciaux. Elle fut le fait non point de particuliers, comme en Allemagne à Genève ou en France, mais des souverains. D'autre part, lorsque le roi Henri VIII rompit avec Rome, il cessa bien de reconnaître l'autorité du pape, mais, pour tout le reste, il demeura attaché aux doctrines catholiques. Bientôt, il est vrai, les croyances luthériennes et calvinistes se répandirent dans le royaume, mais elles n'y triomphèrent jamais entièrement : la Réforme prit ainsi en Angleterre une couleur particulière, mi-catholique, mi-protestante, qui caractérise ce qu'on appelle l'*Anglicanisme*.

2. La rupture avec Rome.

Henri VIII (1509-1547) s'était d'abord montré catholique zélé : il avait composé un livre pour réfuter Luther, ce qui lui avait valu du pape le titre, que les souverains anglais portent encore aujourd'hui, de «défenseur de la foi». Mais, à partir de 1527, son attitude à l'égard du Saint-Siège se modifia : la cause du revirement fut l'affaire du divorce.

Henri VIII avait épousé la veuve de son frère, *Catherine d'Aragon*, fille de Ferdinand d'Aragon et d'Isabelle de Castille. Comme l'Église catholique interdit à un homme d'épouser sa belle-sœur, il avait fallu une dispense du pape Jules II. Le mariage ne fut pas heureux : de six enfants, le roi ne conserva qu'une fille. Cette suite de deuils le conduisit à penser que Dieu le punissait parce qu'il avait épousé sa belle-sœur et il demanda au pape Clément VII d'annuler son mariage (1526). Il faut ajouter qu'il désirait vivement épouser une demoiselle d'honneur de la reine, *Anne Boleyn*, et avoir ainsi un fils à qui laisser son royaume. Le pape traîna l'affaire en longueur : Catherine d'Aragon était la tante de Charles Quint et il craignait de s'attirer l'inimitié de l'empereur. Après six ans d'attente, Henri VIII, excédé, résolut d'en finir. Il contraignit le clergé anglais à rejeter l'autorité du pape et à accepter le roi pour chef religieux. Puis il fit casser son mariage par l'archevêque de Cantorbéry et épousa Anne Boleyn (1533).

3. Henri VIII chef de l'Église d'Angleterre.

Le pape répondit en déclarant cette union nulle. Le roi fit alors voter par le Parlement et imposa à tous ses sujets l'*Acte de Suprématie* (1534). Cette loi interdisait au pape d'exercer aucune autorité en Angleterre et faisait d'Henri VIII «l'unique et suprême chef de l'Église d'Angleterre». Puis Henri VIII *supprima les ordres religieux* et confisqua leurs biens. On comptait alors en Angleterre plus de huit cents monastères, quelques-uns immensément riches. Près du quart du royaume fut ainsi sécularisé. Le roi en garda une partie pour lui et mit le reste en vente. De nombreuses familles s'enrichirent en achetant à vil prix les anciens biens des monastères.

Mais, si Henri VIII ne reconnaissait plus l'autorité du pape, il continuait à professer pour tout le reste les doctrines catholiques. Intolérant comme presque tous les hommes de son temps, il traita sans pitié ceux qui ne pensaient pas comme lui :

il condamna à mort son chancelier, *Thomas More*, qui, bon catholique, refusait de reconnaître l'Acte de Suprématie, et en même temps il faisait périr dans les supplices ceux qui prêchaient en Angleterre les doctrines luthériennes.

La rupture avec Rome, l'Acte de Suprématie et la suppression des ordres religieux ne se heurtèrent à *aucune opposition sérieuse*. Le clergé séculier était depuis longtemps plein de méfiance et d'aigreur à l'égard de la Papauté. Quant à la masse de la nation, elle n'avait guère de respect pour le clergé : ni pour les évêques qui vivaient souvent dans le luxe, ni pour les prêtres qu'elle jugeait ignorants, ni surtout pour les moines qu'elle accusait de paresse et de cupidité. Ces sentiments anticléricaux s'affirmaient violemment à la Chambre des Communes. Le roi trouvait donc la plupart de ses sujets prêts à suivre docilement sa politique.

4. Les trois enfants d'Henri VIII.

Après la mort d'Henri VIII (1547), ses trois enfants se succédèrent au trône, mais chacun imposa à ses sujets une politique religieuse particulière. En quinze ans, les Anglais durent ainsi changer trois fois de religion.

Sous le jeune Édouard VI (1547-1553), les doctrines luthériennes, puis calvinistes se répandirent dans le royaume : la messe fut abolie, les prêtres purent se marier, les statues furent détruites dans les églises.

Marie Tudor, fille de Catherine d'Aragon et passionnée catholique, ramena le royaume au catholicisme : elle rétablit la messe et l'autorité du pape sur l'Angleterre. Son mariage avec le roi d'Espagne, Philippe II, la rendit très impopulaire ; des complots éclatèrent dans le dessein de la remplacer sur le trône par sa demi-sœur, Élisabeth, et de faire triompher le protestantisme. La reine sévit alors cruellement contre les hérétiques et mérita le surnom qui lui est resté dans l'histoire : «Marie la sanglante». Mais elle mourut dès 1558.

Elle fut remplacée par Élisabeth (1558-1603), fille d'Anne Boleyn. Élisabeth aurait sans doute désiré rétablir l'état de choses du temps de son père : une Église, catholique dans ses croyances et ses cérémonies, où l'autorité du souverain eût remplacé celle du pape. Mais il lui fallait donner des gages à ses sujets protestants, sans l'appui desquels elle ne pouvait gouverner : les catholiques en effet lui déniaient tout droit au trône sous prétexte que le mariage d'Henri VIII avec Anne Boleyn avait été déclaré sans valeur par le pape.

5. L'anglicanisme.

Quelques mois après son avènement, Élisabeth fit voter par le Parlement un nouvel *Acte de Suprématie*, qui lui conférait l'autorité religieuse suprême dans son royaume ; puis l'Acte d'Uniformité rendit obligatoire un «Livre de prières» officiel, de nuance calviniste.

Lorsque les évêques protestèrent, Élisabeth les déposa tous, en sorte que le haut clergé fut entièrement renouvelé. Quelques années plus tard, en 1563, elle décida de fixer définitivement la doctrine religieuse de l'Angleterre et elle publia la *Confession de foi des trente-neuf articles.* Cette confession de foi s'opposait sur bien des points à la doctrine catholique telle que le Concile de Trente (1545-1563) venait de l'exposer. Elle rejetait non seulement l'autorité du pape, mais aussi celle de la Tradition, l'invocation des Saints, la vénération des reliques, l'existence du Purgatoire et l'obligation du célibat pour les ecclésiastiques. Elle n'acceptait que deux sacrements sur sept et donnait du sacrement de l'Eucharistie une définition très différente de celle que donnait l'Église romaine. Cependant Élisabeth gardait du catholicisme la pompe des cérémonies, les prières (mais traduites en anglais), le costume sacerdotal, enfin la hiérarchie des prêtres, évêques et archevêques.

L'Acte de Suprématie, l'Acte d'Uniformité, les Trente-neuf articles ont fixé jusqu'à nos jours cette forme particulière de christianisme qu'on appelle l'*Anglicanisme.*

6. Élisabeth contre les catholiques : Marie Stuart.

Puisque l'anglicanisme était un mélange de catholicisme et de protestantisme, il devait naturellement mécontenter à la fois les catholiques et les protestants.

Les catholiques semblaient les plus dangereux, parce que leur opposition était non seulement religieuse, mais politique. A leurs yeux, on l'a vu, Élisabeth, fille d'Anne Boleyn, n'était pas la souveraine légitime : le trône aurait dû revenir à sa cousine, la catholique Marie Stuart, reine d'Écosse. Celle-ci, chassée par ses sujets écossais que fanatisaient les prédications du calviniste John Knox, s'était réfugiée en Angleterre où Élisabeth l'avait traitée en prisonnière. La présence de la reine d'Écosse accrut chez les catholiques anglais l'espérance de la mettre sur le trône et de rétablir le catholicisme. Ils multiplièrent les complots et organisèrent même des soulèvements, encouragés par le roi d'Espagne Philippe II et par le pape, qui excommunia Élisabeth (1570).

Dès lors, et surtout après 1580, les catholiques ne furent plus aux yeux d'Élisabeth que des traîtres. Il leur fut interdit de pratiquer leur culte ; le simple refus d'assister aux offices anglicans les rendait passibles d'amende et d'emprisonnement ; enfin les carrières de magistrat, de médecin, d'officier leur furent fermées. Quant aux prêtres, surtout des Jésuites, qui venaient secrètement des Pays-Bas ou de France pour prêcher le catholicisme, ils étaient punis des pires supplices.

Lorsqu'en 1586 un nouveau complot eut été organisé par quelques catholiques avec l'approbation de Marie Stuart, Élisabeth résolut d'en finir avec sa rivale. Marie fut condamnée à mort et décapitée (1587).

7. Élisabeth et les calvinistes. Le puritanisme.

Si les catholiques ne pouvaient accepter l'anglicanisme, les calvinistes qui vivaient en Angleterre ne le pouvaient pas davantage. Ils s'élevaient contre le maintien de l'épiscopat, des prières catholiques, des vêtements sacerdotaux. Ils voulaient «purifier» l'Église d'Angleterre de ce qui y subsistait d'«idolâtrie papiste» ; aussi leur donna-t-on le nom de puritains. Ils rejetaient également l'Acte de Suprématie, qui leur semblait asservir l'Église au souverain. Dès lors, Élisabeth vit en eux des rebelles. Aux attaques souvent très violentes qu'ils lancèrent contre l'Église anglicane — ou, comme on disait, l'Église établie (par la loi) — elle répondit par des persécutions. Le puritanisme n'en gagna pas moins de nombreux adeptes parmi les gentilshommes de la campagne, dont certains siégeaient à la Chambre des Communes. Le confiit entre les puritains et les anglicans allait de la sorte dresser les députés contre le souverain et jouer un rôle capital dans l'histoire de l'Angleterre au XVIIe siècle.

La Réforme catholique

1. L'Église en face de la Réforme.

Vers 1560, le catholicisme semblait vaincu dans une grande partie de l'Europe : l'Écosse, l'Angleterre et les États scandinaves étaient perdus ; la Suisse, l'Allemagne, les Pays-Bas l'étaient à moitié ; la France et la Pologne étaient profondément entamées.

Les progrès de la Réforme s'expliquent par la faible résistance que l'Église catholique (sauf en Espagne) lui avait opposée. Les papes eux-mêmes semblaient ne pas avoir pleinement conscience du danger. *Clément VII* (1525-1534), un Médicis, était surtout un pape politique et un Mécène ami des arts. *Paul III* (1534-1549) avait d'abord désiré, à l'exemple de Charles Quint, d'Érasme et même de Mélanchthon, trouver un terrain d'entente entre catholiques et protestants pour mettre fin au schisme. Mais toutes les tentatives de conciliation avaient échoué.

Il ne restait plus dès lors à la Papauté qu'à prendre une attitude résolue en face du protestantisme. Une triple tâche s'imposait à elle : affirmer bien haut et préciser les dogmes

rejetés par les protestants ; opérer la réforme des abus que les
catholiques eux-mêmes exigeaient depuis si longtemps ; enfin
passer à la contre-offensive et tenter de rétablir le catholicisme
dans les territoires d'où la Réforme l'avait chassé. Réorganisa-
tion et contre-offensive commencèrent vers 1540. Elles sont
connues sous le nom de *Réforme catholique* ou *Contre-Réforme*. Paul III prit lui-même les trois mesures qui en marquèrent le début : il confirma les statuts de *la Compagnie de
Jésus* que venait de fonder Ignace de Loyola, il réorganisa
l'*Inquisition*, il réunit le *Concile de Trente*.

2. Ignace de Loyola.

Chaque fois que l'Église, au Moyen Age, avait couru de graves
dangers, elle avait trouvé dans les religieux ses plus fidèles
défenseurs. Il en fut de même au XVIᵉ siècle. Des ordres
nouveaux se créèrent : tels celui des *Ursulines* ou celui des
Capucins (qui ne furent d'abord qu'une branche de l'ordre des
Franciscains). De nombreuses *Compagnies de prêtres* se fondèrent, tels les *Théatins* et les *Oratoriens*, qui se vouaient
surtout à la prédication et à l'enseignement. Aucun ordre ne
devait jouer un rôle plus important que la *Compagnie de Jésus*,
fondée par Ignace de Loyola.

Ignace de Loyola (1491-1556) était un officier espagnol. Très
gravement blessé en 1521, il dut renoncer à la carrière militaire.
Pendant sa longue maladie, il traversa une douloureuse crise de
conscience et résolut de se consacrer à prêcher la foi catholique
chez les Musulmans. Il étudia la théologie, en Espagne d'a-
bord, puis à Paris, où il resta plusieurs années (1528-1535) et se
lia très intimement avec six de ses compagnons d'études. En
1534, les sept amis firent vœu de se consacrer à la conversion
des Infidèles en Terre Sainte. Ils ne formaient encore qu'une
petite association privée à laquelle ils donnèrent peu après le
nom de *Compagnie de Jésus* — d'où est venu le nom de
Jésuites. Leurs études terminées, ils se préparèrent à partir
pour Jérusalem, mais ils en furent empêchés par une guerre
entre Vénitiens et Turcs. Ils décidèrent alors de fonder un
ordre nouveau, dont les membres prêcheraient la doctrine
catholique partout où le pape voudrait les envoyer, hors

d'Europe ou en Europe. La Compagnie de Jésus fut approuvée par le pape Paul III en 1540.

3. Organisation et rôle des Jésuites.

A l'image des ordres mendiants du XIIIe siècle, la Compagnie de Jésus unit les caractères du clergé séculier et du clergé régulier. Les Jésuites font vœu de célibat, d'obéissance et de pauvreté, comme tous les religieux, mais ils vivent dans le «siècle», portent le vêtement des séculiers, disent la messe et donnent les sacrements.

Ignace de Loyola désirait que la Compagnie ne comptât que des hommes d'élite, présentant toutes les garanties de caractère et de science. Aussi en coûte-t-il de longues années d'études et de méditation pour devenir Jésuite. D'autre part, les Jésuites étant essentiellement des missionnaires au service du Saint-Siège, ils prononcent un vœu spécial d'obéissance au Souverain Pontife. Le pape est ainsi le vrai chef de la Compagnie de Jésus. Au-dessous de lui, un *Général*, élu à vie par les principaux membres de l'ordre, réside à Rome et a autorité sur tous les membres de la Compagnie. La premier Général fut Ignace de Loyola. Chacune des régions où s'exerce l'activité des Jésuites forme une Province, que dirige un *Provincial*, nommé par le Général[1].

En Europe, les Jésuites visèrent surtout à étendre leur influence sur la haute bourgeoisie, la noblesse et les princes. Par la prédication et la confession, ils agirent auprès des souverains pour leur faire prendre des mesures favorables à leur ordre, à la Papauté et au catholicisme. Éducateurs, ils donnèrent dans leurs *collèges* un excellent enseignement secondaire; ils y attirèrent les enfants des classes riches, ceux qui seraient appelés plus tard à tenir dans l'État et la société un rôle considérable. Par ces moyens, ils arrivèrent, dans la seconde moitié du XVIe siècle, à faire reculer le protestantisme en Belgique, dans les pays rhénans, en Bavière, en Autriche et en Pologne.

Hors d'Europe, les Jésuites se montrèrent ardents missionnaires. L'un des amis d'Ignace de Loyola, *Saint François Xa-*

---

1. A la mort d'Ignace de Loyola (1556), la Compagnie de Jésus comptait environ 1 000 membres. En 1616, elle en comptait plus de 13 000 répartis en trente-sept Provinces.

vier, s'embarqua dès 1541 pour prêcher le christianisme dans l'Inde et en Extrême-Orient. D'autres Jésuites évangélisèrent le Brésil et le Congo.

Milice internationale qui ne relevait que du Saint-Siège, les Jésuites furent toujours prêts à défendre ses prétentions et à faire triompher, en face des revendications particulières des Églises nationales, les intérêts généraux du catholicisme et la volonté de la Papauté. Ils défendirent donc des idées ultramontaines. C'est pourquoi ils furent souvent mal vus en France par les Parlements et l'Université, qui étaient attachés de longue date aux idées gallicanes.

4. L'Inquisition et l'Index.

Pour arrêter les progrès de la Réforme, Paul III créa à Rome en 1542 une commission de six cardinaux, appelée *Congrégation de l'Inquisition* ou *Saint-Office*, chargée de faire le procès de ceux qui s'écartaient de la foi catholique, puis de les livrer à la justice laïque.

Un autre moyen de protéger la foi était d'empêcher la vente des livres qui attaquaient le catholicisme. Le pape *Pie V* (1566-1572) établit une commission chargée de dresser l'*Index*, c'est-à-dire la liste des ouvrages dangereux pour la foi et dont la lecture était interdite aux fidèles. Ce fut la *Congrégation de l'Index.*

5. Le Concile de Trente.

Dès que les doctrines protestantes avaient commencé à se répandre, beaucoup de catholiques, tant ecclésiastiques que laïcs, avaient demandé la réunion d'un Concile général pour tenter de réconcilier protestants et catholiques. Mais les papes montrèrent peu d'empressement à réaliser ce projet. D'ailleurs les guerres que Charles Quint dut soutenir contre François Ier et les Turcs empêchèrent longtemps le Concile de s'ouvrir. Il se réunit enfin en 1545 *à Trente,* dans le Tyrol. Il ne clôtura ses séances qu'en 1563 ; mais, interrompu à plusieurs reprises, il ne siégea en fait que quatre années.

6. L'œuvre du Concile.

Sur les questions de dogme, une forte minorité, parmi les Pères du Concile, demandait que l'on fît aux protestants certaines concessions. Sous l'influence des Jésuites, le Concile s'y refusa. *Il maintint, en les précisant, toutes les croyances rejetées par les protestants.* En conséquence, il affirma la nécessité de faire appel, à côté de l'Écriture Sainte, à la Tradition fixée par les papes et les conciles. Il décida que le texte authentique de l'Écriture serait la *Vulgate*, c'est-à-dire la traduction de l'Ancien et du Nouveau Testament, faite en latin par saint Jérôme, vers 400 après J.-C. Il réaffirma que l'homme est, dans une certaine mesure, responsable de son salut, il maintint les sept sacrements, la croyance au Purgatoire, l'invocation de la Vierge et des Saints, le culte des reliques, la vénération des images, la nécessité du célibat pour les prêtres, l'emploi du latin dans le culte.

Du moins, le Concile voulut-il *supprimer les abus* les plus graves. Il ordonna aux évêques de mener une vie édifiante et simple, de résider dans leurs diocèses, de ne pas cumuler plusieurs bénéfices. Il laissa pourtant subsister la commende. Pour que les curés fussent à la hauteur de leur tâche, il décida qu'à l'avenir nul ne pourrait être ordonné prêtre avant l'âge de vingt-cinq ans et sans avoir fait de solides études dans des écoles de théologie appelées *séminaires*.

Sous l'influence des Jésuites, le Concile fut de *tendance ultramontaine*. Il interdit aux princes de s'occuper des questions religieuses et il tenta d'augmenter les pouvoirs du Saint-Siège sur toutes les Églises catholiques de la Chrétienté. Aussi les rois de France, attachés aux théories gallicanes, firent-ils un choix parmi les décisions du Concile : ils acceptèrent celles qui fixaient le dogme, mais repoussèrent celles qui diminuaient leurs droits sur leur clergé.

7. Catholicisme et protestantisme vers 1560.

Vers 1560, tout était donc prêt pour un redressement du catholicisme. A la Réforme, scindée en Églises rivales et privée depuis la mort de Calvin (1564) de tout chef d'autorité reconnue, l'Église catholique opposait un front uni : mêmes dogmes, un seul chef et, pour faire appliquer partout les volontés de ce chef, la Compagnie de Jésus. Les abus, qui donnaient aux protestants une arme si redoutable, avaient été solennellement condamnés. Sous le pontificat de *Pie V* (1566-1572), la Cour de Rome revenait à l'austérité. Partout, dans le catholicisme, une ardente vie religieuse se développait. Le siècle qui s'étend de 1560 à 1660 sera pour l'Église un siècle de *saints*.

Désormais, la lutte décisive va commencer contre le protestantisme, tantôt par la seule prédication, tantôt par la force des armes. C'est en France qu'elle va d'abord s'engager. Le Concile siégeait encore que la France était déjà déchirée par les guerres de Religion.

Le début des guerres de Religion.
La Saint-Barthélémy

1. Causes des guerres de Religion.

La mort d'Henri II (1559) fut suivie de trente-cinq années de
guerres civiles. On les appelle *guerres de religion* parce qu'elles
eurent pour cause essentielle les haines religieuses entre catholiques et protestants ou, comme on disait aussi, entre *papistes*
et *huguenots*[1].

Malgré les persécutions, le calvinisme avait beaucoup pro-
gressé à la fin du règne d'Henri II et l'adhésion de nombreux
gentilshommes avait fait de lui un parti militaire redoutable.
Ses chefs étaient d'abord deux Bourbons — donc des princes du
sang : *Antoine de Bourbon* devenu roi de Navarre (par son
mariage avec Jeanne d'Albret, fille de Marguerite d'Angoulême) et son frère, le prince de *Condé*. A côté d'eux, un grand

---

1 Ce mot, qui apparaît pour la première fois en 1552, est peut-être une altération, en
dialecte genevois, du mot allemand *Eidgenossen*, c'est-à-dire : unis par serment.

seigneur. l'amiral de *Coligny*. Du côté catholique, on trouvait le vieux connétable de *Montmorency* et surtout deux membres de la famille lorraine des Guises établie en France : *François de Guise*, célèbre par sa belle défense de Metz et par la prise de Calais, et son frère le *cardinal de Lorraine*, archevêque de Reims. Leur nièce, Marie Stuart, reine d'Écosse, avait épousé le fils aîné d'Henri II, le futur roi François II.

Peut-être un prince énergique eût-il pu imposer la paix aux factions rivales. Mais la faiblesse des rois dans cette période fut elle-même une cause de troubles. Trois fils d'Henri II se succédèrent sur le trône ; *François II*, roi à quinze ans (1559-1560) ; *Charles IX* (1560-1574), roi à dix ans, ce qui nécessita la régence de sa mère, Catherine de Médicis, enfin *Henri III* (1574-1589). Princes et seigneurs en profitèrent pour se disputer le pouvoir, et le roi, sans armée ni finances, devait céder au parti momentanément le plus puissant. Aux rivalités religieuses s'ajoutèrent ainsi les rivalités politiques.

2. Le début des troubles.

Pendant les quelques mois de règne de François II, les Guises, oncles de la jeune reine Marie Stuart, furent tout-puissants. Ils en profitèrent pour appliquer très sévèrement les édits contre les protestants. Ceux-ci répondirent par des complots, dont le plus célèbre fut la *Conjuration d'Amboise* (1560) : il s'agissait d'enlever François II pour le soustraire à l'influence des Guises. Le projet échoua et la répression fut atroce.

A la mort de François II, *Catherine de Médicis* devint régente au nom du petit Charles IX. Dénuée de tout fanatisme religieux, elle aurait voulu faire vivre côte à côte papistes et huguenots. Appuyée par le chancelier *Michel de l'Hôpital*, elle convoqua une assemblée de théologiens catholiques et protestants dans l'espoir qu'ils arriveraient à s'entendre. Ils ne s'entendirent pas. Sans se décourager, Catherine voulut imposer à ses sujets un régime de tolérance : elle supprima tous les édits lancés contre les hérétiques et accorda aux protestants, par l'*édit de janvier 1562*, le droit de célébrer publiquement leur culte dans les faubourgs des villes et de le célébrer dans leur maisons à l'intérieur des villes.

Mais les idées de tolérance n'étaient partagées que par une très petite minorité. Le fanatisme l'emportait dans la masse de la nation. Le 1er mars 1562, le duc de Guise passant à Vassy, en Champagne, une querelle éclata entre ses gens et des protestants qui célébraient leur culte dans une grange. Une trentaine de protestants furent tués, une centaine blessés. Le *massacre de Vassy* déchaîna la guerre civile.

3. Caractères des guerres de Religion.

Les huit guerres de Religion que l'on a coutume de distinguer entre 1562 et 1593 présentent quelques caractères communs, dont voici les principaux.

Les adversaires s'y montrèrent en général d'une *atroce cruauté* : c'est d'ailleurs là un trait que l'on observe dans toutes les guerres civiles. Les massacres, les pendaisons, les assassinats firent plus de victimes que les batailles rangées. A la cruauté du chef catholique *Montluc* répond celle du chef protestant *des Adrets.*

Des deux côtés, *on fit appel à l'étranger*. Les catholiques reçurent des secours du roi d'Espagne Philippe II, les protestants de la reine d'Angleterre Élisabeth, de certains princes allemands et de cantons suisses. Les protestants livrèrent Le Havre aux Anglais ; des catholiques pensèrent livrer la France aux Espagnols.

Dans l'ardeur de la lutte, *l'autorité royale cessa d'être respectée*, alors, que François Ier et Henri II l'avaient élevée si haut. Seigneurs et villes s'affranchirent de toute sujétion. Prédicateurs protestants et catholiques revendiquèrent souvent le droit des sujets à partager l'autorité avec le roi et à recouvrer leurs «libertés anciennes».

Cette lutte si longue fut interrompue par de *nombreuses trêves* : à plusieurs reprises, les adversaires, lassés, semblèrent prêts à se réconcilier. Aucun des deux partis, en effet, ne pouvait anéantir l'autre. Les catholiques avaient pour eux la majorité de la nation ; mais les protestants étaient disséminés dans tout le royaume : écrasés sur un point, ils l'emportaient ailleurs. De là aussi le *décousu des opérations* et les rivalités locales, de ville à ville, de seigneur à seigneur.

4. La lutte sous Charles IX.

De 1562 à 1570, trois guerres se déroulèrent au cours dequelles furent tués les principaux chefs des deux partis : Antoine de Bourbon, qui était revenu au catholicisme, et son frère Condé, resté protestant ; François de Guise, assassiné près d'Orléans ; enfin le vieux connétable de Montmorency. En 1570, les calvinistes obtinrent des avantages considérables, et Charles IX fit entrer au Conseil des Affaires l'amiral de Coligny, qui était maintenant le chef des huguenots.

Or Coligny, patriote ardent, brûlait de remplacer la guerre civile par une guerre nationale contre l'Espagne. Il pensait le moment venu d'organiser contre Philippe II, alors affaibli par la révolte des Pays-Bas, une vaste coalition comprenant les princes protestants d'Allemagne, les Turcs et Élisabeth d'Angleterre. Le roi semblait acquiescer à ces projets : pour témoigner de la réconciliation de tous les Français, il maria sa sœur à l'un des chefs protestants : *Henri de Navarre* (le futur Henri IV), fils d'Antoine de Bourbon et de Jeanne d'Albret.

5. La Saint-Barthélémy.

Mais Catherine de Médicis, d'abord favorable à une guerre contre l'Espagne, en vit bientôt les dangers et elle poussa Charles IX à y renoncer. D'ailleurs, elle en voulait aussi à Coligny de trop accaparer le roi, de le détacher d'elle ; elle entendait conserver sur son fils l'influence qu'elle avait eue jusque-là et continuer à gouverner sous son nom. Elle décida de faire assassiner l'amiral. Le coup manqua et Coligny fut seulement blessé (22 août 1572). Charles IX, furieux, jura de le venger et ordonna une enquête. Catherine fut affolée : n'allait-on pas faire la preuve de sa complicité ? Elle ne vit qu'un moyen de sortir de l'impasse : supprimer les principaux chefs protestants alors réunis à Paris pour le mariage d'Henri de Navarre avec le sœur du roi. Catherine sut convaincre son fils qu'ils complotaient contre lui et Charles IX finit par céder. D'accord avec son frère, le futur Henri III, et avec Henri de Guise, fils de François de Guise, il prépara lui-même les tueries du lendemain.

Le massacre commença à Paris à l'aube du dimanche 24 août 1572, jour de la *Saint-Barthélémy*. Coligny fut une des premières victimes. Sur l'ordre formel du roi, les massacres s'étendirent à toutes les grandes villes du royaume.

6. L'anarchie en France.

Les passions furent alors portées au paroxysme. Nombre de protestants s'enfuirent à l'étranger, mais ceux qui restèrent dans le royaume résolurent de répondre à l'assassinat par une guerre sans pitié. Ils s'unirent en une *Union Calviniste* qui eut ses chefs militaires, ses troupes, son organisation financière et judiciaire : bref, ils formèrent illégalement un petit État huguenot à l'intérieur de l'État. Des pamphlets d'une extrême violence affirmèrent qu'en face d'un prince traître à sa parole et assassin les sujets étaient déliés de leur serment de fidélité. Des seigneurs, des villes se soulevèrent contre le roi : la féodalité semblait ressusciter.

Beaucoup de catholiques répondirent au fanatisme des protestants par un fanatisme semblable et les haines redoublèrent de part et d'autre.

Mais certains s'effrayèrent de voir la France s'abîmer dans l'anarchie sous les yeux de Philippe II. Ils mettaient l'unité de la patrie au-dessus de l'unité de la religion et ils étaient prêts à sacrifier celle-ci pour conserver celle-là. On leur donna le nom de *Politiques*. Au moment où Catherine abandonnait son ancien rêve de réconciliation et de tolérance, ils le reprenaient, mais il faudra encore plus de vingt ans de luttes avant qu'Henri IV puisse l'imposer.

Charles IX mourut en 1574, à l'âge de vingt-quatre ans. Les remords le poursuivaient : «Que de sang et de meurtres, aurait-il dit avant de mourir; ah! que j'ai eu un méchant conseil!»

La fin des guerres de Religion.
L'Édit de Nantes

1. Les débuts d'Henri III.

Le troisième fils d'Henri II était en Pologne, où il venait d'être élu roi, quand il apprit la mort de son frère Charles IX. Il revint aussitôt en France et régna sous le nom d'*Henri III* (1574-1589). Quoique fourbe et trop souvent sans énergie, il ne manquait pas de qualités : il était intelligent, très instruit et avait un sentiment élevé de sa mission de roi. A la demande des États Généraux réunis à Blois, il fit quelques bonnes réformes dans l'administration, encouragea les industries de la soie et de la verrerie. Malheureusement, la guerre civile continuait.

Protestants et Politiques battirent les armées royales et contraignirent Henri III à leur concéder l'*édit de Beaulieu*, en Touraine (1576). Les huguenots recevaient le droit de célébrer publiquement leur culte dans toute la France, sauf à Paris, d'arriver à toutes les fonctions, d'occuper huit places fortes et d'avoir dans chaque Parlement des *chambres mi-parties* où les juges étaient par moitié catholiques et protestants. Le roi désavouait officiellement la Saint-Barthélemy et en réhabilitait les

victimes. Le jeune Henri de Navarre — le futur Henri IV —
était nommé gouverneur de la Guyenne et un autre protestant
gouverneur de la Picardie. Jamais les calvinistes n'avaient obtenu pareilles concessions.

2. Formation de la Ligue.

Beaucoup de catholiques jugèrent qu'Henri III trahissait les
intérêts du royaume et de la religion. A l'appel des habitants de
la Picardie, bien décidés à ne pas obéir à un hérétique, ils se
groupèrent dans toute la France en associations locales et celles-ci s'unirent en une *Ligue*. Le chef de ces catholiques intransigeants fut l'organisateur du massacre de la Saint-Barthélemy,
le duc *Henri de Guise*, surnommé le *Balafré* à la suite d'une
blessure reçue au visage dans une bataille contre les protestants. Il voulait l'union intime de la France avec le pape, le roi
d'Espagne et l'empereur pour rétablir le catholicisme dans
toute l'Europe.

Or, en 1584, le plus jeune frère d'Henri III, le duc d'Alençon, mourut. Désormais, l'héritier légitime de la couronne était
Henri de Navarre, un hérétique, bien plus, un *relaps*[1] :
contraint en effet, sous peine de mort, au lendemain de la
Saint-Barthélemy, de se convertir au catholicisme, il était par la
suite revenu au protestantisme.

3. Henri de Guise contre Henri III.

Aussitôt le Balafré se fit plus entreprenant. Il aspirait à remplacer Henri III. Ses amis affirmaient qu'en 987 c'était un prince
lorrain, non Hugues Capet, qui aurait dû avoir la couronne de
France. La famille lorraine des Guises était donc, disaient-ils,
l'héritière légitime des Carolingiens. Après entente avec Philippe II, Henri de Guise contraignit Henri III à interdire aux
protestants l'exercice de leur culte et à leur imposer l'abjuration dans les six mois sous peine d'exil. En même temps, il
obtenait du Pape une bulle qui déclarait Henri de Navarre
déchu de tous ses droits à la couronne (1585). La guerre recom-

1. On appelle de ce nom quelqu'un qui est *retombé* dans l'hérésie qu'il avait abjurée.

mença. Elle devait durer sans interruption pendant huit années. Rarement la France connut pareilles épreuves : sa dynastie, son unité, son indépendance furent constamment en péril.

Autant le roi était méprisé, autant Guise était populaire. Malgré les ordres d'Henri III, il vint à Paris et y fut acclamé par une foule en délire. Quand le roi fit entrer des troupes dans la ville, les Ligueurs s'écrièrent qu'il préparait une Saint-Barthélemy de catholiques, et les rues se hérissèrent de barricades. Devant cette *Journée des barricades* (mai 1588), le roi prit peur : il nomma son rival lieutenant général du royaume et s'humilia jusqu'à le supplier de calmer le peuple. Mais, sentant bien qu'il ne serait jamais le maître dans son royaume tant que Guise vivrait, il résolut de se débarrasser de lui comme sa mère Catherine avait tenté de se débarrasser de Coligny : quelques mois plus tard, *Guise fut assassiné* au château de Blois (décembre 1588).

Le lendemain, Paris était en pleine révolution. Un comité, composé de délégués des seize quartiers de la ville — *le Conseil des Seize* — prononça la déchéance d'Henri III et nomma lieutenant général du royaume le *duc de Mayenne*, frère du Balafré. Toutes les grandes villes de France suivirent l'exemple de Paris et le pape somma le roi de venir se disculper à Rome de l'accusation d'assassinat. Force fut à Henri III de se tourner vers Henri de Navarre : leurs armées vinrent mettre le siège devant Paris. Mais, peu après, le roi était poignardé par un moine fanatisé, *Jacques Clément* (août 1589). C'était la revanche de la Ligue.

4. Henri IV contre la Ligue et contre Philippe II.

Avec Henri III s'éteignait la dynastie des Valois. L'héritier était Henri de Navarre, un Capétien de la branche des Bourbons. Il prit le nom d'*Henri IV.* Des deux sentiments enracinés au cœur des Français, lequel serait le plus fort : l'attachement au prince légitime ou l'attachement au catholicisme ?

La situation d'Henri IV était très délicate. La grande majorité des catholiques refusait de l'accepter pour roi. En vain affirma-t-il son intention de maintenir le catholicisme et fit-il espérer sa conversion ; cette déclaration ne lui concilia pas les catholiques et elle lui aliéna nombre de protestants. La défection de beaucoup de ses compagnons d'armes le contraignit même à lever le siège de Paris. Il se retira en Normandie, où il pouvait recevoir des secours de l'Angleterre, et il y remporta sur le duc de Mayenne la victoire d'*Arques* (1589). L'année suivante, il fut encore vainqueur à *Ivry*, près de Chartres. Mais, devant Paris, il subit un nouvel échec. Les habitants, fanatisés par les processions des moines ligueurs, souffrirent toutes les horreurs de la famine plutôt que de se rendre. Leur résistance donna le temps à un général de Philippe II, *Alexandre Farnèse*, d'accourir des Pays-Bas. Henri IV dut lever le siège (1590) et une garnison espagnole s'installa dans Paris.

Au milieu de l'anarchie qui déchirait la France, *Philippe II, en effet, menait habilement son jeu.* Il espérait placer sur le trône de France sa fille Isabelle, dont la mère était fille d'Henri II. Quand, en 1592, la Ligue convoqua à Paris les États Généraux dans le dessein de nommer un souverain catholique, il fit connaître ses prétentions.

Le Conseil des Seize et quelques députés soutinrent ses vues, mais le plus grand nombre hésitait à s'engager dans cette voie. Bientôt, même, les exigences et les maladresses de l'ambassadeur espagnol auprès des États amenèrent chez beaucoup d'entre eux un brusque sursaut national.

Par là-dessus, on apprit qu'*Henri IV avait abjuré* (juillet 1593). La cause de Philippe II était perdue ; les États Généraux se dispersèrent. Le *sacre d'Henri IV* (février 1594) leur porta le dernier coup. Un mois plus tard, le roi entrait à Paris, puis il achetait dans tout le royaume la soumission des derniers obstinés.

Restait à se débarrasser des Espagnols : ils avaient envahi la Bourgogne, la Picardie, la Bretagne et ils tenaient garnison dans de nombreuses villes de France. Après trois ans de luttes difficiles, Henri IV et Philippe II conclurent la *paix de Vervins* (1598) : elle renouvelait purement et simplement les clauses du traité du Cateau-Cambrésis.

5. L'Édit de Nantes.

Tout en luttant contre Philippe II, Henri IV réglait la question religieuse. L'Union Calviniste avait rompu avec Henri IV après qu'il eut abjuré. D'autre part, bien des catholiques se refusaient à admettre que le protestantisme fût officiellement reconnu dans le royaume. Après de longues et délicates négociations, le roi finit par faire accepter aux uns et aux autres le compromis qu'on appelle l'*Édit de Nantes* (1598).

L'Édit accordait aux protestants le droit de célébrer publiquement leur culte dans toutes les villes où on le célébrait en 1597 et, en plus, dans les faubourgs de deux localités par bailliage. Il leur accordait aussi l'égalité avec les catholiques devant la loi, l'accès à tous les emplois et admettait même qu'il y eût, dans quelques villes du royaume, des «chambres miparties», c'est-à-dire des tribunaux où l'on trouvait à la fois des juges catholiques et des juges protestants. Des articles spéciaux, qui d'ailleurs ne figuraient pas dans l'Édit, permettaient aux protestants d'occuper pendant huit ans une centaine de places fortes et de se réunir en assemblées générales pour discuter de leurs intérêts. Ces privilèges politiques et militaires n'étaient pas sans danger, car ils laissaient les Calvinistes former un État dans l'État.

En un temps où l'attitude normale était l'intolérance, du moins à l'égard des sujets, la France donnait l'exemple d'une certaine tolérance pour tous les habitants ; et c'était à l'obstination d'Henri IV qu'elle devait ce régime.

Mais, pour que l'Édit fût appliqué équitablement, il eût fallu que les passions religieuses fussent apaisées. Or, elles ne l'étaient pas.

L'Espagne sous Philippe II.
L'Angleterre sous Élisabeth

1. Philippe II.

En abdiquant (1555 et 1556), Charles Quint avait laissé à son fils Philippe II un *triple héritage* : l'héritage espagnol (l'Espagne et ses colonies); l'héritage italien (Milanais, Naples, Sardaigne, Sicile); l'héritage bourguignon (Artois, Flandre, Pays-Bas, Franche-Comté). A ces possessions immenses Philippe II, dont la mère était une princesse portugaise, ajouta en 1580 *le Portugal et son empire.* On comprend le mot des contemporains, terrifiés par cette puissance : «Quand l'Espagne bouge, la terre tremble».

Philippe II avait parfois, dans la vie privée, des moments de gaieté, mais, en général, il se montrait froid et distant. Orgueilleux, méfiant et en même temps très consciencieux, il interdisait qu'on fit rien sans l'avoir consulté. Mais, comme il était aussi très irrésolu, les mois passaient sans qu'une décision fût prise.

A l'inverse de son père, Philippe II ne bougea guère de son palais. Comme il se déplaisait à Madrid, il se fit élever en pleine solitude, à cinquante kilomètres de la ville, le monastère-palais de l'*Escorial*. C'est là qu'il passa la seconde moitié de son règne, donnant aux exercices religieux tout le temps qu'il ne consacrait pas aux affaires de l'État.

Philippe II était en effet d'une piété profonde; il était convaincu que Dieu l'avait placé sur le trône pour hâter le triomphe de l'Église catholique. Sa ferveur religieuse n'explique pas toute sa politique; du moins engagea-t-il, dans ses propres États, une lutte à mort contre les hérétiques : en Espagne, il réussit; aux Pays-Bas, il échoua.

2. L'hérésie en Espagne. La victoire sur les Turcs.

Moins qu'aucun autre pays en Europe, l'Espagne n'avait été touchée par la Réforme. Les Espagnols étaient ardemment catholiques; la lutte contre les abus avait été commencée dans les premières années du XVIe siècle par le cardinal *Ximenes*, archevêque de Tolède; l'Université de Salamanque comptait les plus célèbres théologiens de l'époque et quelques-uns d'entre eux jouèrent un rôle important au Concile de Trente. Dès le début du règne de Philippe II, la terrible Inquisition espagnole pourchassa les rares «luthériens» qui pouvaient se trouver dans le royaume et elle en brûla un certain nombre lors des *auto-dafés* — ce mot, qui signifie «acte de foi», désigne les cérémonies où l'on prononçait les jugements contre les hérétiques.

On appelait *Morisques* les Musulmans de l'ancien royaume de Grenade. Ils avaient été contraints de se convertir au catholicisme, mais Charles Quint leur avait permis de conserver certaines pratiques de l'Islam. Philippe II les somma d'y renoncer. Ils se révoltèrent (1568) et ne furent réduits qu'après trois années d'une guerre atroce. Leur mort ou leur dispersion à travers l'Espagne ruina en partie l'Andalousie, car ils étaient d'excellents agriculteurs.

Les Morisques espéraient être aidés par une diversion des Musulmans de l'Afrique du Nord ou *Barbaresques*. Les pirates barbaresques interceptaient les convois de blé venus de Sicile et menaçaient ainsi d'affamer l'Espagne; ils attaquaient sans cesse les comptoirs que les Espagnols avaient fondés sur la côte de l'Algérie et de la Tunisie. Charles Quint n'avait pu triompher d'eux. Philippe II ne réussit pas mieux.

Il fut plus heureux contre les Turcs qui venaient d'attaquer l'île de *Chypre*, possession des Vénitiens. Les navires vénitiens et espagnols triomphèrent de la flotte turque à la bataille de *Lépante* (1571) dans la mer Ionienne, à l'entrée du golfe de Corinthe. Chypre resta au pouvoir du sultan, mais l'avance des Turcs en Méditerranée fut arrêtée.

3. Le mécontentement aux Pays-Bas.

Lorsque Philippe II arriva au pouvoir, il trouva les dix-sept provinces des Pays-Bas dans un grave état de mécontentement. Charles Quint y avait établi des impôts très lourds et publié des édits féroces contre les protestants. Sans égard à l'esprit d'indépendance et de fierté nationale des habitants, Philippe II eut l'imprudence de diminuer les libertés locales, de laisser dans le pays des garnisons espagnoles et de placer des conseillers venus d'Espagne ou de Franche-Comté à côté de la régente — sa sœur *Marguerite de Parme*. Un certain nombre de nobles, irrités de se voir écartés des affaires publiques et des grands commandements de l'armée, prirent la tête des mécontents. Tolérants pour la plupart, ils blâmaient la cruauté de la répression contre les protestants. Certains d'entre eux étaient calvinistes et auraient voulu séculariser les biens du clergé.

Parmi ces nobles, celui qui allait jouer le premier rôle était un Allemand des bords du Rhin, *Guillaume de Nassau, prince d'Orange*, surnommé le *Taciturne*. Froid, dissimulé, indifférent en matière de religion, ambitieux et cupide, il aspirait à se tailler aux Pays-Bas une principauté indépendante. Sur ses conseils, 300 nobles vinrent en 1566 présenter à la régente une pétition lui demandant de pratiquer une politique de tolérance : traités de *Gueux*, il firent de cette insulte un surnom glorieux. Par là-dessus, quelques milliers de calvinistes fanatiques saccagèrent pendant un mois plus de 400 églises et s'emparèrent par la violence du gouvernement de plusieurs villes. Philippe II prit occasion de ces troubles pour en finir avec l'opposition aux Pays-Bas, y extirper le protestantisme et y supprimer les libertés politiques. Il envoya à Bruxelles son meilleur général, le *duc d'Albe*, avec une forte armée espagnole (1567).

4. Soulèvement des Pays-Bas.

Le duc d'Albe gouverna en tyran et fit exécuter en quelques mois près de deux mille personnes dont le *comte d'Egmont* et le *comte de Horn*, deux des plus grands seigneurs du pays. Il acheva de s'aliéner la population en l'écrasant de taxes. Cependant, pendant près de dix ans, les provinces septentrionales de Zélande et de Hollande furent seules à s'insurger. Il fallut, en 1576, l'effroyable *pillage de la ville d'Anvers* par les troupes espagnoles, suivi du massacre de plus de 7 000 personnes, pour unir les dix-sept provinces dans une commune révolte.

Mais l'union ne dura pas. Dans le Sud, les catholiques formaient la grande majorité de la population et refusaient aux protestants la liberté de culte ; dans le Nord, les protestants saccageaient les églises et persécutaient les catholiques. Les successeurs du duc d'Albe surent utiliser ces haines religieuses. Dès 1579, *les dix provinces méridionales reconnurent de nouveau l'autorité de Philippe II*. En revanche, les sept provinces du Nord proclamèrent en 1581 leur indépendance, sous le nom de *République des Provinces-Unies*.

Pendant plusieurs années, la situation des Provinces-Unies demeura très précaire, malgré l'aide que leur accordèrent la reine Élisabeth d'Angleterre et même, par moments, Catherine de Médicis. Elles étaient sur le point d'être reconquises par le nouveau gouverneur des Pays-Bas, le prince italien *Alexandre Farnèse*, lorsque celui-ci fut par deux fois arrêté en pleine victoire. Il lui fallut d'abord préparer un débarquement en Angleterre (1587), puis venir débloquer Paris assiégé par Henri IV (1590). Ce répit inespéré sauva les Provinces-Unies. Quand Philippe II mourut (1598), elles avaient en fait conquis leur indépendance et son successeur *Philippe III* conclut avec elles une trêve de douze ans (1609).

L'Espagne ne possédait plus que les dix provinces méridionales (Belgique et Luxembourg actuels). Encore étaient-elles ravagées par la guerre. L'industrie de la laine en Flandre était ruinée, des milliers de tisserands avaient fui en Angleterre. La ville d'Anvers allait perdre sa primauté économique au profit de Londres et d'Amsterdam.

5. La politique de Philippe II en France et en Angleterre.

Si Philippe II fut, de propos délibéré, le champion du catholicisme dans ses propres États, il ne le fut pas toujours dans ses rapports avec les grandes Puissances. C'est ce que montre sa politique à l'égard de l'Angleterre et de la France.

Philippe II ne rompit pas avec Élisabeth, même après que la reine eut établi l'anglicanisme en Angleterre, même après qu'elle eut été excommuniée par le pape (1570) et quoiqu'elle aidât les révoltés des Pays-Bas et permît à ses corsaires de courir sus aux navires espagnols. Il préférait voir régner à Londres une hérétique plutôt que Marie Stuart, catholique certes, mais qui eût subi l'influence française. C'est seulement après l'exécution de Marie qu'il prit les armes pour conquérir le royaume d'Angleterre dont il se disait l'héritier[1]. Une flotte formidable, l'*Invincible Armada* — l'armée Invincible — tenta un débarquement en Angleterre, mais la tempête dispersa les vaisseaux et amena un désastre complet (1588). Dans les années suivantes, les corsaires anglais, dont le plus célèbre était *Drake*, vinrent piller les côtes du Chili et du Pérou et même celles de l'Espagne.

Mêmes visées ambitieuses et même échec en France. Dans sa politique à l'égard de Catherine de Médicis, Philippe II n'était pas poussé par le seul désir de faire triompher le catholicisme. On le vit mieux encore après la mort du duc d'Alençon (1584). Il s'allia alors à la Ligue, fit entrer des troupes espagnoles en France et posa la candidature de sa fille Isabelle au trône de France. On comprend sa colère quand l'abjuration d'Henri IV vint ruiner ses plans. La guerre qui s'ensuivit entre le roi de France, désormais catholique, et Philippe II acheva de montrer que leur rivalité était toute politique.

6. Le bilan du règne.

Quatre mois après la paix de Vervins, Philippe II mourait à l'Escorial (1598). Son règne se résumait en deux mots : misère

---

1. Philippe II était veuf de Marie Tudor ; d'autre part, Marie Stuart l'avait reconnu comme son héritier légitime.

et gloire. L'agriculture était en pleine décadence, affaiblie en Andalousie par l'expulsion des Morisques et en Castille par le développement des moutons transhumants. Les paysans abandonnaient les campagnes pour venir travailler dans les villes ou y grossir le nombre des mendiants. L'industrie de la laine, de la soie, du cuir, des armes se soutenait encore, mais était écrasée d'impôts. L'Espagne devait faire appel aux pays étrangers pour les denrées les plus usuelles. L'État avait fait trois fois banqueroute et les ports de Barcelone et de Valence déclinaient au profit de Marseille et de Livourne.

Déjà aussi, dans l'océan Indien, les Hollandais tentaient d'enlever aux Espagnols le commerce avec les îles de la Sonde.

Cependant, le règne de Philippe II ne fut pas sans grandeur. La perte des Pays-Bas septentrionaux semblait compensée, et au-delà, par l'annexion du Portugal et de son empire; la destruction de l'Armada avait été due à la tempête plus qu'à la supériorité de la flotte anglaise. Si Philippe II n'avait pas réussi à placer sa fille sur le trône de France, il avait du moins empêché le succès du protestantisme en France : sans le danger espagnol, Henri IV se serait-il converti? Quant au commerce entre l'Espagne et l'Amérique, il ne fut jamais plus actif qu'entre 1580 et 1620.

Enfin, le règne de Philippe II fut marqué en Espagne par un remarquable mouvement religieux, artistique et littéraire. C'est alors que vécurent *sainte Thérèse d'Avila*, la réformatrice de l'Ordre des Carmélites, le moine *saint Jean de la Croix*, le dominicain *Louis de Grenade*, qui tous trois ont composé des ouvrages de piété très connus. Dans le même temps, le peintre le *Greco*, ainsi appelé parce qu'il était Grec d'origine, exprimait dans ses tableaux religieux la foi profonde des Espagnols. Enfin, dans les dernières années du règne de Philippe II, un ancien soldat de la bataille de Lépante, *Cervantes*, commençait à rédiger son roman de *Don Quichotte*.

7. Essor économique de l'Angleterre.

Pendant que l'Espagne s'appauvrissait, l'Angleterre était en pleine prospérité. L'*industrie de la laine* continuait à être la grande richesse nationale. L'arrivée de plusieurs milliers de drapiers flamands lui donna un nouvel essor. Le gouvernement prit des mesures en faveur des ouvriers : il leur assura du travail et réglementa leurs salaires. Pour ouvrir aux draps anglais les marchés étrangers et pour apporter en Angleterre les produits d'outre-mer, Élisabeth créa des Compagnies de commerce. La *Compagnie des Marchands de l'Est* enleva à la Hanse germanique le monopole du trafic entre l'Angleterre et les ports de la mer Baltique : elle rapportait à Londres le blé, et surtout le bois, le goudron, les cordages, les toiles nécessaires à la construction et au gréement des navires. La *Compagnie du Levant* fit concurrence aux navires espagnols et vénitiens dans la Méditerranée orientale et obtint du sultan des avantages commerciaux. La *Compagnie des Indes orientales*, fondée en 1600, tenta de commercer sur les côtes de l'Inde et dans les îles de la Sonde. Enfin, c'est alors que les Anglais commencèrent à s'intéresser à l'Amérique. En cherchant après tant d'autres un passage maritime qui reliât l'océan Atlantique à l'océan Pacifique, *Hudson* découvrit, sur la côte septentrionale du Canada, la baie qui porte son nom (1609). Des colons tentèrent de s'établir dans la région orientale des États-Unis, qu'il appelèrent la Virginie. Du règne d'Élisabeth datent la *grandeur de la flotte marchande* de l'Angleterre et les premières tentatives pour fonder un *empire colonial*.

L'agriculture, en revanche, traversait une grave crise. La draperie exigeait une quantité chaque jour plus considérable de laine. Aussi beaucoup de grands propriétaires transformaient-ils leurs champs en pâturages à moutons, ce qui jetait au chômage nombre de fermiers et d'ouvriers agricoles. D'autres au contraire, désireux de s'enrichir par la culture du blé en grand, usurpaient les communaux, enlevant ainsi aux villageois pauvres une partie de leurs ressources ; ils entouraient aussi leurs champs d'une clôture, empêchant ainsi les troupeaux d'y venir pâturer après la moisson, comme c'était l'usage. Beaucoup de paysans tombèrent dans la misère, devinrent mendiants et même brigands. Par souci de maintenir l'ordre, le gouvernement créa une *Assistance Publique*, entretenue par une *taxe des pauvres*, payée dans chaque paroisse par tous ceux qui n'étaient pas indigents : les pauvres étaient réunis dans des *maisons de travail*, où ils étaient soumis à une discipline très dure.

8. La littérature. Shakespeare.

Les Anglais étaient fiers de leur prospérité économique et du grand rôle qu'ils jouaient dans la politique européenne. Ils l'étaient aussi de l'essor intellectuel qui fit de l'«ère élisabéthaine» le premier âge d'or de la littérature anglaise. L'influence des chefs-d'œuvre littéraires de l'Antiquité, celle aussi des grandes œuvres des écrivains italiens et français des XVe et XVIe siècles expliquent en partie cette brillante Renaissance. Les auteurs anglais les plus célèbres furent alors le poète *Spenser* et surtout le dramaturge *Shakespeare*.

Shakespeare sut réaliser en lui toute la variété des dons littéraires de ses contemporains : tragédies, comédies, sonnets, chansons, partout il est à l'aise. Dans la dizaine de tragédies qu'il consacra à l'histoire de l'Angleterre au XVe siècle, il se fit poète national. Enfin et surtout, dans ses œuvres les plus fameuses (*Roméo et Juliette, Hamlet, Othello, Le Roi Lear, Macbeth*), il sut donner à ses personnages une vie si intense et un relief tel qu'ils deviennent des types d'humanité.

9. Élisabeth et le Parlement.

Le pouvoir royal était devenu très fort en Angleterre au XVIe siècle. La guerre civile des Deux-Roses avait décimé l'aristocratie ; d'autre part, la monarchie s'était immensément enrichie par les confiscations, puis par la suppression des monastères. Enfin, le souverain possédait, sous le nom de *prérogative royale*, des droits considérables : il pouvait suspendre l'application des lois ou dispenser certaines personnes d'obéir à la loi ; il pouvait, en cas de nécessité, lever des impôts sans s'adresser au Parlement, emprisonner des citoyens sans les faire juger ou bien les faire passer devant des tribunaux d'exception.

Très autoritaire, Élisabeth gouverna, comme son père et son grand-père, avec un petit nombre de conseillers qui formaient le *Conseil privé :* le plus remarquable fut *William Cecil*. Tant que l'Angleterre fut menacée par les complots de Marie Stuart et de Philippe II, la Chambre des Communes accepta de bonne grâce le rôle effacé auquel elle était réduite. Mais, quand, après l'échec de l'Armada, les grands dangers eurent disparu, elle se montra moins docile, prit à plusieurs reprises le parti des puritains et exigea qu'aucun impôt ne fût voté sans son assentiment. *Ainsi se préparait, entre la prérogative royale et les exigences des députés, le conflit à la fois religieux et politique qui allait marquer l'histoire de l'Angleterre au XVIIe siècle et amener par deux fois une révolution.*

Henri IV et le relèvement de la France

1. La France en ruine.

«Qui aurait dormi quarante ans penserait voir non la France mais un cadavre de la France.» Ces paroles d'un contemporain au lendemain des guerres de Religion n'avaient rien d'exagéré. Le pays était couvert de ruines. De nombreux villages étaient abandonnés; les paysans affamés formaient des bandes de pillards. Plus de commerce : routes et ponts étaient coupés, les bois infestés de loups. Dans les villes, le chômage était général : à Provins, célèbre par ses fabriques de draps, il restait quatre métiers sur 1 600; la misère des ouvriers était effroyable, les épidémies sévissaient.

L'autorité royale, elle aussi, était ruinée. Les gouverneurs de province tenaient tête ouvertement au roi; les Parlementaires, presque tous anciens Ligueurs, avaient pris des habitudes d'indépendance; les villes avaient chassé les officiers royaux. Des écrivains, tant protestants que ligueurs, avaient affirmé que la nation est supérieure au roi, qu'elle peut le déposer s'il gouverne mal, qu'elle a même parfois le droit de le tuer. Les plus modérés demandaient au moins que le roi fût tenu de réunir les États Généraux tous les trois ou quatre ans.

2. Restauration de l'autorité.

La France allait trouver en Henri IV celui qui saurait y rétablir l'ordre et la remettre au travail. Henri IV se croyait seul capable d'apaiser les esprits, dressés les uns contre les autres par quarante ans de guerres civiles. Il était prêt en effet à rallier à lui, pour le service de la France, tous les hommes de bonne volonté, catholiques ou protestants. Ligueurs ou Politiques ; il oubliait injures et trahisons passées pourvu qu'on fût désormais fidèle.

Mais Henri IV ne pouvait réussir dans son œuvre d'apaisement que s'il savait imposer sa volonté. Il y était tout disposé. Sous des apparences de bonhomie railleuse, il était fort autoritaire. D'ailleurs, il méprisait les hommes. S'il le fallait, il se montrait impitoyable : le maréchal de Biron, gouverneur de Bourgogne, fut décapité pour avoir comploté avec l'Espagne, après que le roi lui eut déjà pardonné une fois.

Sans rien brusquer et en prodiguant les promesses — quitte à ne pas les tenir — Henri IV établit très fermement son autorité. Il ne convoqua pas les États Généraux, il limita le droit de remontrance des Parlements, exclut des affaires les princes du sang et les grands seigneurs, restreignit les pouvoirs des gouverneurs de province, ne fit aucun cas des libertés traditionnelles des villes et tint en bride les autorités locales en les faisant surveiller par des intendants.

La tâche la plus délicate consistait à maintenir la tolérance religieuse dont la plupart des Français ne voulaient pas. Catholique depuis son abjuration, sacré par l'Église, roi d'un pays en immense majorité catholique, *Henri IV favorisa le catholicisme*. Il poussa les protestants à abjurer. Il protégea les Jésuites et choisit un Jésuite pour confesseur. Cependant, il se refusa toujours à supprimer l'Edit de Nantes

3. Finances et agriculture. Sully.

Ce n'était pas tout que de restaurer l'obéissance. Il fallait encore remettre l'ordre dans les finances et trouver de l'argent. Henri IV eut la chance d'avoir en son ami *Sully* un collaborateur sûr et compétent.

Sully fut souvent contraint aux pires expédients : on le vit altérer les monnaies ou frustrer d'une partie de leurs intérêts ceux qui avaient prêté de l'argent au roi. Il augmenta les impôts directs. Pour donner à l'État une recette permanente il institua l'impôt de la *Paulette*[1] : moyennant le paiement, chaque année, d'un droit égal à 1/60 de la valeur de leur charge, les «officiers» eurent toute facilité pour la vendre ou la transmettre à leurs héritiers.

Mais Sully fut aussi un comptable minutieux, économe et honnête. Sévère à l'égard de ses subordonnés, il fit restituer une partie des sommes dérobées et empêcha tout gaspillage. Il osa refuser au roi, follement prodigue, les grosses sommes que celui-ci lui demandait. Par ses économies, comme par les expédients auxquels il eut recours, Sully put rembourser une partie de la dette, mettre le budget en équilibre et accumuler de grosses réserves d'or.

Pour que la France redevînt riche, il fallait qu'elle se remît au travail. Grand propriétaire, Sully s'intéressait surtout à l'agriculture. Il disait que «pâturage et labourage sont les deux mamelles dont la France est alimentée, les vraies mines et trésors du Pérou.» Le règne d'Henri IV est une des très rares époques de notre histoire où le gouvernement prit la défense des paysans : il fut interdit de saisir leurs instruments aratoires et leurs bestiaux, de chasser dans les vignes et les blés en tiges : la taille fut diminuée, et quelques arriérés furent remis. Henri IV applaudissait aux efforts de son ministre : il avait passé son enfance à la campagne, il souhaitait voir les nobles abandonner la vie oisive qu'ils menaient à la Cour et revenir sur leurs terres. Il aurait voulu que chaque famille pût mettre le dimanche «la poule au pot». A sa demande, *Olivier de Serres* écrivit un manuel d'agronomie. Sully fit venir des techniciens hollandais pour assécher les terres marécageuses, il favorisa la culture du mûrier et tenta même d'introduire en Provence la culture du riz.

---

1. Ainsi nommé parce que le financier Paulet avait obtenu le privilège de le lever.

4. Industrie et colonies.

Passionné pour l'agriculture, Sully regardait l'*industrie* avec méfiance. Il craignait qu'elle ne développât le goût du luxe et ne détournât les paysans du travail des champs. Henri IV, au contraire, y voyait une source de richesse pour la nation à condition que les produits français, de qualité impeccable, fussent largement exportés à l'étranger. Le contrôle de l'État fut renforcé. Sur les conseils d'un commerçant, *Laffemas*, Henri IV fonda et subventionna des «manufactures» de tapis et de tapisseries (par exemple celle des Gobelins à Paris), de verreries en cristal, de cuirs dorés, de soieries de luxe, de toiles fines, où l'on appliquait les techniques des pays étrangers.

Sully remit en état routes et ponts; il fit creuser le *canal de Briare* pour relier la Seine à la Loire par la vallée du Loing. Henri IV encouragea le commerce de Marseille avec le Levant et tenta de créer une *Compagnie des Indes*. Il reprit aussi les essais de colonisation au Canada tentés sous François Ier par Jacques Cartier. Au point où commence l'estuaire du Saint-Laurent, *Samuel Champlain* établit un fortin et un entrepôt : ce fut l'origine de *Québec* et de la colonie française du *Canada* (1608).

En dix ans de paix la France avait repris toute son activité.

5. La politique extérieure.

En 1600, Henri IV fit une courte guerre au duc de Savoie-Piémont et acquit la *Bresse et le Bugey*, c'est-à-dire les territoires qui forment aujourd'hui le département de l'Ain. A ses nouveaux sujets il disait : «Il était raisonnable que, puisque vous parlez naturellement français, vous fussiez sujets d'un roi de France». Aux yeux d'Henri IV, le grand adversaire de la France restait la *Maison d'Autriche*. Quand l'empereur revendiqua les territoires très considérables que possédait le duc de Juliers dans les environs de Cologne à droite et à gauche du Rhin, Henri IV décida de passer à l'offensive contre les Habsbourg, à la fois en Allemagne, en Italie et en Espagne. C'est alors qu'il fut assassiné.

6. Assassinat d'Henri IV.

La fièvre de la Ligue était loin d'être tombée. Les catholiques ne pardonnaient pas à Henri IV de tolérer les huguenots dans le royaume. Leur irritation s'exaspéra quand ils apprirent qu'il s'alliait aux protestants d'Allemagne, de Suisse et des Provinces-Unies pour attaquer les Habsbourg catholiques et même, disait-on, le pape. Un exalté, *Ravaillac*, pensa sauver le catholicisme en tuant le roi de deux coups de couteau (1610).

Toute la France pleura le mort du roi. Pourtant, de son vivant, il n'avait guère été aimé. C'est après sa mort que l'on admira son courage, sa confiance dans les destinées de la France, son souci de relever le pays de ses ruines. Alors, Henri IV devint — et il est resté — le plus populaire de nos rois.

Louis XIII et Richelieu

1. Quatorze années de mauvais gouvernement.

A la mort d'Henri IV, son fils, Louis XIII, n'avait pas neuf ans.
La reine mère, *Marie de Médicis*, s'adressa au Parlement de
Paris, qui la déclara régente et lui donna le pouvoir.

D'intelligence médiocre, la régente accorda toute sa
confiance à un couple d'intrigants italiens venus avec elle d'Italie : sa sœur de lait, Léonara Galigaï, et le mari de celle-ci,
Concini. Ce dernier devint marquis, maréchal de France et
ministre. Les *Grands* (princes du sang et grands seigneurs),
qu'Henri IV avait courbés sous l'autorité royale, relevèrent la
tête, se firent donner de grosses pensions et, quand le Trésor
fut vide, se révoltèrent. Puis ils s'avisèrent de réclamer la
convocation des *État Généraux*. Les États se réunirent en 1614,
mais n'aboutirent à rien : ce furent les derniers avant la Révolution de 1789.

Cependant le jeune roi s'irritait d'être tenu à l'écart. Brusquement, en 1617, il fit assassiner Concini et pria sa mère de ne
plus «se mêler de rien». Après quoi, il laissa gouverner son
favori, *Luynes*. La situation ne s'améliora guère. Les Nobles se

révoltèrent de nouveau; les protestants, déjà inquiets du mariage de Louis XIII avec *Anne d'Autriche*, fille du roi d'Espagne, se soulevèrent dans le Midi. Finalement Marie de Médicis reprit de l'influence et, en 1624, elle fit entrer au Conseil son homme de confiance, Richelieu.

2. Le Cardinal de Richelieu.

Armand du Plessis de Richelieu était évêque de Luçon, en Vendée. Ambitieux, il avait réussi à gagner la faveur de Marie de Médicis qui le choisit pour aumônier et le fit nommer secrétaire d'État à la Guerre. Disgracié en même temps qu'elle, en 1617, il réussit à la réconcilier avec le roi et obtint en récompense le chapeau de cardinal, puis l'entrée au Conseil (1624). Quelques mois plus tard, il devenait «chef du Conseil».

Richelieu avait jusque-là témoigné surtout de souplesse et d'habileté. Cependant il était fait pour dominer : il avait le don du commandement, un orgueil impérieux, une inflexible volonté. Il tenait pour indispensable au bien de l'État l'union intime du roi et d'un Premier ministre qui serait le confident du souverain : c'est le rôle qu'il voulait jouer auprès de Louis XIII. Il n'avait en vue, pour reprendre ses propres paroles, que «la majesté du roi» et «la grandeur du royaume». Pour maintenir la grandeur du royaume, il engagea la France dans la lutte contre les Habsbourg; pour sauvegarder la majesté du roi, il abaissa les deux factions qui avaient relevé la tête : les protestants et les Grands.

3. La fin du danger protestant.

Les protestants possédaient des places fortes et tenaient des Assemblées politiques; leurs délégués discutaient presque d'égal à égal avec Louis XIII. Ces privilèges semblaient à Richelieu la négation du pouvoir du roi, et il résolut de les supprimer.

Il prit prétexte de l'attitude des protestants de l'Ouest, qui aidaient la flotte anglaise à s'emparer de l'île de Ré, et il vint mettre le siège devant *La Rochelle*. Malgré l'énergie des habitants et les tentatives des Anglais pour la secourir, la ville dut capituler. La guerre continua dans les Cévennes, puis les protestants implorèrent la paix. Par l'*édit de grâce* (le mot est significatif), signé à Alès (1629), le roi les fit rentrer dans le droit commun en leur *enlevant leurs privilèges politiques*; mais, à la propre demande de Richelieu, Louis XIII confirma l'égalité devant la loi et la liberté de culte que leur avait accordées l'Édit de Nantes.

4. Les complots des Grands.

La lutte contre les Grands fut autrement difficile. Les Grands se groupaient soit autour de *Gaston d'Orléans*, soit autour des deux reines, *Marie de Médicis* et *Anne d'Autriche*. Gaston, frère du roi, fut pendant longtemps l'héritier présomptif — car Louis XIII n'eut pas de fils avant 1638. Vaniteux et lâche, toujours prêt à dénoncer ses complices, il ne cessa de comploter contre Richelieu, n'hésitant pas à s'allier aux Espagnols, alors nos ennemis, pour mieux arriver à ses fins. La reine mère, très jalouse de son pouvoir sur son fils, s'indignait du crédit de Richelieu auprès de lui; elle accusait le Cardinal d'ingratitude envers elle et mettait tout en œuvre pour le faire disgracier. A ses côtés, Anne d'Autriche, Espagnole de naissance, reprochait vivement à Richelieu de mener une politique hostile à l'Espagne.

Les révoltes des Grands étaient d'autant plus dangereuses qu'elles avaient souvent pour conséquence le soulèvement de provinces entières. Princes du sang, gouverneurs de province, membres des Parlements ou simplement riches propriétaires avaient en effet autour d'eux une nombreuse clientèle de paysans, de gentilshommes, d'«officiers», qu'ils protégeaient de toute manière et sur l'absolue fidélité desquels ils pouvaient compter. On se disait couramment le «dévoué», l'«obligé», l'«engagé», le «nourri», de tel ou tel grand seigneur à qui l'on s'était «donné». D'ailleurs, le roi avait lui aussi ses «nourris» et Richelieu avait pour conseillers des «hommes à lui». Un Grand qui se révoltait ordonnait à ceux qui dépendaient de lui de s'opposer à la levée des impôts, à l'enregistrement des édits du roi. Il mettait ainsi en cause, dans sa province, l'existence même de l'État.

Aussi Richelieu engagea-t-il contre les Grands une lutte sans pitié. Dans cette partie où se jouaient l'autorité royale et la vie même du Cardinal, il ne recula devant aucune illégalité : à ses yeux le «salut de l'État» justifiait tout, même les décisions les plus arbitraires. Voici quelques épisodes de cette lutte.

5. Quelques épisodes.

En 1630, Marie de Médicis exigea de son fils le renvoi de Richelieu. Elle crut un jour avoir cause gagnée, mais le soir même Louis XIII, sommé de choisir «entre un valet et sa mère», se prononça pour le ministre. Ce fut la *Journée des Dupes* (10 novembre 1630). La colère du roi fut terrible : le garde des sceaux Marillac, qui soutenait la politique des reines, fut exilé ; son frère, qui était maréchal, fut décapité. Marie de Médicis elle-même fut emprisonnée. Elle parvint à fuir à l'étranger, où elle mourut douze ans plus tard, en exil, sans avoir revu son fils.

Plus grave fut la révolte armée du *duc de Montmorency*, gouverneur du Languedoc, qui se souleva à l'instigation de Gaston d'Orléans (1632). Fait prisonnier, le duc fut condamné à mort et décapité à Toulouse, quoiqu'il fût «premier baron du royaume» et cousin du roi.

En 1636, alors qu'une armée espagnole marchait sur Paris, un prince du sang, le *comte de Soissons*, tenta de faire assassiner Richelieu. Le complot échoua, mais, cinq ans plus tard, Soissons, qui était passé à l'étranger, rentra en France, à la tête d'une petite armée espagnole. Il fut tué au cours d'un engagement avec les troupes françaises.

Gaston d'Orléans réussit à entraîner dans un nouveau complot le jeune *Cinq Mars*, dont Louis XIII avait fait son confident. Les conjurés signèrent un traité secret avec l'Espagne (1642). Richelieu eut connaissance du texte : Cinq-Mars fut décapité à Lyon, avec son ami de *Thou*, coupable de n'avoir pas révélé la trahison.

Ce ne sont là que les victimes les plus illustres de la lutte. Il y en eut beaucoup d'autres. Quiconque se permettait de critiquer le gouvernement risquait d'être emprisonné sans jugement. Toute désobéissance était considérée comme «crime d'État» et punie de mort. En 1626, Louis XIII avait fait décapiter, malgré les supplications de la noblesse, un grand seigneur, le comte de *Bouteville*, coupable de s'être battu en duel, par bravade, à Paris, en plein midi, place Royale, au lendemain d'un édit qui interdisait les duels.

6. Développement de l'autorité royale.

Richelieu rêvait de grandes réformes : il aurait voulu uniformiser l'administration, répartir les impôts plus équitablement, supprimer la vénalité et l'hérédité des offices. Mais, tout occupé à déjouer les complots des Grands et à faire la guerre aux Habsbourg, il n'eut ni le temps ni les moyens de réaliser ces projets.

Richelieu travailla du moins à fortifier l'autorité du roi. Il interdit aux Parlements de discuter des affaires d'État et il limita leur droit de remontrance. Il entra souvent en conflit avec les *États provinciaux* qui levaient les impôts dans certaines régions (Bretagne, Bourgogne, Provence, Dauphiné, Languedoc) et il supprima ceux du Dauphiné. Enfin, pour contraindre les «officiers» à l'obéissance, il fit appel, plus qu'on n'avait fait avant lui, aux *commissaires* ou *intendants*; alors apparut l'expression : *intendant de justice, police et finances*. Richelieu augmenta leurs pouvoirs, leur permit de juger par eux-mêmes sans faire appel aux tribunaux réguliers et les laissa longtemps en place.

Richelieu ne prit guère de mesures en faveur de l'agriculture et de l'industrie, mais il eut le sentiment très vif de l'importance du commerce : il essaya de donner à la France une *flotte* qui lui permît de ne plus faire appel aux bateaux hollandais pour ses importations et ses exportations. Il tenta également d'accroître l'*empire colonial* : il acquit quelques Antilles, fonda des comptoirs à Madagascar et au Sénégal, envoya des colons et des missionnaires au Canada. Pour mettre en valeur ces possessions d'Outre-Mer, il créa plusieurs *Compagnies de commerce*, mais aucune ne prospéra.

Richelieu se rendait compte des avantages d'une propagande bien faite. Pour justifier sa politique aux yeux de l'opinion publique, il utilisa pamphlets et journaux. Lui et le roi écrivirent des articles anonymes dans la *Gazette*, le premier journal qui parût en France (1631).

7. La fin du règne.

Richelieu avait toujours été d'une santé très faible. Épuisé par le labeur, il mourut en 1642, haï de tous, sauf du roi. Les nobles ne lui pardonnaient pas ses exécutions, ni les Parlements sa brutalité; beaucoup de Français lui reprochaient de s'allier à des princes protestants contre les Habsbourg catholiques; enfin la nation entière, écrasée d'impôts, maudissait son nom. Richelieu avait tout sacrifié à sa volonté de faire triompher l'autorité royale et de vaincre les Habsbourg. Par là, il préparait le règne de Louis XIV, c'est-à-dire la victoire de l'absolutisme au-dedans et la prépondérance française au-dehors.

Louis XIII confia la charge de Premier Ministre à celui que Richelieu lui-même avait proposé pour son successeur, le cardinal *Mazarin*. Quelques mois plus tard, le roi s'éteignait à son tour (1643).

La préface du règne de Louis XIV.
La France sous Mazarin

1. Le gouvernement de Mazarin.

Par son testament, Louis XIII avait confié la régence à sa femme, *Anne d'Autriche*, mais sans lui donner tout le pouvoir : il lui fallut prendre l'avis de certains conseillers. Anne d'Autriche refusa d'accepter cette situation inférieure : à sa demande, le Parlement de Paris cassa le testament et accorda à la régente toute autorité. Mais, à la surprise générale, Mazarin resta chef du Conseil des Affaires.

Giulio Mazzarini avait d'abord été au service du pape. Richelieu, qui appréciait fort sa souplesse et son habileté diplomatique, le fit passer au service du roi (1636) et naturaliser Français. Il voulut faire de lui son successeur et lui obtint l'entrée au Conseil et le chapeau de cardinal. Tout en servant Richelieu, Mazarin avait su se concilier la reine. Devenue régente, Anne d'Autriche lui abandonna la direction des affaires. De 1643 à sa mort (1661), Mazarin fut officiellement Premier Ministre et prit toutes les décisions. Mais, s'il succédait à Richelieu, il n'en avait pas les manières : rien en lui d'impérieux et de dur, il était tout souplesse, affabilité, mansuétude.

A son arrivée au pouvoir, Mazarin trouvait une situation politique et financière presque désespérée : des soulèvements dans tout le royaume et le Trésor vide, alors qu'il fallait continuer la guerre. Mazarin dut recourir aux expédients : ventes d'offices, emprunts forcés, taxes de toutes sortes. Il s'attira ainsi la haine des Parisiens, d'autant plus qu'une grave crise économique ruinait beaucoup de marchands et jetait les ouvriers au chômage. Cependant la population n'aurait sans doute pas bougé, si la noblesse de robe ne l'avait appelée à la révolte.

2. Puissance de la noblesse de robe.

Depuis la fin du XV⁰ siècle, le rôle de la noblesse de robe ne faisait que grandir. On appelait de ce nom, on l'a vu, cette partie de la haute bourgeoisie que l'exercice des offices des finances et surtout de justice avait anoblie et dont la noblesse était devenue héréditaire par suite de l'hérédité des offices. De grandes familles de magistrats s'étaient ainsi constituées : les *Ormesson*, les *Molé*, les *Harlay*, les *Séguier*. Les nobles de robe achetaient souvent les terres que les nobles d'épée, endettés, étaient contraints de céder à vil prix, et ils tiraient des revenus considérables de la vente de leurs récoltes. Aussi pouvaient-ils mener dans les villes un train fastueux. Ils y possédaient les plus riches hôtels et leur prestige était considérable. Le premier président du Parlement de Paris était l'un des plus hauts personnages de l'État.

Le Parlement de Paris n'était qu'un tribunal, mais le droit de remontrance lui donnait un prétexte pour discuter des affaires de l'État : n'avait-il pas d'ailleurs cassé le testament de Louis XIII ? Son orgueil s'en était accru, et il se considérait comme le représentant de la Nation quand les États Généraux ne siégeaient pas. Depuis 1643, il multipliait les remontrances : un nouvel expédient, auquel Mazarin eut recours pour trouver de l'argent, lui donna prétexte à se soulever et son soulèvement déchaîna la guerre civile dans le royaume.

3. La rébellion du Parlement de Paris.

Tous les neuf ans, on décidait s'il fallait ou non renouveler l'édit de la Paulette. Mazarin le renouvela en 1648 ; en contre-partie, les officiers de certaines Cours de justice établies à Paris ne recevraient pas de gages pendant quatre ans. Ces officiers protestèrent et le Parlement se solidarisa avec eux. Malgré l'interdiction formelle de la régente, il s'assembla pour déli-bérer sur « la réformation du royaume », et il vota une déclara-tion qui limitait le pouvoir royal (juillet 1648) : les intendants seraient supprimés, aucun impôt ni aucun office ne pourrait être créé sans l'assentiment du Parlement et toute arrestation arbitraire serait interdite.

Indignée, la régente fit arrêter l'un des parlementaires les plus intransigeants, *Broussel*. Or, ce vieillard était très popu-laire : à l'annonce de son emprisonnement, tout Paris se souleva (26 août 1648). Anne d'Autriche dut céder, remettre Brous-sel en liberté, supprimer les intendants. Mais, quelques mois plus tard, elle s'enfuit secrètement à Saint-Germain avec le petit Louis XIV et Mazarin (janvier 1649). En même temps, elle ordonnait à Condé de bloquer Paris avec son armée.

La guerre civile commençait

4. La Fronde.

La guerre civile dura quatre ans (1649-1652). On lui donna le nom de *Fronde* parce qu'on la compara au jeu d'enfants qui se lancent des pierres avec des frondes.

Paris fut assiégé pendant trois mois. Soutenu par la populace qui ne cherchait souvent qu'une occasion de vociférer et de piller, par un certain nombre de grands seigneurs qui s'enga-gèrent dans la révolte par goût des aventures, enfin par un jeune ecclésiastique très remuant, Paul de Gondi, futur *cardi-nal de Retz*, le Parlement organisa la résistance. Ce fut la *Fronde parlementaire*. Mais les Parisiens se lassèrent vite du blocus qui rendait le ravitaillement difficile et, quand les nobles proposèrent d'appeler à l'aide les Espagnols, alors en guerre avec la France, les Parlementaires préférèrent traiter avec la régente (mars 1649).

A peine la Fronde parlementaire était-elle terminée que Condé devint menaçant à son tour. Très infatué de lui-même, il convoitait la place de Mazarin. Anne d'Autriche le fit arrêter. Immédiatement, ses amis soulevèrent plusieurs provinces et s'allièrent aux Espagnols. Ce fut la *Fronde des Princes.* Bientôt Paul de Gondi, qui lui aussi voulait devenir Premier ministre, entraîna de nouveau Paris et le Parlement dans la révolte et s'allia à Condé (février 1651). Ce fut l'*union des deux Frondes.*

La France fut alors pendant deux ans plongée dans une extraordinaire *anarchie.* Les coalisés ne s'entendaient pas : seigneurs et Parlementaires se jalousaient et se méprisaient mutuellement ; beaucoup de bons Français s'indignaient de voir les nobles faire appel a l'étranger ; enfin les pillages, les disettes, les épidémies amenèrent une terrible mortalité. L'épisode le plus célèbre de cette guerre si confuse fut l'attitude de Mlle de Montpensier, cousine de Louis XIV et plus connue sous le nom de *Grande Mademoiselle[1]* : elle fit tirer le canon sur l'armée royale qui venait de battre les troupes de Condé sous les murs de Paris et elle ouvrit à ces dernières une porte de la ville. Bientôt d'ailleurs, les Parisiens, excédés par les brutalités des soldats de Condé, le chassèrent : il s'enfuit aux Pays-Bas espagnols. Peu après, le Parlement supplia le roi de rentrer dans la capitale. Louis XIV et, quelques mois plus tard, Mazarin y furent reçus en triomphe (1652-1653).

5. La victoire de l'absolutisme.

Ainsi la Fronde n'avait pas réussi. Bien plus, son échec assura le triomphe de l'absolutisme. Après cette agitation incohérente et stérile, on n'éprouvait plus qu'un immense désir de repos, *la nation était prête à acheter la paix intérieure par l'abandon de toutes les libertés.* A partir de 1653, Mazarin fut plus puissant qu'il n'avait jamais été. Louis XIV, bien que majeur depuis 1651, lui abandonnait docilement tout le pouvoir. Le Cardinal s'entourait de ministres de valeur : le surintendant des Finances *Fouquet,* le secrétaire d'État à la Guerre *Le Tellier* et le diplomate *Hugues de Lionne.* Au-dehors, il terminait la guerre avec l'Espagne et signait la paix des Pyrénées (1659) : à l'intérieur, il rétablissait les intendants. Il ne s'oubliait d'ailleurs pas lui-

---

1. Elle était fille de Gaston d'Orléans, frère de Louis XIII. Le nom de Grande Mademoiselle fait allusion à sa haute taille.

même, augmentait immensément sa fortune, mariait aux plus grands héritiers du royaume les cinq nièces qu'il avait fait venir d'Italie. Jusqu'à sa mort (1661), il resta le maître de la France.

6. Épanouissement du catholicisme.

La Société française de la première moitié du XVII⁰ siècle témoigne d'une vie ardente, exubérante même, mais toute en contrastes. A la vanité égoïste et brouillonne des chefs de la Fronde s'oppose la *ferveur de la piété* qui anime l'Église catholique; en face de la brutalité et de la grossièreté des mœurs reparaissent les manières raffinées de la *vie de salon*; enfin, de la confusion anarchique des tendances littéraires et artistiques se dégage lentement la *doctrine classique*.

Le fanatisme déployé de part et d'autre au cours des guerres de Religion avait eu pour conséquence les *progrès de l'irréligion*. Beaucoup d'esprits, dans les grandes villes, avaient abandonné le christianisme : on les appelait *libertins* ou *esprits forts*. Mais, dès le règne d'Henri IV, le catholicisme connut un renouveau de ferveur. Pour l'instruction des prêtres, des *séminaires* s'ouvrirent : le plus célèbre fut, à Paris, celui de Saint-Sulpice, fondé par le curé *Olier*. Beaucoup de prêtres séculiers prirent l'habitude de faire chaque année une retraite de quelques jours pour se livrer à la méditation. De nombreux couvents se réformèrent : l'exemple le plus connu fut celui de l'*abbaye de Port-Royal des Champs* (près de Versailles), où l'abbesse, la *Mère Angélique Arnauld*, rétablit en 1609 la règle cistercienne dans toute sa rigueur. Des ordres nouveaux apparurent, tel celui des *visitandines*; d'autres, déjà établis à l'étranger pénétrèrent en France : les Carmélites, les Ursulines. De nombreuses *congrégations* se fondèrent alors : les *Sulpiciens* se vouèrent à la direction des séminaires, les *Oratoriens* (introduits en France par le futur cardinal de *Bérulle*) se consacrèrent à l'enseignement, les *Lazaristes* aux missions en France ou hors d'Europe. Un capucin, collaborateur intime de Richelieu, le *Père Joseph*, donna une vive impulsion à l'évangélisation des musulmans dans le Levant et à celle des Indiens au Canada, pendant que les Jésuites allaient prêcher l'Évangile en Extrême-Orient.

La figure la plus populaire du clergé fut alors *saint Vincent de Paul*. D'abord prêtre campagnard, ce fils de paysan fonda non seulement la congrégation des *Lazaristes* pour évangéliser les campagnes, mais encore celle des *Filles de la Charité* pour assister les malades pauvres, puis l'*Hospice général de la Salpêtrière* pour recueillir les malheureux sans abri, enfin l'*Œuvre des Enfants trouvés*. Au milieu de la misère atroce où la Fronde et la guerre étrangère avaient plongé la France, il fut un vrai «ministre de la charité».

Cette foi ardente et austère pénétrait non seulement le clergé, mais aussi les laïcs. Les ouvrages de l'évêque de Genève (il résidait à Annecy), *saint François de Sales*, ceux du cardinal de Bérulle, les prédications des Jésuites et des Capucins ranimaient la piété des fidèles. Les classes riches prirent conscience des devoirs qu'elles avaient à l'égard des pauvres, des malades, des prisonniers, et la première moitié du XVIIe siècle fut marquée par un grand élan de charité. Mme *de Chantal* aida saint François de Sales à fonder l'ordre des Visitandines et Mme *de Marillac* aida Vincent de Paul à fonder la congrégation des Filles de la Charité. On vit des membres de la haute bourgeoisie parisienne se retirer à Port-Royal[1] pour y vivre dans la méditation, la prière et le travail. Les *Messieurs de Port-Royal* — on les appelait aussi les *Solitaires* — composaient des ouvrages de théologie contre les protestants ou se faisaient professeurs : leurs *Petites Écoles*, où ils enseignaient en français, eurent bientôt un grand renom et Racine y fit ses études.

7. Les débuts du jansénisme.

Par son autorité exigeante, cette piété catholique rappelait celle des premiers protestants du XVIe siècle. Comme la leur, elle s'inspirait des ouvrages de *saint Augustin* et elle insistait sur la toute-puissance de Dieu dans l'œuvre du salut de l'homme. Ce problème du salut, si âprement discuté entre protestants et

---

1. En 1625, les religieuses s'étaient transportées à Paris, tant le séjour de Port-Royal des Champs était malsain. Puis, en 1648, une partie d'entre elles revinrent au monastère des Champs, tandis que les autres restaient à celui de Paris

catholiques, était encore à l'ordre du jour. Quand, en 1583, le Jésuite *Molina* avait affirmé que l'homme peut jouer un rôle important dans son salut, il s'était heurté à l'hostilité de nombreux théologiens catholiques attachés, tel Bérulle, aux théories de saint Augustin.

Ces mêmes théories inspiraient le livre intitulé *Augustinus*, qui parut en 1640. Son auteur, l'évêque belge *Jansenius*, y avait exposé les idées de saint Augustin sur le péché et la grâce, et il l'avait dédié au pape. Comme l'*Augustinus* était dirigé contre les théories de Molina, il fut attaqué par les Jésuites. Peu après, un théologien français, *Antoine Arnauld*, frère de la Mère Angélique, insista sur les conditions très strictes que les confesseurs devraient imposer aux fidèles avant de les recevoir à la communion. A son tour, il fut pris à partie par les Jésuites. Ceux-ci parlèrent désormais d'une «doctrine de Jansenius» ou «*jansénisme*», ils la taxèrent de «calvinisme rebouilli» et la résumèrent en cinq phrases, appelées *les cinq propositions*, qu'ils firent condamner par le pape (1653). Les Jansénistes ripostèrent qu'elles ne se trouvaient pas dans l'*Augustinus*. Enfin, comme un ami français de Jansenius, l'*abbé de Saint-Cyran*, avait jadis été le confesseur de Port-Royal, que l'abbesse et plusieurs religieuses étaient les sœurs d'Arnauld et que les «Messieurs de Port-Royal» étaient ses amis, les Jésuites en prirent occasion pour dénoncer dans le monastère un foyer d'hérésie. Un gentilhomme se vit refuser les sacrements parce que sa fille était religieuse à Port-Royal, et Arnauld ayant protesté, les Jésuites firent censurer Arnauld par la Sorbonne.

C'est alors qu'à la demande d'Arnauld, *Pascal* prit la défense des Jansénistes et porta le débat devant le grand public. Connu jusque-là comme un savant éminent, Pascal venait de traverser une crise religieuse et il s'était rapproché des Messieurs de Port-Royal. Dans des «Lettres à un provincial de ses amis» (plus connues sous le nom de *Provinciales*), il attaqua avec passion la morale, trop relâchée à ses yeux, des Jésuites (1656-1657). La majorité de l'opinion publique, y compris nombre de prêtres, se rallia à Pascal. Mais le confesseur du roi était un Jésuite. Mazarin reprochait aux Jansénistes d'avoir de bons rapports avec d'anciens Frondeurs : les *Provinciales* furent brûlées et, en 1660, Louis XIV donna ordre «d'extirper les rebelles»

8. Vie de salon et littérature classique.

C'est aussi sous le règne de Louis XIII que la vie de salon, si brillante sous François Ier et Henri II, reparut en France. Nobles et riches bourgeois commencèrent à se faire construire de confortables *hôtels*. Alors apparut ce type d'habitation si caractéristique des hautes classes jusqu'au milieu du XIXe siècle, l'*hôtel entre cour et jardin*. De la rue on pénétrait, par une *porte cochère*, dans une cour au fond de laquelle se dressait la maison : les deux ailes perpendiculaires qui revenaient vers la rue, servaient de communs : écuries, remises, offices, cuisines, logements des domestiques.

Les salles de réception étaient vastes, mais les autres pièces étaient souvent petites, commodes, intimes. Dans ces demeures élégantes, on se prit à goûter les agréments d'une conversation délicate et spirituelle. Ces progrès furent dus en partie à l'influence de la *marquise de Rambouillet*. Élevée à Rome (où son père était ambassadeur) dans un milieu raffiné, elle avait été choquée de la grossièreté qui régnait encore à la Cour de France. A partir de 1630 environ, elle prit l'habitude de réunir dans son salon des écrivains et des personnes cultivées : elle contribua ainsi à développer ce goût de conversation et cette politesse de l'homme du monde[1] qui s'épanouiront surtout au XVIIIe siècle.

C'est le moment d'ailleurs où la langue française commença à se fixer dans son vocabulaire et dans sa grammaire. Elle le dut d'abord aux efforts du grammairien *Vaugelas* et du poète *Malherbe*, puis à l'action de l'*Académie française* : Richelieu l'avait fondée en 1635 et lui avait donné pour mission «d'épurer la langue et d'en fixer le bon usage» ; à cette intention, elle devait composer une grammaire et un dictionnaire, c'est-à-dire une liste des mots dont l'emploi était conseillé dans la bonne société. A l'époque de Mazarin, le souci de bien parler dégénéra parfois en recherche et en affectation : c'est ce qu'on appelle la *préciosité*. Elle existait déjà en Italie, en Angleterre, en Espagne, et Molière la railla dans sa comédie des *Précieuses ridicules*.

---

1. Au lieu d'*homme du monde*, on disait souvent *honnête homme*. Le mot «honnête» signifie, dans cette expression : poli, cultivé sans pédantisme et qui sait tenir sa place dans un salon avec la distinction et le naturel qui caractérisent l'homme du monde.

Dans le même temps où Richelieu constituait l'Académie française, paraissaient les *premiers chefs-d'œuvre de la littérature et de l'art classiques*. Le *Cid* de *Corneille* fut joué à la fin de 1636 et, quelques mois plus tard, le philosophe *Descartes* publiait le *Discours de la Méthode*. Dans les vingt-cinq années qui suivirent, jusqu'à l'avènement de Louis XIV, parurent les autres tragédies importantes de Corneille, les *Provinciales* de Pascal et la première des grandes comédies de *Molière* : Les *Précieuses ridicules*.

La guerre de Trente Ans

1. La guerre de Trente Ans. Ses origines religieuses.

En 1618 commença pour l'Europe centrale d'abord, puis pour l'Europe occidentale tout entière, une longue période de guerres. La plupart des belligérants posèrent les armes au bout de trente ans, en 1648, et signèrent les traités de *Westphalie*. De là le nom de *guerre de Trente Ans* donné à ce long conflit. La France et l'Espagne continuèrent la lutte pendant encore une dizaine d'années jusqu'à la *paix des Pyrénées* (1659).

A étudier ses origines, cette guerre est une suite des guerres de Religion du XVIe siècle, un épisode du duel qui se poursuivait en Allemagne entre la Réforme et la Contre-Réforme. Les catholiques s'indignaient de voir que, malgré un article formel de la paix d'Augsbourg (1555), les prélats et abbés qui se convertissaient au protestantisme sécularisaient les biens ecclésiastiques attachés à leurs charges. D'autre part, le calvinisme — que la paix d'Augsbourg n'avait pas reconnu — avait fait des progrès en Allemagne : deux électeurs sur sept étaient calvinistes et ils entendaient jouir des mêmes droits que leurs collègues catholiques ou luthériens. Enfin, tous les princes protestants s'inquiétaient des succès des Jésuites : en 1608, ils s'unirent sous la direction de l'Électeur Palatin *Frédéric V* et recherchèrent l'appui de la France. Les princes catholiques, conduits par le duc de Bavière *Maximilien*, s'unirent à leur tour l'année suivante et négocièrent avec l'Espagne. La guerre était à la merci d'un incident.

2. Les armées.

Encore au début du XVIIe siècle la plupart des souverains n'avaient en temps de paix que des forces militaires insignifiantes — Henri IV en 1609 n'avait sous les armes que douze mille hommes. Au moment de déclarer la guerre, ils s'entendaient avec des chefs de bande qui se chargeaient de lever des troupes. Les soldats étaient officiellement des engagés volontaires : en fait, ils étaient souvent enrôlés de force. Le recruteur ne se souciait pas de leur demander leur nationalité ou leur religion, pas plus que de leur donner un uniforme : de là une étrange bigarrure dans les armées de ce temps. La cavalerie comprenait des cuirassiers et carabiniers, lourdement armés, des Croates et des dragons qui combattaient aussi à pied. L'infanterie était formée de piquiers et de mousquetaires se soutenant mutuellement. Les canons, très lourds, étaient peu maniables.

Comme il n'y avait pas de service d'intendance, les troupes devaient piller pour vivre. Le passage d'une armée, quelle qu'elle fût, était toujours marqué par d'affreux excès : pillages, incendies, tortures de toutes sortes.

3. La révolte de la Bohême contre Ferdinand II.

L'origine de la guerre de Trente Ans fut la tentative d'un prince Habsbourg catholique intransigeant, *Ferdinand de Styrie*, pour supprimer le protestantisme dans son royaume de Bohême.

Les Tchèques, qui étaient en majorité protestants, avaient obtenu le droit de nommer des *Défenseurs de la foi* pour protéger leurs privilèges politiques et religieux. Un jour, après une violente altercation avec les représentants du roi, les Défenseurs en jetèrent deux par les fenêtres du Palais — c'est ce qu'on appelle la *Défenestration de Prague* (mai 1618). Puis les Tchèques déclarèrent ne plus reconnaître Ferdinand comme roi et ils offrirent la couronne à un prince protestant, l'Électeur Palatin Frédéric V, qui accepta. Au même moment l'empereur mourut et Ferdinand de Styrie, qui était son neveu, fut élu empereur sous le nom de *Ferdinand II*.

Attaqués par l'armée bavaroise que commandait un bon général, *Tilly*, les Tchèques furent écrasés à la bataille de la *Montagne Blanche* (1620). Beaucoup de rebelles furent condamnés à mort et tous perdirent leurs biens. La couronne de Bohême, jusque-là élective, devint héréditaire dans la famille des Habsbourg, le protestantisme fut interdit, la langue allemande remplaça la langue tchèque. Les habitants émigrèrent par milliers. Pendant ce temps, le Palatinat était occupé par des troupes bavaroises et espagnoles, et la Diète conférait à Maximilien de Bavière la dignité électorale jusque-là détenue par l'Electeur Palatin

4. Vaine intervention du Danemark.

C'était une grande victoire pour le catholicisme, car il n'y avai⁺ plus désormais en Allemagne que deux électeurs protestants, ceux de Saxe et de Brandebourg. Cette situation inquiéta le roi de Danemark, *Christian IV*, protestant lui-même et d'ailleurs prince d'Empire puisqu'il possédait en Allemagne le duché de Holstein. Déjà maître des détroits du Sund, Christian IV aurait voulu occuper les embouchures de l'Elbe et de la Weser, de façon à lever des taxes sur toutes les marchandises qui entreraient par mer en Allemagne. Il se décida à intervenir.

Ferdinand fit alors appel à *Wallenstein*. C'était un Tchèque qui venait de s'enrichir en achetant à vil prix de grandes propriétés nobles confisquées après la bataille de la Montagne Blanche. Il se fit chef d'armée pour le compte de l'empereur. Christian IV, battu à plusieurs reprises, dut poser les armes (1629).

Alors Ferdinand II, partout vainqueur, laissa voir ses immenses ambitions. Par l'*édit de restitution* (1629) il contraignit les protestants à rendre toutes les terres ecclésiastiques qu'ils avaient illégalement sécularisées depuis 1555 : deux arche-vêchés, douze évêchés, plus de cent abbayes. Il voulait aussi transformer la constitution de l'Allemagne, augmenter le pouvoir de l'empereur et rendre la couronne impériale héréditaire dans la famille des Habsbourg, comme il avait fait de la couronne de Bohême. Enfin, d'accord avec la Pologne et l'Espagne, il songeait à monopoliser le commerce dans la mer Baltique au détriment des trois puissances protestantes : les Provinces-Unies, l'Angleterre et la Suède.

Ces projets ambitieux effrayèrent non seulement les princes allemands, mais encore les souverains voisins, particulièrement le roi de Suède *Gustave-Adolphe*.

5. La brève et éclatante carrière de Gustave-Adolphe.

Gustave-Adolphe, qui venait d'enlever une partie des côtes de la mer Baltique à la Russie et à la Pologne, voulait y ajouter la *Poméranie*, des deux côtés de l'embouchure de l'Oder. Luthérien convaincu, il voulait aussi s'opposer aux progrès du catholicisme dans l'Empire.

Le roi de Suède avait une excellente armée, très différente des bandes de Wallenstein. Les mercenaires y étaient en petit nombre et elle était surtout formée de paysans suédois. La discipline était sévère, le pillage interdit et l'on récitait matin et soir les prières luthériennes. Les soldats disposaient en outre d'un armement très supérieur à celui de leurs adversaires. Enfin, Gustave-Adolphe était un grand homme de guerre.

Sa campagne en Allemagne dura deux ans (1630-1632). Partout où il se heurta aux Impériaux, il les battit. Il occupa la Poméranie et le Brandebourg, traversa toute l'Allemagne jusqu'à Mayence, puis envahit la Bavière. Revenu en Saxe, il livra à Wallenstein la bataille de *Lutzen* : les Impériaux furent encore battus, mais Gustave-Adolphe fut tué (1632). Deux ans plus tard, les Suédois subirent une terrible défaite (1634).

Ferdinand II n'avait plus, semblait-il, d'adversaire à redouter — sinon peut-être Wallenstein lui-même, qui intriguait avec la Suède et la France : il le fit assassiner (1634).

C'est alors que Richelieu lança la France dans la guerre (1635).

6. L'entrée en guerre de la France.

Quoique Louis XIII et sa sœur eussent épousé une fille et un fils du roi d'Espagne, Richelieu s'était toujours effrayé du péril que les Espagnols faisaient courir à la France : ils possédaient au Sud le Roussillon, au Nord l'Artois, à l'Est la Franche-Comté, et leurs troupes occupaient une partie du Palatinat. Aux Pays-Bas, où la lutte avait repris en 1621, ils étaient vainqueurs des Hollandais. Richelieu aurait voulu rompre avec les Habsbourg, mais il eut à faire face à tant de difficultés intérieures jusqu'en 1632 que, selon sa propre expression, il ne put diriger contre eux qu'une «guerre couverte». Il essaya du moins de les affaiblir en Italie et, pour plus de sûreté, il occupa, en dehors des limites du royaume, quelques points stratégiques importants en Piémont, en Alsace, dans la région rhénane, en Lorraine. En même temps, il poussait le Danemark, puis la Suède à intervenir contre l'empereur.

Quand il vit les Suédois écrasés en 1634 et la plupart des princes allemands prêts à accepter les exigences de Ferdinand II, Richelieu jugea que le moment était venu de passer a la «guerre ouverte». En 1635, il déclara la guerre au roi d'Espagne, *Philippe IV*.

7. La France en guerre.

La guerre débuta mal pour la France. En 1636, pendant que les Impériaux envahissaient la Bourgogne, les Espagnols pénétrèrent en Picardie, s'emparèrent de *Corbie* et menacèrent Paris. L'alerte fut chaude, mais l'ennemi fut repoussé. Jusqu'en 1639 cependant, la France ne connut guère de succès.

Mais, en 1639, un prince allemand passé à la solde de Louis XIII, *Bernard de Saxe-Weimar*, mourut. Ses troupes étaient cantonnées en Alsace, d'où elles avaient chassé les Impériaux. Louis XIII les prit à son service et se trouva ainsi, de fait, maître d'une partie de l'Alsace. D'autre part, en 1638, Richelieu avait déclaré la guerre au nouvel empereur, *Ferdinand III* (1637-1657), et les armées franco-suédoises décidèrent de coopérer en Allemagne. Enfin, l'Espagne était affaiblie par le soulèvement du Portugal, qui se rendit indépendant, et par une insurrection en Catalogne : Richelieu en profita pour lui enlever l'*Artois* et le *Roussillon*.

La guerre allait pourtant durer encore six ans. Le *duc d'Enghien* (le futur prince de Condé) repoussa bien à *Rocroi*, dans l'Ardenne, une offensive des Espagnols, mais il ne réussit pas à envahir les Pays-Bas. En Allemagne, il fallut à Condé et à Turenne, opérant plus ou moins en accord avec les Suédois, plus de cinq années de luttes difficiles pour contraindre enfin l'empereur à poser les armes (1648).

Depuis quatre ans déjà des négociations s'étaient ouvertes en Allemagne occidentale : les plénipotentiaires de tous les belligérants s'étaient réunis dans deux villes de Westphalie, *Münster* et *Osnabrück*. La paix y fut enfin signée le 24 octobre 1648.

8. Les traités de Westphalie.

Les traités de Münster et d'Osnabrück, que l'on appelle plus simplement les *traités de Wesphalie*, réglèrent l'organisation politique et religieuse de l'Allemagne et accordèrent des accroissements de territoires à la Suède et à la France.

1° Les traités ruinèrent définitivement les ambitions de l'empereur : la couronne impériale resta élective ; l'empereur ne put rien décider sans l'avis de la Diète ; les électeurs purent conclure des alliances avec les princes étrangers, pourvu que ce ne fût pas contre l'empereur. Le fils de l'Électeur Palatin recouvra la dignité électorale et une partie des territoires qui avaient été enlevés à son père : l'autre partie fut laissée au duc de Bavière, qui garda le titre d'électeur : il y eut donc désormais *huit électorats* au lieu de sept[1]. L'électeur de Brandebourg reçut la Poméranie orientale à l'est de l'Oder et plusieurs territoires ecclésiastiques sécularisés sur l'Elbe et sur la Weser. La constitution de l'empire fut placée sous la garantie des puissances signataires des traités : la Suède et la France purent ainsi se mêler aux affaires de l'Allemagne et maintenir, à leur profit, la *faiblesse du pouvoir impérial*.

2° Au point de vue religieux, *le calvinisme fut reconnu* au même titre que le luthéranisme et le catholicisme. Dans les

---

[1] Un neuvième sera créé en 1692 pour le Hanovre

Etats protestants, les sujets purent être, a leur guise, luthériens ou calvinistes. Toutes les sécularisations antérieures à 1624 furent légitimées.

3° Les deux puissances victorieuses de l'empereur obtinrent des «compensations territoriales». La Suède reçut, d'une part, la *Poméranie occidentale* à l'ouest de l'Oder, avec les ports de *Stettin* et de *Stralsund* ; d'autre part, les principautés ecclésiastiques sécularisées de *Brême* et de *Werden*, entre l'embouchure de la Weser et celle de l'Elbe.

La France se fit reconnaître la possession des *Trois Evêchés*, qu'elle occupait de fait depuis 1552, et elle reçut en outre les territoires et les droits que l'empereur possédait en *Alsace*. Non qu'elle annexât toute l'Alsace : il y subsista des «villes libres» indépendantes comme Strasbourg, des «villes impériales» douées d'une large autonomie et de nombreuses seigneuries allemandes. Mais les termes du traité étaient intentionnellement si peu clairs que la France pouvait espérer étendre légalement son autorité sur tout le pays. *Pour la première fois depuis le traité de Verdun, la frontière française atteignait le Rhin.* Dix ans plus tard, en 1658, Mazarin conclut avec les trois électeurs ecclésiastiques et quelques princes laïques de l'Allemagne occidentale une *Ligue du Rhin*, dont le but était de garantir la neutralité de l'Allemagne occidentale au cas d'un nouveau conflit entre Paris et Vienne. En fait, la Ligue devint l'instrument de la politique française en Allemagne

9. La paix des Pyrénées.

En 1648, Philippe IV d'Espagne avait signé la paix avec les Provinces-Unies : il avait reconnu leur indépendance et leur avait même cédé les «pays des États Généraux». Il tourna alors toutes ses forces contre la France et tenta de reprendre l'Artois. Condé l'en empêcha par sa victoire à *Lens* (août 1648), mais les troubles de la Fronde arrêtèrent ses succès. La guerre traîna dix ans sans résultats décisifs, parce que les deux adversaires étaient également épuisés. Finalement, Mazarin s'allia à l'Angleterre : les renforts anglais permirent à Turenne de battre les Espagnols devant Dunkerque (1658) et d'occuper la Flandre maritime. Alors seulement Philippe IV consentit à signer la *paix des Pyrénées* (1659).

L'Espagne abandonnait à l'Angleterre *Dunkerque* et dans la mer des Antilles, l'île de la *Jamaïque*. La France conservait l'*Artois* et le *Roussillon* ; Louis XIV épousait une fille du roi d'Espagne, l'infante *Marie-Thérèse* ; il pardonnait enfin à Condé sa trahison et lui rendait ses titres et ses biens. Après le Habsbourg d'Autriche, celui d'Espagne était contraint de reconnaître la *prépondérance de la France en Europe*[1].

10. Prépondérance de la Suède dans la mer Baltique.

Dans le même temps, la Suède confirmait la suprématie qu'elle s'était déjà acquise dans la région orientale de la mer Baltique. Trois Puissances s'y disputaient la prépondérance vers 1600 : la Suède, la Russie et la Pologne. La première y occupait la Finlande et l'Esthonie, la seconde la Carélie et l'Ingrie, la troisième la Livonie. Quant au Danemark, il possédait une partie de la Suède, la Scanie.

Dans le premier quart du XVIIe siècle, Gustave-Adolphe avait enlevé la *Carélie* et l'*Ingrie* à la Russie, puis la *Livonie* à la Pologne. Aux traités de Westphalie, on l'a vu, la Suède se fit céder l'embouchure de l'Oder et la *Poméranie occidentale*. Quelques années plus tard, à la suite de la longue «Guerre du Nord» (1655-1660), qui l'opposa au Danemark, à la Russie, à la Pologne et au Brandebourg, la Suède arracha au Danemark la *Scanie* (1660).

---

1   L'Espagne était pourtant alors à l'apogée de sa gloire artistique et littéraire avec le peintre *Vélasquez* et les écrivains *Lope de Vega* et *Calderon*. L'influence de la littérature espagnole était grande en France : *Le Cid*, paru en 1636, en témoigne

La première révolution d'Angleterre. Cromwell

1. L'histoire orageuse des Stuarts.

La reine Élisabeth était morte en 1603. Son plus proche héritier était le fils de Marie Stuart, Jacques Stuart, roi d'Écosse. Il devint roi d'Angleterre sous le nom de *Jacques Ier*. Bien qu'ayant désormais le même souverain, l'Angleterre et l'Écosse continuèrent d'ailleurs à former deux États distincts.

La dynastie des Stuarts eut une existence tragique : dès 1640 une révolution éclatait ; bientôt, le roi *Charles Ier* était décapité et la République proclamée. Il est vrai qu'en 1660 son fils *Charles II* lui succéda, mais, moins de trente ans après, une seconde Révolution expulsait le quatrième et dernier roi Stuart, *Jacques II* (1688).

Cet affaiblissement d'une royauté si puissante au temps des Tudors s'explique par l'opposition que le Parlement fit aux souverains. Cette opposition avait commencé, on l'a vu, dans les dernières années du règne d'Élisabeth. Fatigués de jouer un rôle effacé, les députés de la Chambre des Communes (petits propriétaires des campagnes, hommes de loi et marchands des villes) prétendirent participer activement au gouvernement et même imposer au roi leur politique.

2. Le Parlement contre le roi. La question politique.

Jacques Ier (1603-1625) avait écrit un livre où il affirmait que le pouvoir du roi vient de Dieu et que désobéir au roi est aussi sacrilège que désobéir à Dieu. Les députés, de leur côté, prétendaient qu'ils avaient le droit de décider sur toutes les questions, que la «prérogative royale» devait être étroitement limitée et que les ministres pouvaient, même s'ils avaient la confiance du roi, être mis en accusation par la Chambre[1]. Aux yeux des Stuarts, ces affirmations frisaient la rébellion.

La *politique extérieure* opposait aussi le souverain et les députés. Jacques Ier se montra très humble à l'égard de l'Espagne : il pensa marier son fils à une infante espagnole et ne fit rien pour soutenir son gendre, l'Électeur Palatin, élu roi de Bohême après la Défenestration de Prague. Charles Ier ne se mêla pas davantage à la guerre de Trente Ans. Quand la flotte anglaise tenta de débloquer le port de La Rochelle, assiégé par Richelieu, elle fut repoussée. La nation reprochait aux Stuarts un effacement qui contrastait si fort avec la politique glorieuse d'Élisabeth.

3. Le Parlement contre le roi. La question religieuse.

Sur la question religieuse enfin, le roi et les députés s'affrontaient. *Jacques Ier et Charles Ier étaient partisans décidés de l'Église anglicane*, parce que les évêques soutenaient comme eux que le pouvoir du roi vient de Dieu. Cependant, ils voulaient ne pas appliquer les lois contre les catholiques, Jacques Ier parce qu'il était tolérant de nature, Charles Ier parce qu'il avait épousé une catholique, Henriette de France, sœur de Louis XIII. *Les députés, en revanche, étaient en majorité puritains.*

Le mot de *puritains* désignait des hommes d'opinions sou-

---

1. La mise en accusation d'un ministre par la Chambre des Communes devant la Chambre des Lords ne s'était plus vue depuis 1459. Elle fut appliquée de nouveau en 1621 contre le philosophe *Bacon*, alors chancelier du roi Jacques Ier.

vent différentes, mais qui avaient en commun la haine du catholicisme et une profonde méfiance à l'égard de l'Église anglicane. Les plus modérés voulaient seulement diminuer l'autorité des évêques et enlever aux cérémonies la pompe qu'elles avaient gardée du catholicisme. D'autres, les *presbytériens*, étaient des calvinistes : ils rejetaient l'ingérence du souverain dans les affaires religieuses, l'existence de l'épiscopat et l'usage du «livre des prières». D'autres enfin, les *indépendants*, voulaient que chaque groupe de fidèles, dans une ville ou un village, fût indépendant des autres groupes. Ils rejetaient donc l'autorité aussi bien de l'Église presbytérienne que de l'Église anglicane, mais ils étaient prêts à tolérer toutes les formes de protestantisme.

4. Le conflit sous Charles Ier.

Le conflit entre le Parlement et le roi, commencé dès le règne de Jacques Ier, s'aggrava sous son fils *Charles Ier* (1625-1649). D'abord populaire, le nouveau roi déplut vite à ses sujets par son mariage avec la catholique Henriette de France, puis par la faveur qu'il témoigna à un courtisan incapable et méprisant, le *duc de Buckingham*, enfin et surtout par sa manière arbitraire de gouverner : il contraignait les riches à souscrire à des emprunts forcés, faisait juger ses adversaires par des tribunaux d'exception, levait les impôts sans consulter le Parlement, protégeait les catholiques. Quand les députés lui rappelèrent, dans un texte intitulé la *Revendication du droit* (1628), que toutes ces mesures étaient illégales, Charles Ier se borna à ne plus convoquer le Parlement pendant onze ans (1629-1640) et continua de gouverner comme auparavant, en souverain presque absolu.

En même temps, l'archevêque de Cantorbéry, *Laud*, pourchassait les puritains et introduisait dans la liturgie anglicane tant de pratiques catholiques qu'on lui prêtait l'intention de rétablir le «papisme». La «tyrannie de Laud» eut pour effet de grossir le courant d'émigration qui avait déjà poussé de nombreux puritains à s'expatrier et à fonder des colonies sur la côte orientale des États-Unis actuels[1].

---

1. Leur population comptait déjà, vers 1650, 100 000 Anglais.

Cependant, la masse de la nation, patiente, semblait accepter le joug.

5. Les débuts de la Révolution.

Une imprudence de Laud déchaîna brusquement la Révolution. Il voulut imposer la liturgie anglicane à l'Écosse, qui était de religion presbytérienne. Les Écossais se soulevèrent et envahirent l'Angleterre. Sur les conseils de son ministre, *Strafford*, Charles Ier jugea prudent de convoquer le Parlement (1640).

Ce Parlement est connu sous le nom de *Long Parlement* parce qu'il siégea jusqu'en 1653. Les députés, adversaires à la fois de l'absolutisme et de l'anglicanisme, firent arrêter et juger Strafford et Laud qui tous les deux furent décapités ; ils déclarèrent une fois de plus interdits les tribunaux d'exception, les actes arbitraires, toute levée d'impôts sans l'autorisation du Parlement ; enfin, ils décidèrent que le roi serait tenu de convoquer le Parlement au moins une fois tous les trois ans.

Puis deux députés, *Hampden* et *Pym*, firent voter que tout ministre choisi par le roi devait être accepté par le Parlement et qu'une Assemblée de théologiens apporterait des modifications, dans le sens puritain, au «Livre des Prières» Ces mesures révolutionnaires, connues sous le nom de *Solennelle Remontrance*, indignèrent un grand nombre de députés et ne passèrent qu'à onze voix de majorité. Aussi Charles Ier reprit-il espoir : il vint à la Chambre des Communes exiger l'arrestation de Pym, Hampden et trois autres de leurs collègues. Ce coup de force échoua : les bourgeois de Londres s'insurgèrent, et la Révolution commença.

Le roi fut soutenu par les catholiques d'Angleterre et d'Irlande, les anglicans du Nord et de l'Ouest et par les Lords. Comme ses forces consistaient surtout en cavalerie, on donna aux royalistes le nom de *Cavaliers*. Aux côtés du Parlement se rangèrent les puritains, qu'ils fussent petits propriétaires dans les campagnes ou bien marchands et artisans dans les villes. Londres prit le parti de la Chambre des Communes et lui fournit d'abondantes ressources financières. Comme certains presbytériens portaient les cheveux courts, les royalistes appelèrent par dérision *Têtes rondes* les adversaires de Charles Ier.

Au début, les Cavaliers l'emportèrent. Pym implora alors l'aide des Écossais. Ceux-ci exigèrent *que l'anglicanisme fût aboli en Angleterre au profit du presbytérianisme* (1643). Le Parlement accepta. Puis, pour mieux résister aux troupes bien entraînées du roi, il réorganisa l'armée d'après les suggestions d'un député jusque-là peu connu, Cromwell.

6. Cromwell. La mort du roi. La République.

Olivier Cromwell (1599-1658) était un gentilhomme campagnard. Il était non pas un presbytérien comme Pym et Hampden, mais un *indépendant*. Dès le début du conflit, Cromwell s'était montré ennemi acharné du roi. Il avait levé dans son comté un régiment d'«hommes pieux», où les grades étaient donnés au mérite, non à la naissance, et où tous étaient convaincus que la guerre contre les Cavaliers était une guerre sainte, agréable à Dieu. L'armée fut réorganisée à l'image du régiment de Cromwell et elle infligea aux troupes royalistes une défaite décisive (1645). Le roi se réfugia dans le camp des Écossais et ceux-ci le vendirent aux Anglais (janvier 1647). La lutte entre le Parlement et le roi était terminée.

Une autre allait commencer entre le Parlement et l'armée. Le Parlement redoutait une dictature de l'armée, et il était prêt à se réconcilier avec Charles Ier si celui-ci renonçait à gouverner en roi absolu. L'armée, formée en grande partie d'indépendants, ne voulait accepter l'autorité ni d'une Église presbytérienne ni de Charles Ier. Cromwell marcha sur Londres et expulsa cent cinquante députés. Puis, à ce Parlement ainsi réduit (on l'appela le *Parlement Croupion*), il imposa la mise en jugement du roi. Charles Ier fut condamné à mort et décapité (1649).

La royauté fut abolie, la République proclamée et la Chambre des Lords supprimée.

7. Toute-puissance de Cromwell.

Vainqueur du roi, Cromwell se tourna contre les *Irlandais*, qui avaient soutenu Charles Ier et massacré des protestants. Il se montra féroce à leur égard : des milliers d'entre eux furent exterminés ou envoyés comme esclaves aux Antilles anglaises ; les autres furent parqués dans l'ouest de l'île, la région la plus infertile. Toutes les bonnes terres furent confisquées et réparties entre des colons anglais. Cette colossale expropriation est à l'origine du grave problème irlandais qui a causé tant de difficultés à l'Angleterre jusqu'à nos jours.

Les *Ecossais* s'étaient ralliés au fils de Charles Ier et avaient envahi l'Angleterre. Cromwell les repoussa, puis il proclama la *réunion en une même République de l'Angleterre, de l'Irlande et de l'Écosse* (1651).

Enfin, par un nouveau coup d'État, Cromwell renvoya le Parlement Croupion (1653) et reçut de l'armée le titre de *Lord Protecteur de la République*. Désormais, jusqu'à sa mort, il gouverna en maître, imposant à l'Angleterre un régime de dictature militaire.

8. La dictature de Cromwell.

Du moins Cromwell donna-t-il satisfaction à l'orgueil national. Déjà, pour développer le commerce anglais en ruinant la concurrence des Hollandais, il avait fait voter par le Parlement Croupion l'*Acte de Navigation* (1651) : les marchandises en provenance de l'Asie de l'Afrique ou de l'Amérique ne pouvaient être importées en Angleterre que par des navires anglais ; celles en provenance de l'Europe ne pouvaient l'être que par des navires anglais ou des navires appartenant au pays européen producteur. Cette mesure, jointe aux efforts que faisait Cromwell pour donner aux anglais le monopole des pêcheries dans la mer du Nord, amena une guerre avec les Hollandais ; ceux-ci furent battus. L'Acte de Navigation procura une impulsion nouvelle au commerce et à la puissance navale de l'Angleterre.

D'autre part, Cromwell, reprenant la tradition glorieuse d'Élisabeth, intervenait dans les affaires européennes. Son alliance avec Mazarin contraignit l'Espagne à signer la paix des Pyrénées (1659). L'Angleterre y acquit la ville de *Dunkerque* et, aux Antilles, l'île de la *Jamaïque.*

Cependant les Anglais détestaient le régime militaire auquel ils étaient soumis; ils désiraient le rétablissement de la monarchie. Cromwell le savait, mais il ne pouvait pas prendre le titre de roi sans mécontenter l'armée; d'autre part, il était trop autoritaire pour collaborer avec des Parlements : il en renvoya quatre en six années. Il mourut en 1658, désespéré de n'avoir pu fonder un régime durable.

9. La restauration des Stuarts. Avènement de Charles II.

Son fils, Richard Cromwell, lui succéda, mais il abdiqua au bout de quelques mois (1659). Le chef de l'armée d'Écosse, le général Monk, entra alors en relation avec le fils de Charles Ier, *Charles II*, alors réfugié en Hollande. Quand Charles II eut promis de gouverner d'accord avec le Parlement et de promulguer une amnistie, une assemblée extraordinaire, réunie à cet effet, vota le *rétablissement de la monarchie des Stuarts*.

En 1660, onze ans après l'exécution de son père, Charles II rentra en triomphe dans son royaume.

Une république de marchands : les Provinces-Unies au XVIIᵉ siècle

1. Les Provinces-Unies.

Les Provinces-Unies, dont le roi d'Espagne avait reconnu l'indépendance en 1648, comptaient alors deux millions d'habitants. On y distinguait deux sortes de territoires : les sept provinces et le Pays des États Généraux.

Les sept provinces présentaient des caractères très divers. La *Hollande* et la *Zélande*, en partie conquises sur la mer, protégées par des dunes et des digues contre l'invasion des flots, s'enrichissaient par le grand commerce maritime. La Hollande était, de beaucoup, la région la plus importante des Provinces-Unies : elle comptait les principales villes : Amsterdam, Leyde, Rotterdam, La Haye, Haarlem et sa flotte constituait la moitié de la flotte totale de la République. Aussi les étrangers désignaient-ils sous le nom de Hollande l'ensemble des Provinces-Unies. Les trois provinces d'*Utrecht, Gueldre et Over-Yssel* étaient uniquement agricoles. Enfin les deux provinces septentrionales de *Frise* et de *Groningue* unissaient la vie agricole et la vie maritime.

Au sud de la Meuse, le *Pays des États Généraux* représentait, ainsi que l'enclave de *Maastricht*, les territoires conquis par les Provinces Unies sur les Espagnols postérieurement à 1581.

2. Organisation des Provinces-Unies.

Les Provinces-Unies constituaient une *République fédérale*. Les sept provinces s'étaient en effet fédérées, c'est-à-dire unies pour former un seul État. Mais chacune s'administrait à sa guise : elle avait son pouvoir exécutif, le *stathouder*, et sa petite assemblée législative, les *États provinciaux*. Quant aux affaires communes aux sept provinces (guerre, diplomatie, questions monétaires, gouvernement des colonies, administration du Pays des États Généraux), elles relevaient du *gouvernement fédéral* des Provinces-Unies. Ce gouvernement fédéral comprenait les États Généraux et le Grand Pensionnaire.

On appelait États Généraux une assemblée d'une trentaine de membres qui se réunissait chaque année à La Haye, en Hollande. Elle était composée non pas de députés élus par les habitants, mais de délégués envoyés par chaque province pour la représenter. Chaque délégation comptait pour une voix et les décisions importantes exigeaient l'unanimité.

Le *Grand Pensionnaire* jouait le rôle de ministre des Affaires Étrangères. Le plus célèbre fut *Jean de Witt*, qui occupa son poste de 1653 à 1672. Ces vingt années marquent l'apogée des Provinces-Unies.

3. Le commerce par mer, richesse des Provinces-Unies.

Pendant longtemps les principales ressources des Hollandais furent, d'une part, l'élevage avec la fabrication du *beurre* et du *fromage*, d'autre part, la *pêche du hareng* dans la mer du Nord. Mais au XVIIe siècle la richesse nationale fut presque exclusivement fondée sur le *commerce maritime en Europe* et *hors d'Europe*.

La marine marchande des Provinces-Unies s'était développée très vite : dès 1614 les provinces de Hollande et de Zélande

comptaient à elles seules plus de marins que l'Angleterre, l'É-
cosse, la France et l'Espagne réunies. Les arsenaux disposaient
d'un outillage perfectionné, et les constructeurs de navires
étaient célèbres dans toute l'Europe. Les matelots étaient si
bien entraînés, si travailleurs et si sobres qu'à tonnage égal un
bateau hollandais se contentait d'un équipage moitié moins
nombreux qu'un bateau français, et la solde des marins était en
Hollande d'un tiers plus faible qu'en France : aussi le transport
des marchandises était-il sur les bateaux hollandais d'un prix
peu élevé. On comprend dès lors pourquoi, à l'avènement de
Louis XIV et malgré les efforts de Richelieu, la plupart des
négociants français se servaient de navires hollandais pour leurs
importations et leurs exportations.

Dans la *mer du Nord* et la *mer Baltique*, les Hollandais
avaient définitivement ruiné la Hanse : elle disparut vers 1670.
Aux Pays scandinaves, à la Prusse, à la Pologne, à la Russie, ils
apportaient le vin et l'huile de l'Espagne et du Portugal, les
articles de luxe, les tissus, le sel de la France et de l'Italie ; ils en
ramenaient les céréales, les viandes salées, le cuir, la laine, la
poix et le goudron, les bois de construction, le fer, le cuivre et
le plomb. Dans la *Méditerranée*, on trouvait des colonies de
négociants hollandais à Gênes, à Livourne en Toscane, à Naples, dans l'île de Chypre et aux Échelles du Levant. Vers 1660,
les navires hollandais formaient, au dire de Colbert, les trois
quarts de la flotte de commerce de l'Europe.

4. Le commerce hors d'Europe.

Les Hollandais ne se contentaient pas de trafiquer en Europe.
Quand, en 1580, Philippe II eut annexé le Portugal, ils ne
purent plus acheter les épices à Lisbonne, il leur fallut les
chercher aux îles de la Sonde et aux Moluques. En 1602 se
constitua la *Compagnie des Indes Orientales* au capital de six
millions de florins, divisé en 2 000 actions de 3 000 florins
chacune. Il fallait donc être riche pour devenir actionnaire,
mais les actions étaient assez nombreuses pour que toutes les
familles importantes de Hollande pussent s'en procurer et être
ainsi intéressées aux profits de la Compagnie. Les Hollandais
occupèrent l'île de *Java*, où ils fondèrent en 1621 la ville de

Batavia. Ils créèrent ensuite des comptoirs dans les Moluques, à Sumatra, dans la péninsule de Malacca, en Chine et au Japon. Sur la route maritime qui unit l'Europe aux îles de la Sonde par l'Afrique du Sud, ils occupèrent l'île de *Ceylan (1640)* et *Le Cap* (1651)[1]. La vente en Europe des produits qu'ils rapportaient d'Asie — épices, thé, soieries, procelaines de Chine — enrichissait prodigieusement les actionnaires de la Compagnie : les dividendes s'élevaient normalement à 25 pour 100, parfois à 75 pour 100[2].

Une autre Compagnie, la *Compagnie des Indes Occidentales*, se constitua en 1621 pour faire le commerce dans l'océan Atlantique. Elle établit d'abord des comptoirs sur le *Golfe de Guinée*, où elle achetait aux indigènes des esclaves et de l'or. Puis elle fonda sur la côte orientale de l'Amérique du Nord la colonie de la *Nouvelle Amsterdam* (aujourd'hui l'État de New York), qui ne dura qu'une quarantaine d'années (1626-1667). Au Brésil, alors espagnol, les Hollandais enlevèrent la région qui forme aujourd'hui la *Guyane hollandaise*. Enfin l'île de *Curaçao* qu'ils occupèrent dans la mer des Antilles fut le centre d'un fructueux commerce de contrebande avec l'Amérique espagnole.

5. La Banque d'Amsterdam.

Les marchandises venues d'Europe, du Proche-Orient, d'Asie et d'Amérique affluaient à Amsterdam, puis étaient revendues dans toute l'Europe. Elles étaient souvent stockées pendant plusieurs mois dans de grands *entrepôts*, et les marchands ne les mettaient en vente qu'au moment où ils pouvaient en retirer le prix le plus élevé. Maîtres du marché, les Hollandais étaient, par là même, maîtres des prix.

Les négociants avaient besoin d'une monnaie saine et stable qui fût acceptée dans tous les pays. C'est dans cette intention qu'ils fondèrent en 1609 la *Banque d'Amsterdam*. Puis tous les gens riches prirent l'habitude de déposer leurs capitaux dans les coffres de la Banque. Ses réserves devinrent de plus en plus

---

1. Des colons hollandais s'établirent au Cap : leurs descendants forment encore aujourd'hui les *Boers* (mot hollandais qui signifie : paysans).
2. Une *action* ne rapporte pas, comme une *obligation*, un intérêt fixe. Elle rapporte un *dividende* qui varie avec le degré de prospérité des affaires. Un dividende de 25 pour 100 s'élevait, pour une action de 3 000 florins, à la somme de 750 florins.

considérables, et elle finit par diriger le commerce entier des Provinces-Unies. Amsterdam était devenue en 1660 ce qu'Anvers avait été un siècle plus tôt, la plus grande place financière de l'Europe.

La quantité prodigieuse de capitaux que le commerce fournissait à la Hollande explique le vif *essor de l'industrie et de l'agriculture*. Les ouvriers protestants venus d'Anvers développèrent l'industrie du velours à Utrecht, les toiles à Haarlem, des draps à Leyde ; plus tard, les protestants français émigrés après la Révocation de l'Édit de Nantes (1685) introduisirent l'industrie des soieries et des chapeaux. L'importation des poteries chinoises et celle des diamants donnèrent naissance aux faïenceries de Delft et aux tailleries de diamant d'Amsterdam. En même temps, les paysans gagnaient sur la mer de nouveaux terrains de culture, ils les asséchaient et en faisaient des *polders* d'une étonnante fécondité. La production du blé augmenta, les cultures maraîchères se développèrent autour des villes, la production des fleurs, surtout des *tulipes*, devint une des richesses des Provinces-Unies.

Cette importance du commerce maritime, cet afflux de capitaux, cette disproportion entre le rôle des Hollandais dans le monde et la faiblesse de leur population rapproche les Provinces-Unies des républiques marchandes d'Italie au Moyen Age : Gênes, Pise, Venise.

6. Les Provinces-Unies, terre de liberté.

Un caractère qui distingue encore plus nettement les Provinces-Unies de tous les autres pays d'Europe au XVIIᵉ siècle, c'est l'atmosphère de liberté dans laquelle elles vivaient. La *liberté personnelle* était strictement protégée et toute arrestation arbitraire sévèrement interdite. Sans doute la *liberté de religion* n'était-elle pas complète : les catholiques, auxquels on reprochait d'être partisans de l'Espagne, n'avaient pas le droit de célébrer publiquement leur culte. Du moins, dans ce pays calviniste, étaient-ils tolérés, tout comme les Juifs. Enfin la *liberté d'exprimer sa pensée* était plus grande que partout ailleurs. Aussi les savants qui ne trouvaient pas dans leur patrie la liberté intellectuelle dont ils avaient besoin venaient-ils chercher un refuge dans les Provinces-Unies. Le grand penseur français *Descartes* y passa vingt ans de sa vie et y publia tous ses ouvrages. Un autre philosophe, le Juif *Spinoza*, dont la famille avait dû fuir le Portugal, ne fut pas inquiété par les autorités hollandaises, malgré la hardiesse de ses idées.

Cette atmosphère de liberté explique le *développement de la presse*. Tandis que, dans les autres pays, les journaux étaient soumis à le censure des gouvernements, la *Gazette de Hollande* et les *Nouvelles de Leyde* pouvaient parler librement de tout. Aussi avaient-elles dans l'Europe entière un public très étendu, d'autant plus que, pour toucher un plus grand nombre de lecteurs, elles étaient rédigées non pas en hollandais, mais en français. Tout autant que les journaux, les livres imprimés en Hollande étaient lus partout. Les éditeurs hollandais — et parmi eux la famille des *Elzeviers* — étaient, comme ceux de Venise aux XVe et XVIe siècle, à la fois des savants et des artistes.

7. La peinture hollandaise.

Nous pouvons nous représenter très exactement la vie de tous les jours dans les Provinces-Unies par les tableaux des nombreux peintres hollandais du XVIIe siècle. Dans cette république protestante, il n'était pas question de décorer les palais des rois ou les églises. Mais les riches bourgeois voulaient se faire représenter dans l'intimité de leur famille, ou bien dans les banquets où ils retrouvaient leurs amis. *Pieter de Hooch* et *Vermeer* excellèrent dans les scènes d'intérieur, *Frans Hals* dans le portrait, *Ruysdaël* dans le paysage. *Rembrandt* les surpasse tous et il est un des plus grands peintres et l'un des plus grands graveurs de tous les temps.

La monarchie absolue sous Louis XIV

La cour, le gouvernement, l'administration

1. Avènement de Louis XIV.

Du vivant de Mazarin, Louis XIV n'avait pris aucun part au gouvernement. Son règne personnel ne commença qu'en 1661, à la mort du Cardinal. Le roi déclara immédiatement sa volonté d'être lui-même son premier ministre. L'étonnement fut général, tant l'opinion s'était habituée, depuis 1624, au régime du *ministériat.* On ne voulut voir dans la prétention du roi qu'un caprice de jeune homme : en réalité, c'était une ferme résolution qui ne se démentit pas un instant pendant ce long règne de cinquante-quatre ans (1661-1715). Louis XIV n'eut jamais de premier ministre, il exerça pleinement son autorité sans jamais la partager.

2. Les idées et le caractère de Louis XIV.

Louis XIV avait en effet la plus haute idée de ce qu'il appelait son «métier de roi». Dès son enfance on lui avait enseigné que le roi est une divinité visible, un vice-Dieu. Il en fut toujours convaincu et d'ailleurs ses sujets en étaient également persuadés. De l'idée qu'il tenait son pouvoir de Dieu, Louis XIV en conluait qu'il était le *maître absolu* dans son royaume, c'est-à-dire qu'il n'avait de comptes à rendre à personne. C'est pourquoi il ne réunit pas les États Généraux. Il refusa également de laisser les Parlements discuter des affaires de l'État : leur droit de remontrance fut supprimé en fait.

Ce pouvoir souverain que Dieu lui confiait, Louis XIV voulut du moins l'exercer avec une *conscience scrupuleuse*. A défaut d'une intelligence supérieure et d'une solide instruction, il avait beaucoup de bon sens : il réfléchissait longuement avant d'agir et prenait l'avis des hommes les plus compétents. Laborieux, il travaillait chaque jour avec ses ministres, mais ne leur laissait prendre aucune décision importante. L'emploi de son temps était fixé si méticuleusement qu'un de ses courtisans a pu dire : «Avec un almanach et une montre on pouvait, à trois cents lieues de lui, dire avec justesse ce qu'il faisait.» Louis XIV avait encore d'autres qualités : une parfaite *maîtrise de soi* (qui allait parfois jusqu'à la dissimulation) et une *fermeté de cœur* qui força l'admiration de ses pires ennemis. Dans les dernières années de sa vie, malheurs publics et privés s'acharnèrent sur lui sans jamais l'abattre.

Le sentiment dominant de son âme et qui fut le principal mobile de ses actes était l'*amour passionné de la gloire*. Le désir de surpasser tous les autres princes, ses contemporains ou ses prédécesseurs, s'accompagnait d'*un immense orgueil et d'un prodigieux égoïsme*. Tout en témoigne, aussi bien son emblème partout répandu : un soleil radieux (d'où son nom le *Roi Soleil*), que sa devise : «A lui seul, il en vaut plusieurs», et, plus encore, le cérémonial dont, cinquante années durant, il entoura chaque jour, de son lever à son coucher, le moindre de ses actes : ce qu'on appelle l'*étiquette*.

3. La vie de Cour. Versailles.

Sous Henri IV et Louis XIII, la Cour avait été beaucoup moins brillante que sous François Ier et Henri II. Louis XIV lui donna de nouveau un éclat extraordinaire. Il ne changea rien à son organisation ; mais le nombre des membres de la Maison militaire et de la Maison civile s'accrut prodigieusement : le seul service de la «Bouche du Roi» comprenait cinq cents personnes et son chef était le Grand Condé. Ceux qui vivaient à la Cour sans faire partie de l'une ou l'autre Maison (ils étaient peut-être 4 000) étaient les simples *courtisans*. Toute leur ambition était d'attirer les regards du roi dans l'espoir qu'il récompenserait leur zèle par une place dans sa Maison ou par une pension.

Le développement de la Cour ne s'explique pas seulement par l'orgueil du roi et son goût du faste ; il répondait à un calcul politique. Louis XIV se rappelait la révolte des nobles pendant la Fronde. Il lui parut que le meilleur moyen de les surveiller était de les domestiquer et de les retenir autour de lui par un procédé infaillible : la distribution des faveurs. Attirés par l'attrait des fêtes et l'espoir des pensions, ils ne demandèrent en effet qu'à répondre au désir du roi.

Louis XIV n'habita le Louvre qu'au début de son règne. Le mauvais souvenir de la Fronde contribua beaucoup à l'éloigner de Paris. Mais surtout, dans son orgueil, il voulut que sa Cour eût un cadre spécialement créé pour elle et d'une somptuosité sans égale. D'un petit pavillon de chasse de Louis XIII à *Versailles*, il fit un édifice splendide, donnant sur un parc immense. En 1682, le palais de Versailles devint — et il resta jusqu'en 1789[1] — la résidence officielle du roi et de la Cour. Toute une ville se bâtit autour du château royal. Mais, à vivre dans ce décor artificiel, créé par lui et pour lui, au milieu de courtisans serviles, le roi allait perdre tout contact avec son peuple.

4. Le Gouvernement.

Louis XIV ne modifia guère l'organisation du gouvernement. Reprenant la tradition de Richelieu, il évita d'y faire participer la haute noblesse. A l'exemple de ses prédécesseurs, François Ier, Henri IV, Louis XIII, il prit toutes les décisions importantes en Conseil des Affaires — on l'appela désormais le *Conseil d'En Haut*. Le Roi y réunissait quelques personnes en lesquelles il avait pleine confiance : seules elles avaient droit au titre

1. Sauf pendant une courte interruption. de 1715 à 1722.

de *Ministres d'État*. Au moment où il prit le pouvoir, Louis
XIV conserva les trois ministres qui collaboraient avec Mazarin : le surintendant des finances *Fouquet*, le secrétaire d'É-
tat de la Guerre *Le Tellier* et l'habile diplomate *Hugues de
Lionne*. Il disgracia bientôt Fouquet et le remplaça par *Colbert*.
Pendant une vingtaine d'années les deux familles de Colbert et
de Le Tellier l'emportèrent au Conseil. Le Tellier y fit entrer
son fils, *Louvois*, qui collabora d'abord avec lui, puis le remplaça ; de même l'un des successeurs de Lionne fut le frère de
Colbert. Le roi sembla d'abord tenir l'équilibre entre les deux
familles ; bientôt il favorisa Louvois, dont le crédit fut tout-
puissant après la mort de Colbert (1683). Cependant Louvois
avait lui-même perdu toute faveur quand il mourut (1691).

  Dans la deuxième moitié du règne, les ministres furent des
hommes de moindre valeur ; pour la première fois, on vit un
grand seigneur au Conseil d'En Haut. De plus certaines personnes qui ne faisaient pas partie du Conseil, telle *Mme de
Maintenon*, que Louis XIV avait épousée secrètement après la
mort de la reine Marie-Thérèse (1683), et surtout le *confesseur
du roi*, exercèrent une certaine influence politique.

  Les lois sont aujourd'hui l'œuvre des députés et des séna-
teurs. Sous Louis XIV elles étaient préparées au *Conseil d'État*
ou *Conseil du Roi* par des fonctionnaires qui portaient le nom
soit de Conseillers d'État, soit de Maîtres des Requêtes[1]. Les
lois étaient appelées tantôt *Édits*, tantôt *Ordonnances*, tantôt
Arrêts du Conseil.

5. L'administration.

A la tête de la Justice, il y avait un *Chancelier* ; à la tête des
Finances, un *Contrôleur général* aidé d'un Conseil des Finances ; à la tête de l'Administration, les quatre *Secrétaires
d'État* de la Guerre, de la Marine, des Affaires Étrangères et
de la Maison du roi.

  On continuait à distinguer dans le royaume trois sortes de
circonscriptions : les circonscriptions militaires ou *gouverne-*

  1. Le *Conseil d'État* était aussi un tribunal qui jugeait en dernier ressort. C'est pourquoi on
l'appelait parfois *Conseil des Parties* : les «parties» dans un procès sont les adversaires en
présence. C'est parmi les Conseillers d'État et les Maîtres des Requêtes que le roi choisissait ses
Ministres, ses Secrétaires d'État et ses intendants.

ments: les circonscriptions judiciaires ou *bailliages* et *sénéchaussées*; *les circonscriptions financières ou généralités.* Dans ces dernières Colbert installa de façon régulière et permanente des *intendants.* En même temps, il leur donna des pouvoirs de plus en plus étendus, qui seraient aujourd'hui répartis entre une dizaine de fonctionnaires différents : préfet, juge, contrôleur des contributions directes, percepteur, ingénieur des ponts et chaussées, président de chambre de commerce, inspecteur des manufactures, commandant de recrutement, chef de gendarmerie, recteur et inspecteur d'Académie. Les rapports des intendants (on disait alors leurs *dépêches)* étaient lus et discutés au *Conseil des Dépêches.*

Les intendants tinrent étroitement en bride les pouvoirs locaux : États provinciaux en Bretagne, Languedoc, Provence, Bourgogne, et surtout officiers de justice et de finances, qui s'étaient montrés si souvent indociles sous les ministères de Richelieu et de Mazarin. *Le commissaire l'emporta dès lors sur l'officier.* L'administration devint ainsi très *centralisée.* Mais, pas plus que sous les rois précédents, elle ne fut uniforme. En effet, quand les rois annexaient une province, ils lui laissaient souvent, en partie tout au moins, les institutions qu'elle possédait à ce moment. Cette politique habile rendait moins pénible aux habitants leur incorporation au royaume. Louis XIV ne rompit pas avec cette tradition : les régions nouvellement conquises (Artois, Roussillon, Alsace, Flandre, Franche-Comté) conservèrent chacune, au moins dans quelques domaines, certains traits distinctifs.

6. Finances et justice.

Pendant la première partie du règne de Louis XIV, rien ne fut changé à l'organisation des finances. Les impôts étaient toujours ceux que Charles VII avait rendus permanents vers 1450 : la taille, les aides et la gabelle. Le montant de la *taille* était fixé chaque année par le Conseil d'État et réparti par lui entre les généralités. La taille ne frappait ni les nobles, ni les ecclésiastiques, ni les «officiers», ni les bourgeois de certaines villes. Les *aides* étaient levées principalement sur la vente des boissons et la *gabelle* sur celle du sel. Les Français étaient tenus d'acheter aux greniers royaux une certaine quantité de sel, mais le prix du sel n'était pas le même dans toute la France, de là la contrebande des *faux sauniers* qui achetaient le sel dans une région où il se vendait à bon marché et le passaient en cachette dans les provinces où il coûtait très cher. Les aides et la gabelle n'étaient pas levées, comme la taille, par les fonctionnaires du roi. Le gouvernement en adjugeait la perception au plus offrant des financiers qui se présentaient : celui-ci levait ensuite l'impôt sur les contribuables en le majorant naturellement pour réaliser son bénéfice. C'est ce qu'on appelait *affermer* l'impôt ; de là, le nom de *fermiers* donné à ceux qui se chargeaient de le percevoir.[1]

La justice était rendue par trois sortes de tribunaux : en bas par ceux des bailliages et des sénéchaussées ; au-dessus par les *présidiaux* créés sous le règne d'Henri II ; au-dessus par les Parlements. L'intendant avait aussi le droit de juger et le roi pouvait toujours «évoquer» un procès pour le soumettre au Conseil des Parties ou à un tribunal «extra-ordinaire». Il n'y avait pas encore de code unique pour toute la France : les habitants du Midi étaient jugé d'après le *droit écrit* (ou droit romain), ceux du Nord d'après le *droit coutumier*, c'est-à-dire d'après les coutumes traiditonnelles (environ 300). Colbert tenta d'uniformiser la procédure en publiant l'*Ordonnance civile* et l'*Ordonnance criminelle* ; il fit aussi paraître l'*Ordonnance des Eaux et Forêts*, l'*Ordonnance du Commerce* et enfin le *Code noir* qui réglait les rapports entre les planteurs des Antilles et leurs esclaves noirs. Comme dans les siècles précédents, la *torture* était employée officiellement.

---

1. On disait aussi : «traiter d'un impôt» ou «prendre en parti un impôt» : de là les noms de *traitants* ou de *partisans* donnés aux fermiers.

Les affaires religieuses sous Louis XIV

1. L'intransigeance de Louis XIV dans les questions religieuses.

L'absolutisme de Louis XIV ne s'exerça pas seulement dans le gouvernement et l'administration ; on le retrouve dans le domaine de la religion.

Un souverain aussi imbu de ses droits était naturellement disposé à conserver ce qu'on appelait les traditions «gallicanes» ; il entendait ne partager avec personne la direction du clergé français : de là des conflits avec le pape.

D'autre part, habitué à imposer ses volontés à tous, Louis XIV ne pouvait qu'être fermé aux idées de tolérance.. Comme jadis au roi Henri II, l'unité de religion lui paraissait la condition indispensable de l'unité politique. Ne pas partager ses croyances était à ses yeux une sorte de rébellion, un crime de lèse-majesté. De là les persécutions que subirent les Jansénistes et les protestants. Cet esprit d'intolérance s'accrut quand Louis XIV fut arrivé à l'apogée de sa puissance vers 1680. L'extirpation de «l'hérésie» lui parut la seule tâche glorieuse à laquelle il pût encore se consacrer.

2. L'affaire de la régale. Le conflit avec le pape.

Un premier conflit, de 1678 à 1693, opposa Louis XIV à la Papauté. L'occasion en fut *l'affaire de la régale.* On appelait droit de régale le droit qu'avait le roi, quand un évêché devenait vacant, d'en toucher les revenus et même de nommer aux fonctions ecclésiastiques du diocèse, jusqu'à l'installation du nouvel évêque. Ce droit n'existait que dans certains évêchés ; Louis XIV résolut de l'étendre à tout le royaume (1673). Sur la protestation d'un évêque, le pape *Innocent XI* donna tort au roi (1678).

Louis XIV n'était pas d'humeur à céder. Quelques esprits intransigeants, dont Colbert, le poussèrent à affirmer brutalement, à l'occasion de ce conflit, l'autonomie de l'Église de France à l'égard du pape. Sans enthousiasme, les évêques, réunis sous la direction de *Bossuet,* évêque de Meaux, rédigèrent en 1682 la *Déclaration des Quatre Articles.* Ils y rappelaient les principes affirmés au XVᵉ siècle par le concile de Constance : les papes n'ont pas le droit de déposer les rois ; les conciles sont, dans les questions de foi, supérieurs aux papes ; le clergé français doit conserver en face du Saint-Siège une large autonomie.

Le pape proclama la Déclaration nulle, et il y répondit en refusant «d'instituer» les évêques que nommait le roi ; dès 1689, on comptait en France trente-neuf évêchés sans titulaires. En 1693, à un moment où Louis XIV, engagé dans la guerre de la Ligue d'Augsbourg, avait besoin de l'appui diplomatique de la Papauté, il désavoua la Déclaration ; les évêques qui l'avaient acceptée signèrent une rétractation.

3. La lutte contre les Jansénistes.

Vaincu à Rome, Louis XIV crut du moins l'emporter, dans son royaume, sur les Jansénistes et les protestants.

Dès 1661, et d'accord avec le pape, Louis XIV contraignit tous les ecclésiastiques de France à signer une déclaration (ou *Formulaire)* qui condamnait comme hérétiques les cinq propositions et les attribuait à Jansénius. Après bien des péripéties, un compromis fut signé, connu sous le nom de Paix de l'Église (1668). Mais la question rebondit à plusieurs reprises par suite de l'intransigeance des plus exaltés parmi les Jésuites et les Jansénistes. En 1702, des Jansénistes publièrent une déclaration de quarante théologiens parisiens affirmant qu'un prêtre avait le droit de refuser d'attribuer à Jansénius les cinq propositions. Le pape condamna la déclaration. Quant au roi, sa colère se tourna surtout contre le monastère de Port-Royal des Champs et il en décida la destruction. Finalement, en 1709, quelques centaines de soldats et le lieutenant de police vinrent expulser les vingt-deux vieilles religieuses qui s'y trouvaient encore, puis les bâtiments furent démolis, même la chapelle, et les morts enlevés du cimetière. Peu après, le pape condamna une fois de plus le jansénisme dans la bulle *Unigenitus* (1713).

La bulle Unigenitus *ne fit qu'augmenter les difficultés :* les Parlementaires, toujours ardents gallicans, s'indignèrent de ce qu'ils appelaient une intrusion du pape dans les affaires de la France : bien plus, une douzaine de prélats, dont l'archevêque de Paris, refusèrent de se soumettre à la bulle et tinrent tête à la fois au roi et au pape. Louis XIV était sur le point de convoquer un concile national pour déposer l'archevêque, quand il mourut.

4. Les protestants.

Depuis la grâce d'Alès, les protestants — un million d'habitants environ — s'étaient toujours conduits en fidèles sujets et beaucoup d'entre eux étaient entrés au service du roi, soit dans l'armée, soit surtout dans l'administration des Finances et de la Justice.

Mais le clergé de France supportait mal de voir l'hérésie officiellement reconnue. D'autre part, l'opinion reprochait aux protestants de s'enrichir dans le commerce, l'industrie et la banque ; elle les accusait de tracasser les catholiques dans les régions où ils étaient en majorité. Enfin, les progrès de l'absolutisme et de la centralisation monarchiques faisaient paraître de plus en plus difficile à accepter la coexistence de deux religions opposées et également protégées par le roi. Chose curieuse, sur ce dernier point, beaucoup de protestants (surtout ceux qui étaient fonctionnaires) pensaient là-dessus comme les catholiques. L'*obsession de l'unité religieuse* était presque aussi forte chez les protestants que chez leurs adversaires et leur *loyalisme à l'égard du roi* les poussait à lui reconnaître tous les droits, même dans les questions religieuses. D'ailleurs, le magnifique renouveau du catholicisme, qui avait marqué la première moitié du XVIIᵉ siècle, n'était pas sans leur imposer le respect, sans les attirer même vers cette religion purifiée et fervente, si différente de celle contre laquelle s'étaient élevés les Réformateurs. Ainsi s'expliquent certaines *abjurations*, dont la plus retentissante fut celle de Turenne (1668)[1] et, chez ceux qui se refusaient pourtant à abjurer, l'idée que, si l'Église faisait quelques concessions, ils accepteraient d'y rentrer.

Cependant, la grande majorité des protestants, surtout dans la petite bourgeoisie et le peuple, restait fortement attachée au calvinisme.

5. Premières mesures contre les protestants.

De tout temps Louis XIV avait espéré s'acquérir la gloire de rétablir l'unité religieuse en France. Contre les protestants, il engagea d'abord une *guerre sourde* et, pour ainsi dire, légale. Non seulement il ne leur accorda aucune faveur, mais il leur interdit tout ce que l'Édit de Nantes ne leur garantissait pas expressément. On limita le nombre des écoles protestantes, on les plaça dans les faubourgs et on les réduisit à ne donner qu'un enseignement élémentaire. On interdit aux réformés d'acheter des offices ; on les surchargea d'impôts, tandis qu'on permettait à ceux qui se convertissaient de ne pas payer leurs dettes pendant trois ans ; on décida qu'à l'avenir les enfants protestants pourraient, dès l'âge de sept ans (au lieu de quatorze), abjurer le calvinisme. On supprima les établissements charitables protestants pour contraindre les pauvres et les malades à venir dans les hospices catholiques, où l'on espérait les convertir ; on ferma les temples pour les motifs les plus futiles.

Cependant les protestants formaient encore 12 % de la population et le nombre des abjurations restait minime. Alors Louvois eut recours à la violence. Le moyen le plus commode lui parut être les *dragonnades*. On logeait chez les protestants des soldats, on les laissait piller, torturer même leurs hôtes, et

---

1. D'autres abjurations, moins sincères, s'expliquent par des offres de pensions.

ceux-ci pour échapper à leurs bourreaux, cédaient. Le procédé fut employé pour la première fois, en 1681, dans le Poitou et il donna des résultats étonnants : 37 000 conversions en quelques semaines. Malgré les protestations indignées de nombreux catholiques, Louvois l'étendit au Béarn, puis au Languedoc. Les intendants envoyèrent à Versailles des listes impressionnantes de conversions. Le roi put croire qu'il ne restait plus de huguenots en France. Dès lors, l'Édit de Nantes était inutile.

6. La révocation de l'Édit de Nantes.

Le 18 octobre 1685, Louis XIV signa l'Édit portant *révocation de l'Édit de Nantes.* Lui et ses conseillers étaient persuadés qu'une religion ne peut subsister si elle n'a pas d'Église : c'est pourquoi l'Édit ordonna la destruction des temples, l'interdiction du culte (même dans les maisons privées) et le bannissement des pasteurs qui n'abjureraient pas. Les fidèles, au contraire, étaient tenus de rester en France et leurs enfants seraient élevés dans la religion catholique. Dans les mois qui suivirent, les dragonnades s'étendirent à presque tout le royaume, malgré les protestations de nombreux évêques. Le protestantisme s'effondra. Un tiers des pasteurs abjura et la plupart des autres passèrent à l'étranger.

Cependant, nombre de protestants n'avaient abjuré que sous la contrainte et dans le secret espoir que, la répression s'apaisant, ils pourraient de nouveau exercer leur culte. Quand ils virent que leur espérance était vaine, beaucoup tentèrent d'émigrer et y réussirent (peut-être 175 000, jusqu'en 1715), surtout fabricants, industriels et commerçants. Ils trouvèrent un refuge dans les États protestants, particulièrement dans les Provinces-Unies, en Angleterre, dans le Brandebourg et dans les cantons suisses.

7. Conséquences de la Révocation.

Cette émigration affaiblit dangereusement la France. Beaucoup de ces hommes, encore jeunes, qui consentaient à tout abandonner et qui bravaient des peines atroces — les galères, la potence, la roue — pour ne pas renier leur foi, étaient assurément une élite morale : la France allait la perdre.

D'autre part, leur exode porta un coup très dur à l'industrie et au commerce français, pendant qu'il enrichissait les pays voisins. Enfin, la Révocation augmenta la haine des États protestants contre Louis XIV et contribua à la formation de la Ligue d'Augsbourg.

Si encore le protestantisme avait été anéanti, le roi eût pu se consoler de ce préjudice porté au royaume. Mais, dès le lendemain de la Révocation, certains réformés avaient recommencé à célébrer leur culte, en secret, dans les bois, la nuit, sous la direction de laïcs puisqu'il n'y avait presque plus de pasteurs : ce fut ce qu'on appela le *culte au désert*. Ainsi le protestantisme survécut. Les plus ardents tentèrent même une révolte ouverte. Exaspérés par la répression, torturés par le remords d'avoir abjuré et se croyant inspirés par Dieu, des huguenots des Cévennes se soulevèrent en 1702. Ils détruisirent des églises catholiques, massacrèrent des prêtres. Pendant deux ans leurs bandes, connues sous le nom de *Camisards*, tinrent tête aux régiments du roi. Il fallut, en pleine guerre de Succession d'Espagne, envoyer contre eux 60 000 hommes et le maréchal Villars, le meilleur général de l'armée. Encore ne posèrent-ils les armes qu'après avoir obtenu une amnistie. Un mois avant la mort du roi, les protestants de la région du Gard tenaient secrètement une assemblée pour réorganiser leur culte et envoyaient des jeunes gens à Lausanne pour qu'ils s'y fassent ordonner pasteurs. Dans sa tentative pour extirper le protestantisme, Louis XIV avait échoué.

Colbert et l'enrichissement de la France

1. Colbert et son programme.

Le plus grand ministre du règne de Louis XIV fut *Colbert*. Homme d'affaires de Mazarin, il avait été recommandé au roi par le Cardinal. Louis XIV le prit à son service, le chargea de surveiller le surintendant *Fouquet* et lui donna en même temps, sans titre officiel, la direction de la Marine. Quelques mois plus tard, Fouquet était arrêté et, après un procès de quatre années, condamné à l'emprisonnement perpétuel. Alors commença l'éclatante carrière de Colbert : il entra au Conseil d'En Haut, fut nommé ministre des Finances avec le titre, créé pour lui, de *Contrôleur général* (1665), devint ensuite secrétaire d'État de la Maison du roi, puis de la Marine (1669). Jusqu'à sa mort (1683), il s'occupa de tout, sauf de la Guerre et des Affaires Étrangères.

Sévère et dur, Colbert fut le plus dévoué et le plus laborieux des ministres. L'idée qui inspira tous ses actes fut d'enrichir la France, c'est-à-dire d'*augmenter son stock monétaire.* A ses yeux, en effet, la richesse d'un pays consiste uniquement dans ce qu'il appelait «l'abondance d'argent». Or la quantité de monnaie qui circulait en Europe était alors insuffisante parce que l'Amérique espagnole fournissait moins de métaux précieux qu'auparavant. Plus que jamais, donc, il fallait empêcher l'argent de sortir de France et y attirer l'argent étranger. Ce but serait atteint si l'on faisait du royaume un grand pays industriel, capable de se suffire sans rien acheter au-dehors, et un grand pays commerçant capable d'exporter.

2. Développement et réglementation de l'industrie.

Colbert développa d'abord les industries existantes : Abbeville, Arras, Saint-Quentin, Elbeuf, Sedan, Carcassonne fabriquaient des draps ; la manufacture des Gobelins à Paris, celles d'Aubusson et Beauvais, des tapisseries ; Lyon était célèbre pour ses soieries.

Colbert implanta ensuite les industries pour lesquelles nous étions jusque-là tributaires de l'étranger. Il voulut qu'on fabriquât désormais en France les glaces et les dentelles qu'on achetait à Venise, ou l'acier qu'on faisait venir de Suède et d'Allemagne. Il essaya d'attirer les industriels étrangers qui consentaient à apporter leurs secrets de fabrication : il installa à Abbeville le célèbre drapier hollandais *Van Robais*.

Il fallait aussi *produire par grandes quantités*, puisque la France devait non seulement ne plus acheter, mais vendre au-dehors. Colbert encouragea les gros fabricants, leur avança de l'argent, leur donna des «Primes», leur fournit une main-d'œuvre abondante. Ainsi se développèrent ce qu'on appelait alors les *manufactures* : les unes furent des manufactures d'Etat qui travaillaient pour le roi, les autres appartenaient à des particuliers, mais étaient dotées de privilèges et de subventions. La manufacture, à cette époque, était d'ailleurs le plus souvent non une grande usine, mais l'union, sous la direction d'un même entrepreneur, de petits ateliers jusque-là indépendants qui, dans une région, travaillaient au même métier.

Si l'on voulait gagner la clientèle du dehors et l'inciter à acheter en France, Il fallait lui offrir *uniquement des produits de choix*. C'est pourquoi, en retour de la protection qu'il leur accorda, Colbert imposa aux industriels des obligations très strictes. Il réglementa jusque dans ses détails la fabrication et accrut le nombre des inspecteurs. Il revisa les statuts des corporations pour les mettre en harmonie avec les nouveaux modes de fabrication et, reprenant une tentative d'Henri IV, força les petits patrons qui ne faisaient pas partie d'une corporation à entrer dans l'une d'elles : le nombre des métiers libres diminua. Cette réglementation minutieuse atteignit son but : «Ce qu'il y a de mieux dans toutes les parties du monde, écrivait un ambassadeur vénitien en 1668, se fabrique à présent en France.»

Cette industrie, développée à grands frais, il fallait la protéger contre la concurrence étrangère. Colbert appliqua donc ce qu'on appelle le *protectionnisme*, c'est-à-dire qu'il frappa de droits très élevés les marchandises que les pays étrangers voulaient vendre en France.

3. Commerce et colonies.

Malgré les efforts de Richelieu, la flotte de commerce était presque inexistante en 1661. La plus grande partie des exportations et des importations françaises se faisaient, on l'a vu, par navires hollandais. Colbert voulut mettre fin à cette situation, qu'il jugeait déshonorante : pendant toute sa vie, la suprématie commerciale de la Hollande fut son cauchemar. Il encouragea les armateurs français en leur donnant des primes, fit acheter des navires à l'étranger, créa des arsenaux, aménagea les ports de Sète, Rochefort, Lorient, et Brest. Mais rares furent les Français qui placèrent leurs capitaux dans les entreprises commerciales et les marins français du XVIIe siècle ne valaient pas ceux du XVIe.

Colbert aurait voulu contrôler le commerce comme il contrôlait l'industrie. A l'exemple de Richelieu, il créa des *Compagnies de commerce*, qui devaient faire concurrence aux Compagnies hollandaises dans la mer Baltique, la Méditerranée orientale, l'océan Atlantique et l'océan Indien. Malgré ses efforts, elles ne réussirent pas. Seule, la *Compagnie des Indes orientales* subsistait encore à la fin du règne : elle fonda dans l'Inde deux comptoirs, *Pondichéry* sur la côte orientale et *Chandernagor* dans le Bengale, près de l'embouchure du Gange.

Colbert réussit moins bien encore quand il voulut favoriser le commerce extérieur. Celui-ci était entravé par la diversité des poids et mesures, le très grand nombre de *péages* sur les routes et les rivières et surtout par les *traites*, c'est-à-dire les douanes dont chaque province s'entourait, comme aujourd'hui les États s'entourent d'une barrière douanière. Colbert fut impuissant à supprimer ces obstacles ; ils ne disparurent qu'en 1789. Il essaya du moins d'améliorer les voies de communication, fit refaire des routes, creuser des canaux : Orléans, qui était le terminus des bateaux qui remontaient la Loire, fut uni au bassin de la Seine par le *canal d'Orléans*, et l'ingénieur *Riquet* construisit de Sète à Toulouse le *canal des Deux-Mers.*

Comme Henri IV et Richelieu, et pour les mêmes raisons qu'eux, Colbert voulait acquérir des colonies. Il mit en valeur les Antilles françaises et le Canada ; il établit une série de comptoirs au Sénégal (où les négriers allaient chercher des esclaves à destination des Antilles) et, s'il ne put conserver les comptoirs de Madagascar, il acquit du moins, près de Madagascar, l'*île Bourbon* (aujourd'hui la Réunion) et l'*île de France* (aujourd'hui l'île Maurice).

4. La Marine de guerre.

Pour protéger ses relations avec les colonies, il fallait à la France une bonne Marine de guerre. D'ailleurs, Colbert parlait de briser la concurrence hollandaise «à coups de canon». Aussi reprit-il l'œuvre commencée par Richelieu, mais négligée par Mazarin, et il fit de la France une puissance navale de premier ordre.

La *flotte du Levant*, c'est-à-dire celle de la Méditerranée, se composait de navires à rames, les *galères* : les équipages de rameurs — on disait la *chiourme* — étaient constitués soit d'esclaves turcs, soit surtout de condamnés de droit commun et, après la Révocation de l'Édit de Nantes, de protestants. La *flotte du Ponant*, c'est-à-dire celle de l'Atlantique et de la Manche, comprenait des navires à voiles, lourds *vaisseaux de ligne* et *légères frégates*. Colbert donna tous ses soins à avoir des officiers de marine instruits, disciplinés, pleins d'initiative. Les deux chefs d'escadre les plus remarquables furent *Duquesne* et *Tourville*. Les équipages étaient composés de gens embarqués de gré ou de force. A partir de 1673, ils furent recrutés d'après le principe de l'*inscription maritime* : les habitants des régions côtières devaient le service sur les navires du roi ou dans les arsenaux, un an sur trois ou quatre ou cinq. Les ports de guerre étaient Toulon, Rochefort, Lorient et Brest.

En temps de guerre, la Marine royale se renforçait de *corsaires*, capitaines de la Marine marchande autorisés, par une «lettre de marque», à armer leur navire pour la course, c'est-à-dire à «courir sus» aux navires ennemis pendant une durée de temps déterminée. Les plus célèbres corsaires, à l'époque de Louis XIV, furent *Jean Bart*, puis *Duguay-Trouin*.

5. L'échec de Colbert.

La tentative de Colbert était vouée à l'échec pour trois raisons. D'une part, l'*injuste répartition des impôts* : Colbert aurait voulu la rendre plus équitable, mais c'eût été accomplir une révolution sociale, et Louis XIV était beaucoup trop partisan des traditions pour accepter des vues aussi hardies. D'autre part, Colbert ne pouvait réussir que par une politique d'économies. Il lutta contre le gaspillage, réduisit les bénéfices de ceux qui levaient les impôts indirects, fit rendre gorge à ceux qui avaient volé l'État, réussit à mettre le budget en équilibre pendant quelques années. Mais, très vite, les guerres, la construction du château de Versailles, les fêtes, les pensions aux courtisans, le jeu dévorèrent le produit des impôts : Colbert ne pouvait rien contre les *folles prodigalités du roi*. Enfin, les années où Colbert fut ministre furent marquées par la pénurie de numéraire, ce qu'on appelle parfois la *famine monétaire* : les prix baissaient, les bénéfices diminuaient et les hommes d'affaires hésitaient à se lancer dans les grandes entreprises industrielles ou commerciales.

Peu après la mort de Colbert, la guerre reprit (1688) et ne cessa plus jusqu'en 1715. Cependant, le roi continuait à gaspiller l'argent en constructions. Il fallut recourir aux expédients : mise en valeur de milliers d'offices nouveaux, établissement d'une loterie, refonte des monnaies, emprunts (émis parfois à 400 p. 100), qui grossissaient démesurément la dette. Parfois le roi suspendait le paiement de la rente. Aux trois impôts traditionnels il fallut en ajouter deux autres, la *capitation* et le *dixième* : ils devaient officiellement peser sur tous les sujets et être répartis équitablement selon les revenus de chacun. En fait, ils retombèrent surtout sur les plus pauvres.

A la mort de Louis XIV, la détresse était générale. La livre ne valait plus que les 43 p. 100 de ce qu'elle valait vers 1600. Faute de commandes, ateliers et manufactures fermaient leurs portes : à Lyon, les trois quarts des artisans étaient sans travail. La famine, en 1693, le terrible hiver de 1709 avaient fait périr les paysans par centaines de milliers et beaucoup de champs étaient retombés en friche. Le commerce était presque ruiné, l'empire colonial entamé. Que restait-il du gigantesque effort de Colbert pour enrichir la France ?

La société française
à l'époque de Louis XIV

1. L'inégalité sociale.

La société à l'époque de Louis XIV continuait à être fondée sur l'inégalité. Les Français n'étaient pas tous égaux devant la loi et devant l'impôt. On continuait à distinguer trois ordres dans la nation : le *Clergé* et la *Noblesse* qui jouissaient de certains privilèges, et le *Tiers-État*, composé des roturiers.

Dans la réalité, la hiérarchie sociale était plus compliquée. Parmi les membres du Clergé et de la Noblesse, il y avait des favorisés et des défavorisés ; d'autre part, beaucoup de membres du Tiers-État jouaient un rôle plus considérable que bien des ecclésiastiques ou des nobles.

2. Les privilèges du Clergé.

Le Clergé était, à vrai dire, le seul «ordre» du royaume, car seul il formait un corps. Tous les cinq ans les ecclésiastiques élisaient une *Assemblée du Clergé*, qui discutait avec le roi des intérêts de l'Église. Dans l'intervalle des sessions, deux *Agents du Clergé*, résidant à Versailles, défendaient les Intérêts de leur ordre auprès du roi. Ni la Noblesse ni le Tiers-État n'étaient ainsi représentés officiellement et constamment auprès de Louis XIV. Le Clergé avait aussi conservé le droit de lever à son profit un impôt, la *dîme*, sur certains produits du sol. Il possédait enfin ses tribunaux particuliers, les *officialités*, qui jugeaient les procès touchant de près ou de loin à la religion.

Les ecclésiastiques ne recevaient pas de traitement de l'État ; ils vivaient du revenu des immenses domaines, terres et maisons, que l'Église possédait et louait ; elle était le plus grand propriétaire du royaume. Le Clergé était exempté des impôts directs de la taille et du dixième, mais il versait au roi un *don gratuit*, dont le montant était en réalité fixé par le roi, et des *décimes* qui servaient à payer une partie des intérêts de la Dette publique. Lorsque la capitation fut instituée en 1701, le clergé décida de fournir pour sa part quatre millions par an, puis il se racheta en 1710 en versant en bloc vingt-quatre millions. La participation du clergé à l'impôt, extrêmement faible au début du règne, atteignait environ 6 pour 100 de ses revenus en 1715. L'Église entretenait, en outre, à ses frais une partie des œuvres d'assistance et d'instruction.

3. Les inégalités dans le Clergé.

La grande richesse du clergé était répartie de façon très inégale entre les membres qui le composaient. C'est pourquoi on distinguait un haut clergé et un bas clergé, un clergé riche et un clergé pauvre.

Le *haut clergé* — archevêques, évêques, abbés — était choisi, à de rares exceptions près, parmi les membres des familles nobles. Les prélats ainsi recrutés se montraient très fidèles à l'égard du roi — on l'a vu dans le conflit de la régale — mais ils prenaient les manières des courtisans : certains résidaient moins dans leurs diocèses qu'à la Cour, où ils dépensaient, en grands seigneurs mondains, les énormes revenus qui leur étaient d'ordinaire attribués. Il y eut certes de bons prélats sous Louis XIV : *Bossuet* à Meaux, *Fénelon* à Cambrai et beaucoup d'autres. mais la commende et le cumul des bénéfices subsistaient.

Au contraire. le *bas clergé* se recrutait dans le Tiers-État. chez les paysans ou les ouvriers. Malgré les efforts des Sulpiciens et des Oratoriens. le nombre des séminaires était encore très insuffisant : aussi. beaucoup de curés et de vicaires étaient-ils ignorants. Issus de familles pauvres, ils menaient une vie misérable. obligés pour vivre de lever avec âpreté sur leurs paroissiens une dîme dont ils ne gardaient d'ailleurs que la plus faible part : le reste allait aux gros *décimateurs*. qui touchaient les revenus de la cure sans en exercer les charges.

4. La décadence de la Noblesse d'épée.

Les nobles d'épée formaient le second ordre. Ils avaient encore bien des privilèges. Quelques-uns étaient purement honorifiques : tel le droit de porter certaines armoiries ou d'avoir une place spéciale à l'église. Mais d'autres étaient fort importants. Les nobles ne payaient pas la taille : sur leurs paysans. ils levaient les droits seigneuriaux et exerçaient certains droits de justice : enfin et surtout. ils étaient presque seuls à être nommés par le roi aux commandements militaires. postes diplomatiques. dignités d'Église et charges de cour.

On retrouvait dans la Noblesse d'épée les mêmes inégalités que dans le Clergé. A Versailles. la *noblesse de cour* gaspillait en fêtes et au jeu les revenus de ses domaines et ne pouvait subsister que par les pensions royales. Ceux qui ne vivaient pas à La Cour formaient la *noblesse de province*. Leur situation devint de plus en plus difficile. car leurs revenus diminuaient par suite de la baisse constante des prix qui marqua le règne de Louis XIV[1]. Bien souvent ils durent vendre une partie de leurs terres pour payer leurs dettes. et ils menaient une vie difficile, trop heureux de pouvoir faire entrer dans le clergé quelques-uns de leurs nombreux enfants. Ils tenaient d'autant plus à leurs privilèges que. dans leur demi-pauvreté. c'était la seule manière de montrer qu'ils étaient des nobles. De même. ils levaient avec âpreté les droits seigneuriaux parce que ceux-ci

1. Le prix des denrées baisse quand la quantité de monnaie en circulation diminue. Or. à partir de 1660, on l'a vu. les mines de l'Amérique espagnole produisirent moins. D'autre part. le France. dont le commerce avec l'Orient et l'Inde était actif. y exportait beaucoup d'argent.

constituaient leur unique ressource. Il était de règle, en effet,
qu'un noble ne devait pas exercer de métier lucratif; tout au
plus pouvait-il être «gentilhomme verrier» et, depuis Colbert,
s'adonner au grand commerce de mer.

5. La Bourgeoisie. De qui elle se compose.

Les deux premiers ordres ne comptaient peut-être sous Louis
XIV que cinq cent mille personnes sur un total d'une vingtaine
de millions d'habitants. Au-dessous venaient les roturiers, qui
constituaient le Tiers-État. Mais, dans cet ordre même, on
distinguait aussi des privilégiés : les *bourgeois*.

Il est impossible de fixer exactement les limites de la bourgeoisie. On y distinguait essentiellement deux catégories : ce
qu'on appelait la *Marchandise* et la *Robe*. La Marchandise
comprenait les riches marchands et industriels, les banquiers et
les «fermiers» qui affermaient les impôts indirects. Dans la
Robe on trouvait les médecins et surtout les officiers de finances et de justice. De ces «robins», certains devenaient
nobles, quand les offices qu'ils géraient conféraient à leur titu-
laire la noblesse. De la haute bourgeoisie sortait ainsi la *Noblesse de robe* ou, comme on disait aussi, la *Grande Robe*. On
a vu son importance au temps de la Fronde : sous Louis XIV
elle ne joua aucun rôle politique.

6. Grand rôle joué par la bourgeoisie.

Les bourgeois tenaient une place immense dans la société. Ils
avaient en main l'administration, la justice et même le gouvernement, puisque Louis XIV choisissait parmi eux ses intendants, les membres de ses Conseils, ses secrétaires d'État et ses
ministres. Le désir ardent de devenir fonctionnaire, déjà visible
au XVIe siècle, ne fit que se développer lorsque la «famine
monétaire» porta un grave coup à la vie économique.

Les hommes d'argent se rendirent plus nécessaires à mesure
que les difficultés financières s'accrurent. Le roi fut contraint
de s'adresser à eux et d'accepter leurs exigences. Ils accumu-
lèrent ainsi, par des moyens souvent scandaleux, des fortunes
immenses. On les haïssait, on méprisait leur orgueil de «nou-

veaux riches». mais on ne pouvait se passer d'eux. Le règne de Louis XIV. surtout dans les dernières années, vit croître leur rôle dans la société et leur influence sur l'État.

La plupart des bourgeois étaient également grands propriétaires. Quand un noble ou un paysan endetté vendait sa terre, c'était toujours un riche bourgeois que l'achetait. En bien des points du royaume. Parlementaires et financiers furent, avec le Clergé et plus que les nobles d'épée. les possesseurs du sol. D'ailleurs. riches. actifs. entreprenants. ils mirent leurs domaines en valeur. Tout autant que le désir d'acheter des offices. le désir d'acheter de la terre détourna la bourgeoisie de répondre à l'appel de Colbert et d'engager ses capitaux dans les entreprises commerciales.

Les nobles d'épée affectaient de mépriser les bourgeois. même et surtout les bourgeois anoblis. Pourtant. *entre la haute bourgeoisie et la noblesse d'épée. le fossé n'était pas aussi profond qu'on pourrait le croire.* On voyait fréquemment les descendants de nobles ruinés tomber dans la petite bourgeoisie. refaire lentement fortune puis. deux ou trois générations plus tard. occuper une place importante dans un Parlement. La haute bourgeoisie de la fin du XVIIe siècle comptait ainsi parmi ses ancêtres des nobles d'épée aussi bien que des «officiers» ou des marchands. Tout naturellement des relations de famille s'établirent entre la bourgeoisie vaniteuse et la noblesse d'épée appauvrie. Plus d'un «descendant des Croisés» fut heureux de faire épouser à son fils la fille d'un riche «officier» — c'est ce qu'on appelait *redorer son blason.* Colbert. fils d'un marchand. puis anobli. maria ses trois filles aux plus grands seigneurs du royaume.

7. Les ouvriers.

Au-dessous de la bourgeoisie on trouvait dans les villes la masse des travailleurs manuels. petits patrons. artisans et ouvriers.

Depuis la fin du XVIe siècle. le nombre des métiers libres avait beaucoup diminué. Henri IV d'abord. Colbert après lui. avaient tenté d'imposer partout le régime des *corporations.* Celles-ci conservaient le caractère qu'elles avaient au Moyen

Age : le patron n'avait avec lui qu'un petit nombre de compagnons et d'apprentis ; tout le travail se faisait à la main et l'eau restait la seule source d'énergie que l'ouvrier sût utiliser pour aider l'effort de ses bras. De plus en plus, d'ailleurs, maîtres et compagnons formèrent *deux classes distinctes et hostiles*. Le «chef-d'œuvre», nécessaire pour accéder à la maîtrise, devint d'une exécution si coûteuse qu'il fut impossible à un compagnon de devenir maître, d'autant qu'il lui fallait en même temps payer à la corporation une forte somme d'argent. Désormais les maîtres se succédèrent de père en fils ou de beau-père en gendre.

Les ouvriers se groupaient en dehors des corporations, dans des associations, souvent secrètes, les *Compagnonnages*. Ces sociétés de secours avaient d'abord pour objet d'aider le «Compagnon du tour de France», c'est-à-dire l'ouvrier qui allait d'une région à l'autre en quête de travail : de ville en ville, un réseau d'auberges l'attendait et on lui trouvait de l'embauche. Quoique interdits par la Royauté, qui se méfiait de toutes les associations qu'elle ne contrôlait pas, les compagnonnages subsistèrent jusqu'à la fin de l'Ancien Régime.

8. Les paysans.

Les paysans formaient peut-être 80 pour 100 de la population. Tandis que le servage subsistait dans l'Europe centrale et orientale, il avait à peu près disparu en France. Certains paysans étaient propriétaires, mais seuls les plus favorisés d'entre eux pouvaient vivre du revenu de leur terre : on leur donnait le nom de *laboureurs*. Outre les impôts au roi et la dîme au curé, les paysans propriétaires devaient les droits seigneuriaux (champart, banalités, corvées) au seigneur, qui pouvait encore percevoir sur eux des amendes et chasser à travers leurs champs.

Parmi les paysans non propriétaires, certains travaillaient à titre de *fermiers* ou de *métayers* sur la terre du seigneur ou du laboureur : le fermier devait une redevance fixe, le métayer livrait une part de sa récolte, d'ordinaire plus de la moitié. Mais la majorité des paysans étaient *domestiques de ferme* ou bien *ouvriers agricoles* : ces derniers cherchaient à s'embaucher ici et là, et le plus souvent ils étaient fort misérables. Du moins les pauvres pouvaient-ils, quand la moisson était faite, glaner dans les champs, y couper les chaumes dont on faisait des litières, et même, en vertu du *droit de vaine pâture*, y mener paître leurs bêtes. Ils avaient aussi le droit de prendre du bois dans les communaux, parfois de s'y bâtir une hutte — mais bien souvent les seigneurs confisquaient à leur profit une partie des communaux du village.

Accablés d'impôts de plus en plus lourds, parfois arrachés à leur champ pour servir à l'armée, les *paysans ne furent pas moins malheureux sous Louis XIV qu'ils n'avaient été au temps de Richelieu.* D'ailleurs, on ne note aucune amélioration dans la culture du sol, ni dans l'élevage. Les Français ne s'inspirèrent pas des grands progrès agricoles réalisés, dès la fin du XVIᵉ siècle, dans la Flandre espagnole, la Hollande, en Angleterre ou dans certaines régions d'Italie. Le bétail est peu nombreux et mal soigné : la terre manque de fumier ; la jachère subsiste, le rendement à l'hectare est faible. La disette fut marquée par de nombreuses intempéries. Mal logé, mal vêtu, peu nourri, le paysan mourait jeune : *la moitié de la population n'atteignait pas vingt et un ans.* Survenait-il une épidémie ou une famine, la situation devenait tragique.

Le gouvernement ne faisait rien pour améliorer le sort de la classe paysanne. Il n'organisait point de secours médicaux ; il n'ouvrait pas d'écoles : celles qui existaient étaient créées et entretenues par les villageois et à leurs frais. La religion des paysans n'était souvent que superstition, la croyance aux démons et la sorcellerie était parmi eux générale. Parfois des peurs irraisonnées s'emparaient de ces malheureux et ils abandonnaient le village en des fuites éperdues. Parfois aussi les exactions des agents du fisc ou les brigandages des soldats les jetaient dans des révoltes qui s'accompagnaient des pires cruautés. Alors le roi envoyait contre eux des troupes et la répression était impitoyable.

L'Angleterre de 1660 à 1714

1. La Restauration de Charles II.

La restauration de Charles II n'amena pas un retour à l'absolutisme de Charles Ier. Si royaliste que fût la Chambre des Communes élue en 1661, *elle conserva pourtant les mesures que le Long Parlement avait votées à l'unanimité en 1641 :* suppression des juridictions d'exception, interdiction pour le roi de publier des ordonnances contraires à la loi, ou d'exempter certaines personnes de l'obéissance aux lois, ou de lever des impôts sans l'assentiment du Parlement. Les représailles politiques furent limitées et le roi proclama une amnistie.

Au point de vue religieux, en revanche, la réaction fut très violente. Les députés, presque tous anglicans, haïssaient les puritains qui, en 1643, avaient enlevé à l'anglicanisme son caractère de religion d'État. Ils exigèrent de tous les pasteurs de l'Église anglicane le serment de ne jamais se soulever contre le roi, pour quelque raison que ce fût, et d'observer strictement la liturgie du «Livre des Prières». Deux mille ecclésiastiques, puritains de tendance quoique faisant partie de l'Église établie, préférèrent perdre leur place plutôt que de se conformer à ces exigences : les puritains en reçurent le nom de *non-conformistes* ou de *dissidents*. Le gouvernement leur interdit de tenir des réunions religieuses, de faire partie d'une municipalité ou de suivre les cours d'une Université.

2. Le Parlement contre le roi.

Tout royaliste qu'il était, le Parlement entra bientôt en conflit avec le roi sur deux points : la politique extérieure et l'attitude à l'égard des catholiques. Charles II était très dépensier et les subsides que lui votaient les Chambres ne lui suffisaient pas. *Il se rapprocha de Louis XIV* pour obtenir de lui de grosses sommes d'argent : il lui vendit la ville de Dunkerque[1], et s'allia avec lui contre les Hollandais. Cette politique mécontenta les Anglais.

D'autre part, Charles II penchait vers le catholicisme et il voulait supprimer les lois contre les catholiques. Pour faire accepter plus facilement cette mesure, il promulgua une *déclaration d'indulgence*, par laquelle il suspendait de sa propre autorité les lois dirigées contre tous les non-anglicans (1672). Mais la haine du «papisme» était si vive que les puritains repoussèrent la tolérance plutôt que de laisser les catholiques en profiter. D'autre part, le Parlement n'admettait pas que le roi exemptât certains de ses sujets d'obéir aux lois. A la déclaration d'indulgence il riposta par le *Bill du Test*, c'est-à-dire la loi de l'épreuve (1673) : pour être fonctionnaire ou député il faudrait désormais jurer qu'on repoussait l'autorité religieuse du pape, le culte de la Vierge et des Saints et le sacrement catholique de l'Eucharistie. Les catholiques au service de l'État furent contraints de démissionner et le frère du roi, le *duc d'York*, converti au catholicisme depuis longtemps, dut se démettre de sa charge de grand amiral.

3. L'exclusion du duc d'York. Tories et Whigs.

Or le duc d'York était l'héritier légitime de son frère Charles II : *l'Angleterre protestante allait-elle avoir pour roi un catholi-*

1. Dunkerque avait été cédée par l'Espagne à l'Angleterre en 1659.

que ? De nombreux députés demandèrent que le duc d'York fût écarté du trône. Cette question divisa l'Angleterre en deux camps. D'un côté, pour le duc d'York, les ecclésiastiques de l'Église établie (qui mettait le pouvoir royal au-dessus de tout) et la grande majorité des propriétaires dans les campagnes : leurs adversaires les appelèrent *tories*, du nom que se donnaient des rebelles irlandais. De l'autre côté, contre le duc d'York, quelques grandes familles de l'aristocratie et surtout les bourgeois des villes, qui étaient en majorité des dissidents : on les surnomma *whigs*, d'un mot qui s'appliquait en Écosse aux presbytériens fanatiques. Bientôt la signification de ces mots s'élargit : les tories furent les champions des droits du roi, les whigs les champions des droits du Parlement.

Des deux côtés, les adversaires recouraient avec un fanatisme égal aux illégalités, aux persécutions, aux assassinats même. Aux prétentions des tories qui exigeaient l'obéissance absolue au roi, fût-il un tyran, le Parlement de 1679, où les whigs étaient en majorité, répondit par la loi de l'*Habeas Corpus* (c'est-à-dire : sois maître de ton corps) qui interdisait les arrestations arbitraires. Alors le roi renvoya trois années de suite le Parlement. L'argent qu'il recevait de Louis XIV lui permit même de ne plus le convoquer dans les dernières années de son règne (1682-1685).

4. Jacques II, agressif et imprudent.

Quand Charles II mourut, son frère, le duc d'York, lui succéda sans opposition, sous le nom de *Jacques II*. L'Angleterre qui mettait les catholiques hors la loi avait donc un roi catholique ! Bien plus, Jacques II *voulait ramener le pays au catholicisme*. Il suspendit le bill du Test, rappela les Jésuites, reçut à Londres en grande pompe un légat du pape, installa des prêtres catholiques dans des paroisses anglicanes, des professeurs catholiques dans les Universités, des juges catholiques dans les tribunaux et se constitua une armée où nombre de soldats et d'officiers étaient des Irlandais catholiques. Puis, à l'exemple de son frère, il publia une *déclaration d'indulgence*.

La très grande majorité de la nation était opposée à la politique du roi. Cependant, rien ne faisait prévoir une Révolution. Les deux filles de Jacques II, ses héritières, étaient toutes deux protestantes et mariées à des princes protestants : l'une, *Marie*, à Guillaume d'Orange, stathouder de Hollande ; l'autre, *Anne*, au prince héritier de Danemark. Il suffisait d'attendre patiemment la mort du roi.

Mais de sa seconde femme, une Italienne, catholique comme lui, Jacques II eut un fils en 1688. La situation était maintenant toute différente : le successeur de Jacques II allait être cet enfant catholique. Devant le danger «papiste», beaucoup de tories s'unirent aux whigs pour demander à Guillaume d'Orange, gendre du roi, de venir sauver le protestantisme anglais en s'emparant du trône. Guillaume, qui désirait disposer des ressources de l'Angleterre au moment où il allait faire la guerre à la France, accepta.

En novembre 1688, il débarqua en Angleterre et n'y rencontra aucune résistance. Surpris et affolé, Jacques II s'enfuit en France. Rien ne pouvait mieux servir les intérêts de Guillaume.

5. La Révolution de 1688. Ses conséquences politiques et religieuses.

Un Parlement, réuni en 1689, constata que le départ de Jacques II laissait le trône vacant, affirma le droit de la nation à se choisir un roi et, refusant de prendre en considération les droits du fils de Jacques II, offrit la couronne à Guillaume et à sa femme Marie. Mais il leur imposa au préalable l'acceptation de la *Déclaration des Droits*. On y trouvait énumérées les illégalités dont Jacques II s'était rendu coupable et les droits du Parlement tels qu'ils avaient été formulés en 1628 et en 1641. Désormais le souverain était tenu de réunir fréquemment le Parlement ; il ne pouvait suspendre les lois ou dispenser une catégorie de citoyen d'agir à la loi. Guillaume et Marie jurèrent la Déclaration : alors seulement ils furent proclamés roi et reine d'Angleterre, sous les noms de *Guillaume III* et *Marie II* (février 1689).

La Déclaration des Droits marquait la fin du conflit qui avait mis aux prises le Parlement et la couronne depuis les dernières années du XVIᵉ siècle. *Le Parlement l'emportait*. On l'avait vu rejeter les droits de l'héritier légitime, le fils de Jacques II, puis, de sa propre autorité, offrir la couronne à Guillaume d'Orange et lui imposer des conditions. De plus, les députés ayant décidé de ne plus voter les impôts que pour un an, le souverain était tenu désormais de convoquer le Parlement chaque année.

En même temps *une loi de tolérance en faveur des dissidents,* votée en 1689, accorda à ceux-ci l'entière liberté de culte, tout en leur refusant encore le droit d'être fonctionnaires et de fréquenter les Universités. Désormais l'Angleterre ne fut plus troublée par des luttes religieuses entre protestants. Aucune mesure ne fut prise en faveur des catholiques, mais, dans la pratique, ils furent traités avec moins de rigueur.

6. L'Angleterre de 1689 à 1714.

Guillaume III mourut en 1702. Il eut pour successeur la seconde fille de Jacques II, *Anne,* veuve du roi de Danemark. Celle-ci mourut à son tour sans enfant en 1714. Mais, dès 1701, par l'*Acte d'Établissement,* le Parlement avait décidé que le trône d'Angleterre ne serait jamais occupé par un souverain catholique et qu'à la mort d'Anne il reviendrait à une petite-fille de Jacques Ier, la princesse protestante Sophie de Hanovre, ou à son fils. *Pour la deuxième fois, le Parlement disposait de la couronne.* En 1714, le fils de Sophie, l'électeur Georges de Hanovre, devint roi d'Angleterre sous le nom de *George Ier.*

Les années qui séparent l'avènement de Guillaume III de celui de George Ier ont une quadruple importance dans l'histoire de l'Angleterre.

1° A l'intérieur, Guillaume III et Anne convoquèrent le Parlement chaque année ; ils prirent même l'habitude de ne jamais opposer leur veto aux lois votées par les deux Chambres. Sur ces deux points leur exemple a été suivi par tous leurs successeurs.

2° L'*union politique de l'Angleterre et de l'Écosse* fut réalisée en 1707. Elle avait existé sous Cromwell de 1651 à 1660, mais la Restauration avait rétabli la simple union personnelle, qui durait depuis qu'en 1603 Jacques VI Stuart, roi d'Écosse, était devenu roi d'Angleterre sous le nom de Jacques Ier. Les Anglais, craignant qu'après la mort de la reine Anne l'Écosse ne prît pour roi le fils de Jacques II, proposèrent aux Écossais l'*Acte d'Union :* l'Écosse conserverait son Église d'État presbytérienne, ses lois et ses tribunaux, mais ses députés et ses lords viendraient se joindre dans le palais de Westminster à ceux de l'Angleterre. Les Écossais acceptèrent. Ainsi se constitua le *Royaume de Grande-Bretagne.*

3° Au-dehors, l'avènement de Guillaume III marqua le retour de l'Angleterre à une politique active en Europe. De 1689 à 1713, l'Angleterre fut l'*âme des coalitions contre la France* et elle le resta jusqu'en 1815. De cette longue lutte elle retira des avantages commerciaux et territoriaux très importants.

4° Enfin la *vocation maritime et commerciale* de l'Angleterre s'affirma définitivement.

7. L'essor économique.

Quoique le pays fût constamment en guerre pendant ces vingt-cinq années, il s'enrichit prodigieusement. A l'industrie toujours florissante des draps s'ajoutèrent celles du papier, de la tapisserie, des toiles peintes apportées par les protestants français après la Révocation de l'Édit de Nantes. Le commerce aussi progressa : le nombre des navires marchands doubla de 1660 à 1714 ; les deux grands ports étaient Londres et *Bristol*. De nombreux négociants s'enrichirent dans ce qu'on appelait le *trafic triangulaire :* ils allaient sur la côte d'Afrique échanger de la pacotille contre des esclaves, vendaient ceux-ci aux Antilles et en Amérique, d'où ils rapportaient le sucre, le tabac, le rhum, les fourrures. La *Banque d'Angleterre*, fondée en 1694, reçut les dépôts des riches commerçants et même ceux du Trésor public. Elle put ainsi fournir le crédit nécessaire aux hommes d'affaires et parfois prêter de l'argent à l'État. Alliée au Portugal depuis 1703, l'Angleterre recevait l'or que commençaient à produire les mines du Brésil ; en même temps elle drainait, par une habile contrebande, une partie de l'argent de l'Amérique espagnole. Au début du XVIIIᵉ siècle, la *livre sterling* était la monnaie la plus solide d'Europe ; *Londres détrônait Amsterdam* et devenait la première place financière.

Ainsi se développait en Angleterre une classe d'*hommes d'argent* comme on disait : armateurs, négociants, courtiers, banquiers, spéculateurs. Toujours à l'affût de nouveaux débouchés commerciaux, ils poussaient à la guerre contre leurs rivaux, Hollandais, Français, Espagnols. On verra comment, au traité d'Utrecht (1713), ils obtinrent de la France et de l'Espagne des avantages économiques très considérables, qui allaient permettre à l'Angleterre de développer au cours du XVIIIe siècle la *primauté économique* qu'elle détenait déjà.

La vie intellectuelle au XVIIᵉ siècle

1. Ordre et régularite.

Dans les choses de l'esprit comme dans celles de la politique, le XVIIᵉ siècle fuᵗ marqué en France par la recherche de l'ordre et de la centralisation. Des *Académies*, c'est-à-dire des associations de personnes compétentes, fixèrent certains principes auxquels écrivains et artistes furent tenus de se soumettre. Richelieu avait organisé l'*Académie française* pour fixer le bon usage de la langue : Mazarin fonda l'*Académie de Peinture et de Sculpture* : Colbert, qui avait la «surintendance des bâtiments» (ce qui serait le Ministère de l'Instruction Publique et des Beaux-Arts), créa l'*Académie des Sciences*, l'*Académie des Inscriptions*, l'*Académie de Musique* et enfin, pour les artistes qui allaient achever leurs études en Italie, l'*Académie de France à Rome*. Le gouvernement dirigea la vie intellectuelle comme il dirigeait la vie économique.

2. La littérature française classique.

Le règne personnel de Louis XIV fut l'âge d'or de la littérature française classique. Les premiers chefs-d'œuvre avaient cependant paru à l'époque de Richelieu et de Mazarin : *Le Cid* de Corneille en 1636, le *Discours de la Méthode* de Descartes en 1637 ; les *Provinciales* de Pascal en 1656-1657. Les ouvrages qui datent du règne personnel de Louis XIV sont très divers ; ils présentent cependant quelques traits communs qui les différencient de ceux de la période précédente. Au lieu de la vitalité exubérante et parfois déréglée, c'est la victoire du *goût classique* : souci de la composition, mesure, simplicité, et une certaine grandeur calme qui rappelle l'influence du «grand roi[1]». Louis XIV, homme de goût, témoigna publiquement l'estime dans laquelle il tenait les écrivains : il accepta d'être le parrain d'un fils de Molière ; il nomma Racine et Boileau historiographes — c'est-à-dire historiens officiels.

Dans l'histoire littéraire du règne, on peut distinguer deux périodes. La première, qui va jusque vers 1685, et celle du plein épanouissement. Les chefs-d'œuvre s'y groupent en un ensemble harmonieux et complet. Tous les genres y sont représentés : la comédie avec *Molière*, la tragédie avec *Racine*, la fable avec *La Fontaine*, la satire avec *Boileau*, l'éloquence religieuse avec *Bossuet*, le style épistolaire avec *Mme de Sévigné*. Puis une nouvelle génération apparaît avec *La Buyère* et *Fénelon* : par leurs attaques contre l'absolutisme et l'inégalité sociale, ces écrivains annoncent le XVIIIe siècle.

3. L'art hors de France. L'art baroque.

En Italie, dans la seconde moitié du XVIe siècle et en partie sous l'influence de Michel-Ange, une forme nouvelle d'art était née : l'*art baroque*. Au lieu que l'art de la Renaissance, tel qu'il s'était exprimé chez Raphaël, évoquait l'idée de calme, d'équilibre, de sérénité, l'art baroque est avant tout mouvement. Aux lignes droites et aux formes géométriques il préfère les lignes sinueuses, les formes contournées et rebondies. Désireux d'émouvoir et d'étonner, il est souvent violent et déclamatoire, il

---

1. Ainsi s'explique l'expression : siècle de Louis XIV. C'est Voltaire qui, le premier, l'a employé en 1751. En fait, ce «siècle» ne compte que cinquante-quatre années (1661-1715). D'ailleurs, le «siècle d'Auguste» ne comprend que quarante-trois ans (29 av. J.-C. à 14 ap. J.-C.) et le «siècle de Périclès» encore moins (env. 450 à 429 av. J.-C.).

se plaît aux décors somptueux, aux audacieux raccourcis, aux contrastes violents d'ombre et de lumière, aux trompe-l'œil qui, sur un plafond, mêleront le bas-relief et la fresque sans qu'on puisse distinguer ce qui est sculpture et ce qui est peinture. D'Italie l'art baroque se répandit en Espagne, en Flandre, dans l'Allemagne du Sud et en Autriche ; en revanche, il ne pénétra pas en Angleterre ni aux Provinces-Unies et ne toucha que peu la France.

L'Italie compta au XVIIᵉ siècle beaucoup d'artistes remarquables, tels le peintre *Caravage* et le sculpteur-architecte *Bernin* qui fut, de 1630 à 1680, l'artiste le plus admiré de toute l'Europe. Cependant elle n'exerça plus la primauté artistique qu'elle détenait depuis le XVᵉ siècle.

4. Flandre, Espagne, Provinces-Unies.

De 1600 à 1660 la Flandre (on entend par là les Pays-Bas espagnols) eut trois grands peintres : *Rubens*, par son coloris éclatant, sa fougue et son étonnante fécondité, rappelle Titien ; *Van Dyck* fut le portraitiste de Charles Iᵉʳ et de l'aristocratie anglaise ; *Téniers* se plut à représenter les fêtes populaires, kermesses et tabagies.

La peinture espagnole continua d'être, avec *Zurbaran et Murillo*, une peinture surtout religieuse. Pourtant, le grand artiste *Vélasquez* traita le plus souvent des sujets profanes, empruntés tantôt aux milieux populaires, tantôt à la Cour de Philippe IV. Admirable coloriste, il chercha à exprimer la vie sous toutes ses formes, dans toutes ses harmonies.

Les Provinces-Unies furent, de 1610 à 1675 environ, un foyer d'art presque comparable à celui qu'avaient été Florence ou Venise au temps de la Renaissance. La gloire leur vint surtout de leurs peintres.

Ruysdaël, *Frans Hals*, *Vermeer* représentèrent scrupuleusement la nature et les hommes qui les entouraient. *Rembrandt* sut jouer des combinaisons d'ombre et de lumière ; surtout il sut faire jaillir la beauté des formes les plus humbles et exprimer les sentiments de l'âme dans ce qu'ils ont de plus profond et de plus émouvant.

5. L'art français avant Louis XIV.

Au début du siècle, les architectes français conservèrent encore, dans les maisons de la place Royale ou de la place Dauphine à Paris, et dans le premier château de Versailles, la tradition nationale avec l'harmonieuse combinaison de la pierre, de la brique et de l'ardoise. Mais bientôt les colonnes, les dômes, les pilastres, les frontons, les volutes marquèrent le triomphe de l'influence antique. C'est ce que montrent le palais du Luxembourg élevé pour Marie de Médicis par *Salomon de Brosse*, la chapelle de la Sorbonne, œuvre de *Lemercier*, et le château de Vaux construit pour Fouquet par *Le Vau*.

La tradition réaliste subsista chez *Philippe de Champaigne*, le peintre du jansénisme, chez les peintres provinciaux *Georges de la Tour* et les frères *Le Nain*, chez les graveurs *Jacques Callot* et *Abraham Bosse*. Mais *Poussin*, qui vécut longtemps à Rome, subit profondément l'empreinte de l'art antique et de la Renaissance italienne. Il excita l'admiration générale par l'art de la composition, la noblesse des attitudes, la simplicité forte qui sont, par excellence, la marque du génie classique. A Rome aussi vécut le paysagiste *Claude Gellée*, dit *le Lorrain*, admirable peintre de la lumière.

6. L'art français sous Louis XIV.

Louis XIV exerça sur l'art une influence beaucoup plus grande que sur la littérature : aussi peut-on parler d'un *style Louis XIV*. C'est pour le roi que les artistes travaillèrent ; c'est à construire et à orner le Louvre, Versailles, Marly, les Invalides, que les architectes *Le Vau*, *Mansart* et *Perrault*, les sculpteurs *Girardon* et *Coysevox*, les peintres *Le Brun* et *Mignard* consacrèrent le meilleur de leur talent. D'ailleurs Louis XIV dirigeait tout lui-même, discutait les plans, imposait son goût. Il aimait la régularité, la grandeur, le faste uni à la distinction : il voulait un décor de magnificence, qui exaltât constamment la majesté royale. Il protégea également les musiciens et particulièrement l'Italien *Lulli* : sous son règne l'*opéra* s'acclimata définitivement en France. Par un heureux hasard Louis XIV trouva, pour réaliser ses desseins, deux hommes qui partageaient ses vues : Colbert et Le Brun. L'un multiplia les Académies et

contribua à fixer la doctrine classique : l'autre groupa sous sa
direction tous les artistes et réalisa ainsi cette unité dans la
décoration qui est un trait distinctif du style Louis XIV.

On continua à contruire à Paris de nombreux hôtels particuliers, mais trois monuments surtout fondèrent en Europe la
réputation de l'art français : la *Colonnade du Louvre*, par
Perrault ; l'hôtel des *Invalides*, par Bruant et Mansart ; enfin et
surtout le *Château de Versailles*, construit par Le Vau et Mansart, décoré sous la direction de Le Brun, et dont les magnifiques jardins sont l'œuvre de Le Nôtre. A Versailles, on
trouve, portés à leur perfection, tous les traits qui caractérisent
le style Louis XIV. A l'intérieur, le fini apporté aux moindres
détails, la décoration d'une richesse extrême, mais jamais écrasante, la somptuosité magnifique sans une faute de goût ; au-
dehors, l'immensité austère des façades, puis la noblesse calme
des lignes qui fuient à l'horizon : tout concourt à faire de
Versailles une réussite splendide et l'une des plus belles œuvres
d'art qui soient au monde. Presque tous les souverains vou-
dront avoir leur Versailles.

7. Les conditions du travail scientifique.

Au temps de Louis XIV la gloire va surtout aux écrivains et aux
artistes. Le grand public ne prête encore aux siences qu'une
attention médiocre. *Cependant, le XVIIe siècle tient une
grande place dans l'histoire des sciences.* Des progrès décisifs y
furent réalisés par des savants appartenant à tous les peuples
d'Occident : les Français *Descartes* et *Pascal* ; les Allemands
Képler et *Leibniz* ; les Italiens *Galilée* et *Torricelli* ; les Hollandais *Huyghens* ; les Anglais *Newton* et *Harvey*.

Les conditions du travail scientifique étaient très différentes
alors de ce qu'elles sont aujourd'hui. De nos jours, un même
savant ne peut plus connaître toutes les sciences : chaque
science, et même chaque branche d'une science, a son personnel spécial de travailleurs. Au XVIIe siècle, le travail scientifique était encore peu spécialisé. *Descartes* ou *Leibniz* s'adonnèrent à la fois à la philosophie, aux mathématiques, à la
physique, à l'astronomie, aux sciences naturelles.

De nos jours, les savants sont des «professionnels», c'est-à-dire des hommes qui ont pour profession le travail ou l'enseignement scientifiques, en général dans les Universités. Au XVIIe siècle, les progrès se firent en dehors des Universités, et souvent malgré elles; presque tous les savants furent des «amateurs», laïcs ou ecclésiastiques, qui se réunissaient pour discuter ou échangeaient entre eux de longues lettres pour se faire part de leurs découvertes.

Les savants ne jouissaient pas, sauf en Hollande, d'une entière liberté d'exprimer leur pensée. Galilée fut condamné par l'Église pour avoir soutenu «une doctrine fausse et contraire aux Saintes Écritures, à savoir que le soleil est le centre de l'univers, que la terre se meut et n'est pas le centre du monde». Par prudence, Descartes se refusa à publier ses idées sur certaines questions. Du moins, dans la seconde moitié du siècle, les gouvernements commencèrent-ils à aider les savants. Colbert créa l'*Académie des Sciences*, l'*Observatoire de Paris* et le *Journal des Savants*, qui rendait compte de tous les travaux scientifiques importants parus en France et à l'étranger.

8. Les progrès scientifiques.

Voici quelques-uns des progrès les plus importants accomplis dans les sciences au XVIIe siècle.

En mathématiques, ils furent l'œuvre surtout de Descartes, Pascal, Leibniz, Newton. L'astronomie, la physique et les sciences naturelles profitèrent de l'invention d'*instruments de précision* qui avaient fait défaut jusque-là : microscope, lunette astronomique, télescope, baromètre, machine pneumatique pour faire le vide, horloge à balancier, montre avec régulateur à ressort spiral.

Képler étudia les mouvements des planètes autour du soleil; Galilée distingua les montagnes de la lune, les taches du soleil, les satellites de la planète Jupiter; Newton, appliquant à l'astronomie les nouvelles méthodes fournies par les progrès des mathématiques, formula la loi de l'attraction et de la gravitation universelles. Descartes expliqua les phénomènes de la réfraction de la lumière et Newton montra la décomposition de la lumière par le prisme. Déjà on savait calculer assez exactement la vitesse de propagation de la lumière.

Galilée, en étudiant les lois de la chute des corps, et Huyghens constituèrent la mécanique rationnelle. Torricelli et Pascal établirent l'existence de la pression atmosphérique, et le Français *Mariotte* étudia les variations de volume d'un gaz selon les pressions qu'il subit. Les travaux sur la force élastique de la vapeur amenèrent le Français *Papin* à contruire une machine à vapeur capable de faire mouvoir un bateau, et le forgeron anglais *Newcomen* à réaliser une «pompe à feu», c'est-à-dire une machine à vapeur capable d'épuiser l'eau dans les mines.

En 1625 le médecin anglais *Harvey* avait découvert la circulation du sang, peu après le Hollandais *Leuwenhoeck* isola les globules du sang, enfin *Mariotte* étudia la nutrition des plantes[1].

9. Idée de progrès et esprit critique.

Ces remarquables conquêtes de la science ne transformèrent guère les techniques, car elles n'eurent pas tout de suite d'applications pratiques. En revanche, elles contribuèrent à répandre l'*idée de progrès.* Les esprits s'habituèrent à l'idée que l'humanité progresse sans cesse dans tous les domaines et qu'il faut donc abandonner à un certain moment les doctrines traditionnelles, parce qu'elles ne correspondent plus aux connaissances actuelles. L'*esprit critique,* c'est-à-dire l'esprit de libre recherche et de libre discussion, s'appliqua dès lors à deux domaines d'où, jusqu'alors, il avait été d'ordinaire exclu : la politique et la religion. La fin du règne de Louis XIV avait mis en pleine lumière les abus du gouvernement et la misère de la France. En même temps, le spectacle des rivalités entre Jansénistes et Jésuites et des brutalités exercées contre les protestants avait affaibli le respect pour l'Église. *Le principe de la monarchie absolue fut mis en question, de même que celui du caractère divin de l'Église et de la Révélation.* A la monarchie et à l'Église, on allait demander de justifier devant la raison leurs prétentions : si celles-ci paraissaient insoutenables, on les rejetterait.

La Bruyère dans les *Caractères, Vauban* dans la *Dîme royale*

---

1. Galilée (1564 à 1642); Képler (1571-1630); Descartes (1596-1650); Torricelli (1608-1647); Pascal (1623-1662); Huyghens (1629-1695); Newton (1642-1727); Leibniz (1646-1716).

s'élevèrent contre l'inégalité sociale qui faisait porter tout le poids des impôts sur les pauvres ; *Fénelon* s'indignait que l'argent fût gaspillé dans les guerres et les constructions inutiles ; il demandait que le pouvoir royal fût limité par les sessions périodiques des États Généraux. En grand seigneur qu'il était, Fénelon demandait aussi que la noblesse d'épée fût appelée à participer au gouvernement.

Dans le même temps, les attaques contre l'Église étaient menées au nom de la raison et de l'histoire. Dans son *Dictionnaire historique et critique* (1697), le protestant *Bayle*, réfugié en Hollande, s'en prenait aux miracles et à l'idée même de la Révélation. De son côté, l'Oratorien *Richard Simon* étudiait scientifiquement le texte de la Bible et sa critique érudite émettait des doutes graves sur la valeur historique des Livres Saints.

Ainsi la foi en la monarchie traditionnelle et en l'Église était battue en brèche. Déjà s'annonçait la révolution dans les esprits qui allait caractériser le XVIIIe siècle.

La politique extérieure de Louis XIV

1. Le roi maître de l'armée.

Louis XIV aimait passionnément la gloire militaire. Dès son avènement, il se donna pour but d'agrandir la France et d'établir sa suprématie incontestée en Europe. Il lui fallait donc une forte armée.

La réforme de l'armée avait été commencée par *Richelieu*. Elle fut continuée par *Michel Le Tellier*, secrétaire d'État à la Guerre pendant près de trente-cinq ans (1643 à 1677), et par son fils, *Louvois*, qui exerça la même charge jusqu'en 1691, d'abord au côté de son père, puis seul. Tous trois s'efforcèrent de *donner au roi pleine autorité sur l'armée.* Jusqu'alors les officiers se montraient souvent indociles, car le commandement d'un régiment ou d'une compagnie s'achetait comme un office de finance ou de justice. Le Tellier et Louvois furent bien obligés de conserver le vénalité de ces charges militaires; mais, à côté des colonels et des capitaines, ils placèrent des lieutenants-colonels et des majors, nommés par le roi; de même les grades supérieurs (brigadier, lieutenant général, maréchal) furent laissés au choix du roi. Les officiers furent fréquemment inspectés ; Louvois exigea d'eux un service exact et une stricte obéissance.

En même temps, l'administration militaire fut enlevée aux officiers et confiée à des fonctionnaires civils, *intendants d'armée* et *commissaires des guerres*, placés sous les ordres immédiats du secrétaire d'État. Eux seuls furent désormais chargés des levées de troupes, des inspections, du paiement de la solde, du ravitaillement de l'armée. Le service de santé fut amélioré : on créa des hôpitaux dans les places fortes, des hôpitaux ambulants (ou *ambulances*) à la suite des armées et, pour abriter quelques milliers de mutilés de guerre, Louis XIV fit élever à Paris l'*Hôtel des Invalides*. Intendants d'armée et commissaires des guerres essayèrent aussi d'uniformiser les vêtements, d'imposer à tous la même discipline, les mêmes règlements.

Enfin cette armée devint permanente. La politique belliqueuse de Louis XIV exigeait qu'il eût toujours à sa disposition un minimum de régiments prêts à entrer en campagne. Les effectifs du temps de guerre finirent par atteindre le chiffre, extraordinaire pour l'époque, de 300 000 hommes.

2. Recrutement et composition de l'armée.

Au début, le recrutement ne fut pas modifié. L'armée continua d'être formée d'engagés volontaires : en fait, pour les *racoleurs* ou *sergents recruteurs*, tous les moyens étaient bons[1]. Cependant, un moment vint où les engagements, même forcés, ne suffirent plus. En 1688, Louvois organisa la *milice*. Chaque paroisse dut fournir un certain nombre d'hommes, tirés au sort parmi les célibataires. Les miliciens s'exerçaient le dimanche. Employés d'abord à la défense des places, ils furent plus tard versés dans les troupes de campagne.

A la tête de l'armée, on trouvait la *Maison militaire du roi*, dont les chefs appartenaient aux plus grandes familles de France. Les cavaliers, lourdement armés, diminuèrent de nombre au profit de la cavalerie légère, qui parfois combattait à pied. L'infanterie compta encore au début des mousquetaires et des piquiers ; mais Vauban imagina de fixer au fusil une *baïonnette* à douille qui n'empêchait pas de tirer : l'arme à feu

1. Comme celle de Louis XIII, l'armée de Louis XIV comprit nombre de soldats étrangers : Suisses, Allemands, Irlandais, Hongrois, Suédois.

et l'arme blanche étant réunies, les piquiers disparurent. A la fin du siècle, le mousquet fut remplacé par le *fusil*, plus léger et à tir plus rapide. Certains fantassins lançaient des grenades : ce furent les *grenadiers*.

Le service d'artillerie ne comprit d'abord que le matériel et les officiers, mais pas de soldats. Louvois créa des compagnies de *canonniers* et de *bombardiers*, qui formèrent le corps de Royal Artillerie. Les guerres de Louis XIV furent avant tout des guerres de sièges ; elles nécessitèrent un nombre considérable d'officiers du génie — on les appelait ingénieurs ; — mais ceux-ci ne formèrent pas un corps distinct et continuèrent à être de simples officiers d'infanterie, spécialisés dans l'art de protéger et d'attaquer les places fortes. Leur chef, *Vauban*, inventa un nouveau système de fortifications qu'il appliqua en France à trois cents places et qui fut adopté par toute l'Europe.

3. Les années de conquête.

Quand Louis XIV prit le pouvoir, l'Autriche était menacée par les Turcs, et l'Espagne en pleine décadence politique ; la Hollande, la Suède, l'Angleterre et de nombreux princes allemands étaient en bonnes relations avec la France. Le jeune roi voulut profiter d'une situation aussi favorable.

1. Au nom de prétendus droits de sa femme, Louis XIV réclama les Pays-Bas espagnols (1665). Sur le refus du roi d'Espagne *Charles II*, Turenne et Condé occupèrent l'un une partie de la Flandre, l'autre la Franche-Comté. Ces succès inquiétèrent les Anglais et les Hollandais, qui proposèrent leur médiation. Au *traité d'Aix-la-Chapelle* (1668), Louis XIV se contenta d'annexer une dizaine de villes espagnoles, dont Lille, Douai, Charleroi.

2. Puisque les Provinces-Unies faisaient obstacle à sa politique, Louis XIV résolut de les briser. Il y était poussé par Colbert, qui voulait par tous les moyens ruiner le commerce hollandais. Alors commença la *guerre de Hollande* (1672-1678). Turenne et Condé envahirent la Hollande. Pour sauver leur indépendance, les habitants eurent recours à un moyen héroïque : ils ouvrirent les écluses et crevèrent les digues. En même temps, ils portèrent au pouvoir le jeune prince *Guil-*

laume d'Orange, partisan de la lutte à outrance. Contre la France Guillaume réussit à unir l'Autriche, l'Espagne, l'électeur de Brandebourg. Mais tous les efforts de la coalition furent vains : la flotte hollandaise fut battue dans la Méditerranée par *Duquesne*; l'Alsace, envahie par les Impériaux, fut dégagée par Turenne; la Franche-Comté et une nouvelle partie de la Flandre furent occupées. A la *paix de Nimègue* (1678), la Hollande ne perdit rien, mais l'Espagne dut céder la Franche-Comté ainsi que plusieurs villes des Pays-Bas espagnols : Valenciennes, Cambrai et Maubeuge.

3. L'orgueil de Louis XIV, à qui Paris venait de donner le nom de *Louis le Grand*, ne connut dès lors plus de mesure. Les traités de Westphalie et de Nimègue avaient décidé que les territoires cédés à la France le seraient «avec leurs dépendances». Il s'agissait évidemment de leurs dépendances à la date de la signature des traités. Mais, pour des raisons stratégiques et afin d'améliorer au profit de la France le tracé des frontières, Louvois suggéra au roi d'annexer certaines régions, sous prétexte que, jadis, *à une date quelconque*, elles avaient relevé de ces territoires. Louis XIV s'empara de la sorte, en pleine paix, de *Montbéliard*, des *villes de la Sarre*, d'une partie du *Luxembourg*. Il annexa enfin *Strasbourg* (1681) sous le prétexte que les habitants avaient par deux fois, au cours de la guerre de Hollande, laissé les troupes allemandes franchir le pont voisin sur le Rhin. Facilement acceptée par les habitants, l'annexion de Strasbourg provoqua en Europe une grande indignation, bientôt accrue, au moins dans les pays protestants, par la Révocation de l'Édit de Nantes (1685), puis par les prétentions de Louis XIV à la succession du Palatinat.

4. La guerre de la Ligue d'Augsbourg.

Inquiet, Guillaume d'Orange forma avec les Provinces-Unies, l'empereur Léopold Ier, l'Espagne, la Suède et plusieurs princes allemands, une ligue défensive, la *Ligue d'Augsbourg* (1686). Quand il fut devenu roi d'Angleterre sous le som de *Guillaume III*, la Ligue se renforça de l'Angleterre, puis de la Savoie.

Louis XIV riposta par une nouvelle provocation : il installa de force son candidat dans l'électorat de Cologne. Peu après, la guerre commença. *La France, sans un allié, eut à combattre l'Europe presque tout entière.* Telle était sa puissance militaire qu'elle remporta pourtant de nombreuses victoires. Du côté du Rhin, Louvois recourut à un moyen atroce, la *dévastation du Palatinat* : villes et villages furent rasés, les cultures arrachées, les habitants expulsés (1689). Au Sud-Est, *Catinat* (un roturier devenu maréchal de France) envahit la Savoie et contraignit le duc à traiter. Aux Pays-Bas, le maréchal de *Luxembourg* fut trois fois vainqueur (1690-1693) et enleva à l'ennemi tant de drapeaux qu'il en gagna le surnom de «tapissier de Notre-Dame». Sur mer, après plusieurs succès, la flotte de Tourville fut battue à *la Hougue* (1692), sur la côte orientale du Cotentin, et les navires anglais et hollandais dominèrent la Méditerranée, mais le corsaire *Jean Bart* captura ou détruisit beaucoup de vaisseaux ennemis.

Après neuf ans de guerre, les adversaires, également épuisés, signèrent la *paix de Ryswick* — près de La Haye (1697). Louis XIV conserva Strasbourg et Sarrelouis, mais rendit presque tous les territoires qu'il avait annexés après le traité de Nimègue ; il reconnut même officiellement Guillaume III comme roi d'Angleterre. Anglais et Hollandais avaient su arrêter et même faire reculer la puissance française.

5. Le duc d'Anjou, roi d'Espagne.

Louis XIV avait conclu la paix de Ryswick pour mieux pouvoir régler l'affaire qui lui tenait au cœur depuis le début de son règne : la succession d'Espagne. Quand le roi *Charles II* ne serait plus, à qui allait échoir l'immense succession ? L'empereur Léopold Ier et Louis XIV étaient tous deux fils et maris de princesses espagnoles.

Avec beaucoup de modération, Louis XIV s'entendit en 1700 avec l'Angleterre et les Provinces-Unies pour que la succession passât à l'archiduc Charles, second fils de l'empereur Léopold. Seules les possessions de l'Espagne en Italie (Milanais, Naples et la Sicile) seraient données à Louis XIV, qui pourrait les échanger contre la Lorraine et la Savoie. Ainsi la succession d'Espagne achèverait l'unité territoriale de la France.

Mais les Espagnols ne voulaient pas que leur empire fût démembré. Convaincu que seul un prince français, soutenu par la puissance de Louis XIV, pourrait en maintenir l'intégrité, Charles II choisit pour héritier le *duc d'Anjou*, un petit-fils de Louis XIV. Un mois après il mourut (novembre 1700). Quand Louis XIV connut le testament, il hésita : devait-il accepter ou bien s'en tenir à l'accord avec l'Angleterre et les Provinces-Unies? Finalement, il accepta le testament de Charles II : le duc d'Anjou prit le titre de roi d'Espagne sous le nom de *Philippe V*. Tous les souverains, l'empereur excepté, le reconnurent.

Mais alors Louis XIV accumula les provocations comme à plaisir. Il garantit à Philippe V, pour certains cas, ses droits à la couronne de France : la France et l'Espagne pourraient ainsi être un jour réunies dans les mêmes mains. Puis, agissant au nom de son petit-fils, Louis XIV occupa les Pays-Bas. Dès lors, l'Angleterre et les Provinces-Unies passèrent aux côtés de l'empereur et s'engagèrent à donner la succession d'Espagne à son fils cadet, l'archiduc Charles (1701).

6. La guerre de succession d'Espagne.

La guerre devait durer treize ans. Ce fut la plus longue, la plus terrible du règne. Pour la première fois, la France allait subir de graves revers militaires. Elle comptait encore pourtant quelques bons généraux comme *Vendôme* et *Villars*, mais Louis XIV vieilli, devenu plus sensible à la flatterie, confia parfois de grands commandements à des courtisans incapables. D'autre part, les coalisés eurent deux grands hommes de guerre, l'Anglais *Marlborough* et le prince *Eugène de Savoie*, passé au service de l'empereur. Enfin, il fallut soutenir la lutte sur des fronts multiples, la France ayant à défendre, outre son propre territoire, l'Espagne et les possessions espagnoles d'Europe.

Les Anglais signèrent un traité d'alliance militaire et économique avec le Portugal (1703), puis ils s'emparèrent de *Gibraltar* et de l'île de *Minorque* (l'une des Baléares); enfin, ils occupèrent une partie de l'Espagne. Pendant ce temps, les Français étaient chassés des Pays-Bas, après la défaite de *Ramillies* (1706), puis même de la Flandre française après celle de

Malplaquet (1709). Le terrible hiver de 1708-1709 mit le comble à la misère. Louis XIV s'humilia, implora la paix, mais les Hollandais exigèrent qu'il aidât lui-même les Alliés à mettre l'archiduc Charles sur le trône de Madrid à la place de Philippe V. Indigné, Louis XIV refusa et fit appel à ses sujets, qui, en un grand sursaut de patriotisme, lui donnèrent sans compter soldats et argent.

La France fut sauvée par deux victoires et un revirement de la politique anglaise. Au Sud, Vendôme chassa les Austro-Anglais d'Espagne (1710); au Nord, Villars, par le succès de *Denain*, brisa net l'offensive que préparait le prince Eugène en direction de Paris (1712). D'autre part, l'empereur Joseph Ier étant mort, son frère, l'archiduc Charles, lui succéda comme empereur (1711) : or l'Angleterre ne voulait pas plus de la réunion des couronnes d'Espagne et d'Autriche qu'elle ne voulait de la réunion des couronnes d'Espagne et de France. Elle se retira de la coalition (1712). Dès lors la paix était en vue.

7. La paix d'Utrecht.

Elle fut signée à Utrecht en 1713 (l'empereur ne posa les armes que l'année suivante). En voici les principales clauses.

1° Philippe V gardait l'Espagne et ses colonies; il renonçait à tous ses droits à la couronne de France.

2° Les possessions espagnoles d'Europe furent données soit à l'empereur qui reçut les Pays-Bas, le Milanais, la Sardaigne et Naples, soit au duc de Savoie qui reçut la Sicile et prit le titre de roi[1].

3° L'Angleterre conserva Minorque et Gibraltar, clefs de la Méditerranée occidentale. En outre, elle se fit accorder, d'une part, le monopole de la traite des Noirs dans l'Amérique espagnole, d'autre part le droit d'envoyer chaque année dans la mer des Antilles un navire chargé de marchandises anglaises : ce *vaisseau de permission* allait légaliser en fait une contrebande permanente.

4° L'Angleterre contraignit la France à détruire les fortifications de Dunkerque, à renoncer en Amérique à l'Acadie et à

---

1. Peu après le duc de Savoie, qui possédait le Piémont, échangea la Sicile contre la Sardaigne.

Terre-Neuve, qui sont la porte d'entrée du Canada, et à ne plus commercer dans la baie d'Hudson.

La dynastie des Bourbons restait donc installée en Espagne et le royaume de France était intact. C'était là pour Louis XIV une victoire inespérée. Mais la France voyait sa prépondérance en Europe affaiblie. La vraie triomphatrice était l'Angleterre. Quant aux Provinces-Unies qui s'étaient montrées les adversaires acharnés de Louis XIV, elles sortaient de ces longues guerres très affaiblies économiquement et politiquement. Elles n'avaient reçu aux traités d'Utrecht aucun avantage, sinon le droit d'occuper dans les Pays-Bas autrichiens les *Places de la Barrière* : on appelait ainsi un certain nombre de places fortes, qui devaient protéger le pays contre une attaque éventuelle de la France.

8. La mort de Louis XIV.

Aux défaites politiques s'ajoutèrent pour Louis XIV de tragiques deuils privés. En trois ans, de 1711 à 1714, le roi perdit son fils — le Dauphin — puis le duc et le duchesse de Bourgogne et le duc de Berry, ses petits-enfants, enfin un de ses arrière-petits-fils. En 1715, l'héritier de la couronne était un fils de Bourgogne, âgé seulement de cinq ans, le futur Louis XV.

Louis XIV soutint tous ces deuils avec une rare fermeté d'âme. Au mois d'août 1715, il fut lui-même atteint de la gangrène. Il avait alors soixante-dix-sept ans. Il supporta les souffrances avec une maîtrise de soi qui fit l'admiration de tous. Il expira le 1er septembre 1715, après avoir dirigé personnellement les affaires du royaume pendant cinquante-quatre années de suite.

La Prusse, la Suède et la Turquie
à l'époque de Louis XIV

1. Les possessions des Hohenzollern vers 1660.

Les Hohenzollern étaient une petite famille princière de l'Allemagne du Sud-Ouest qui avait acquis, au début du XVe siècle, l'*électorat de Brandebourg*. Deux siècles plus tard ils recueillirent un double héritage : à l'Ouest le *duché de Clèves*, sur le Rhin à la frontière des Provinces-Unies (1609), à l'Est le *duché de Prusse (1618)* que le Grand Maître de l'Ordre Teutonique avait sécularisé à l'époque de Luther. Puis, aux traités de Westphalie, l'électeur Frédéric-Guillaume obtint la *Poméranie Orientale* sur la rive droite de l'Oder, l'archevêché de *Magdebourg* sur l'Elbe et l'évêché de *Minden* sur la Weser. Les Hohenzollern étaient désormais, après les Habsbourg, les plus grands seigneurs «terriens» de l'Allemagne.

A vrai dire, ce *Frédéric-Guillaume* (1640-1688) n'était pas encore un prince bien puissant. Ses possessions étaient dispersées du Rhin au Niémen et, le duché de Clèves excepté, elles étaient très pauvres : pays de landes, coupées de marais et d'étangs, avec de vastes étendues inhabitées. Le Brandebourg avait été affreusement ravagé pendant la guerre de Trente Ans, et la population y avait diminué des deux tiers. D'autre part, ces États disparates, réunis par le hasard des successions ou des guerres, ne formaient pas une nation : un habitant de Clèves ne se sentait rien de commun avec un habitant de Berlin ou de Kœnigsberg. Partout aussi le prince voyait son autorité limitée par des assemblées provinciales. Enfin Frédéric-Guillaume n'était pas un souverain indépendant : comme électeur de Brandebourg, duc de Clèves et de Poméranie, il était vassal de l'empereur ; comme duc de Prusse, il était vassal du roi de Pologne.

Ces circonstances expliquent la politique des Hohenzollern : ces territoires à moitié vides, fragmentés, de tendances particularistes, il fallait les peupler et les unifier, puis en faire un État souverain.

2. L'œuvre méthodique du Grand Électeur.

L'électeur Frédéric-Guillaume, ambitieux et tenace, se donna tout entier à cette triple tâche. Les résultats obtenus furent tels qu'il y gagna le surnom de *Grand Électeur.*

Au prix de luttes interminables avec les assemblées provinciales, il réussit à leur imposer son autorité, à nommer lui-même les fonctionnaires locaux et à lever des impôts permanents. Ces impôts servirent à entretenir une forte armée : Frédéric-Guillaume eut 25 000 soldats, dont beaucoup, d'ailleurs, étaient des étrangers.

Fort de sa puissance militaire, il s'allia, vers 1660, à la Pologne, alors en lutte avec la Suède. Il y gagna d'être reconnu duc *souverain* en Prusse, c'est-à-dire de n'être plus vassal du roi de Pologne. Au cours de la guerre de Hollande il battit les Suédois, mais, sur l'ordre de Louis XIV, il dut leur rendre les territoires qu'il leur avait enlevés.

Enfin, le Grand Électeur essaya de peupler ses États en y appelant des étrangers. Il fit venir des Hollandais, passés maîtres dans l'art d'assécher les marécages, et offrit un asile à tous ceux que les persécutions religieuses chassaient de leur patrie : luthériens tracassés dans le Palatinat calviniste, calvinistes tracassés dans la Saxe luthérienne, et surtout protestants français, après la Révocation de l'Édit de Nantes. Près de 25 000 Français s'établirent dans le Brandebourg, y apportèrent des cultures nouvelles et y développèrent l'industrie.

Ainsi le Grand Électeur avait ouvert la voie à ses successeurs : une administration centralisée, une active colonisation intérieure, une politique extérieure opportuniste, soutenue par une forte armée, tel fut, pour plus d'un siècle, le programme des Hohenzollern.

3. Frédéric Ier et l'acquisition de la couronne royale.

A cet accroissement de puissance allait correspondre un accroissement de dignité. Très vaniteux, le fils du Grand Électeur obtint de l'empereur le droit de se faire *roi en Prusse*, sous le nom de Frédéric Ier (1701). Désormais on n'appela plus les Hohenzollern que *rois de Prusse* et l'ensemble de leurs États fut désigné sous le nom de *royaume de Prusse*.

Quoiqu'elle ne comptât guère que deux millions de sujets, la maison royale des Hohenzollern s'élevait maintenant en dignité au-dessus de toutes les autres en Allemagne. Bientôt elle allait devenir la rivale de la maison des Habsbourg.

4. Charles XII, roi de Suède. Succès et chute.

Dans la première moitié du XVIIe siècle, la Suède, qui possédait déjà la Finlande et l'Esthonie, avait acquis, on l'a vu, de vastes territoires sur les rives de la mer Baltique : d'une part, l'Ingrie et la Livonie ; d'autre part, en Allemagne, le Poméranie occidentale. Lorsqu'en 1697 la couronne de Suède passa à un tout jeune homme de quinze ans, *Charles XII*, le roi de Danemark, le tsar de Russie *Pierre* (plus tard connu sous le nom de *Pierre le Grand*), le roi de Pologne *Auguste II* (qui était aussi électeur de Saxe) jugèrent l'occasion bonne pour attaquer la Suède (1700).

Mais Charles XII se révéla habile général. En quelques années il contraignit les Danois à la paix, battit les Russes à *Narva* et remplaça Auguste II par un noble polonais, *Stanislas Leczinski*.

Cependant le tsar réoccupa bientôt l'Ingrie et, dès 1703,

fonda sur la mer Baltique une ville nouvelle, *Pétersbourg* (aujourd'hui Leningrad). Charles XII se retourna contre lui ; mais, au lieu de marcher sur Moscou, il s'enfonça dans le Sud, vers l'Ukraine, parce qu'il comptait sur l'appui des Cosaques. Il ne l'obtint pas, subit une écrasante défaite devant la ville de *Poltava* (1709) et dut s'enfuir en Turquie. Pierre le Grand et ses alliés, le roi de Prusse et l'électeur de Hanovre, battirent encore à plusieurs reprises les Suédois, qui furent contraints de demander la paix (1720-1721).

Ils cédèrent à la Prusse une partie de la Poméranie occidentale avec la ville de Stettin ; au Hanovre, le principauté de Brême ; à la Russie la Livonie, l'Esthonie, l'Ingrie et la Carélie. *C'était la ruine de l'œuvre de Gustave-Adolphe.* Comme les Provinces-Unies, la Suède redevenait une Puissance de second rang.

5. Le recul des Turcs devant les Habsbourg.

Au même moment, l'empire ottoman subissait, lui aussi, un très grave échec.

Au milieu du XVIIe siècle, il présentait des symptômes de décadence — séditions militaires, intrigues de palais — mais sa force conquérante était loin d'être épuisée. Entre 1660 et 1680, les Turcs s'agrandirent en Hongrie aux dépens des Habsbourg, en Ukraine aux dépens des Polonais, dans la Méditérranée aux dépens des Vénitiens à qui ils arrachèrent l'île de Crète[1]. Mais quand, en 1683, ils mirent le siège devant Vienne, ils furent repoussés par l'armée du roi de Pologne *Sobieski*, accouru au secours de la ville.

La retraite des Turcs fut le signal d'une vaste coalition, qui unit contre eux les Autrichiens, les Polonais, les Vénitiens et plus tard les Russes. Après seize ans de luttes, le sultan fut contraint de signer la paix (1699) : il abandonna à Léopold d'Autriche presque toute la *Hongrie* ; au tsar Pierre le Grand, la ville d'*Azov* ; aux Vénitiens, la *Morée* (l'ancien Péloponèse) ; aux Polonais enfin, la partie de l'*Ukraine* qu'il leur avait enlevée.

---

1. Après la perte de la Crète, qui suivait celle de Chypre (1571) et celle de Rhodes (1522), la République de Venise cessa de jouer dans la Méditerranée le grand rôle qu'elle y jouait depuis la Quatrième Croisade (1204).

Pour la première fois depuis qu'ils étaient entrés en Europe au milieu du XIV⁰ siècle, les Turcs devaient renoncer à quelques-unes de leurs conquêtes. Vingt ans plus tard, le prince Eugène leur infligea une sanglante défaite. Au traité de *Pojarevats* (1718), le sultan dut céder aux Habsbourg le reste de la Hongrie, une partie de la Roumanie et de la Serbie (avec Belgrade). Du moins reprenait-il la Morée aux Vénitiens.

6. Trois États affaiblis, trois États fortifiés.

De ces longues luttes, trois Puissances sortaient affaiblies : non seulement la *Turquie* et la *Suède*, mais aussi la *Pologne*. Après la défaite de Charles XII à Poltava, le roi de Pologne Auguste II avait pu remonter sur son trône, mais il ne put reprendre la Livonie, que Gustave-Adolphe avait jadis arrachée à la Pologne : il dut la laisser au tsar. D'autre part, il se sentait menacé par les Hohenzollern : comment ceux-ci n'auraient-ils pas convoité la partie de la Pologne qui séparait la Poméranie orientale de la province de Prusse ?

Trois États, au contraire, s'étaient fortifiés : la *Prusse, la Russie*, qui s'était ouvert une immense «fenêtre» sur la Baltique, enfin l'*Autriche*. Celle-ci avait d'abord reconquis la Hongrie dont elle avait jadis perdu la plus grande partie en 1526. Déjà elle débordait sur la péninsule des Balkans et rêvait d'atteindre la mer Égée : ce serait pour elle une compensation à la perte de prestige que lui avaient fait subir en Allemagne les progrès de la Prusse. Mais, dans les Balkans, elle allait se heurter à la rivalité de la Russie que Pierre le Grand venait de transformer.

L'œuvre de Pierre le Grand

1. L'avènement des Romanov.

Durant le XVIe siècle, le prince le plus puissant de la Moscovie
fut *Ivan IV le Terrible* (1533-1584). Il prit pour la première fois
le titre de *tsar*[1]. enleva aux Tatars les régions du Don inférieur
et de la basse Volga, commença la colonisation de la Sibérie

Sa mort amena une longue période de crise, connue sous le
nom de *Temps des Troubles* : les grands seigneurs, ou *boïars*,
essayèrent de limiter le pouvoir du tsar, les paysans se soulevèrent, des imposteurs usurpèrent la couronne, les Polonais
envahirent la Russie et occupèrent Moscou. L'ordre ne fut
rétabli qu'avec l'avènement au trône, en 1613, de *Michel Romanov :* la dynastie des Romanov allait régner pendant trois
cents ans, jusqu'en 1917.

Au début du XVIIe siècle, la Russie (on disait plus souvent la
Moscovie) n'avait encore presque rien d'un État européen. Les
mœurs étaient grossières et cruelles. Du point de vue intellec-

1. Ce mot est une déformation du mot *César*.

tuel, les Russes étaient très en retard sur l'Europe occidentale :
encore, vers 1650, ils ne savaient pas faire une multiplication ou
une division, et ils regardaient comme un sacrilège d'utiliser les
chiffres arabes. D'autre part, les Polonais, les Suédois et les
Turcs avaient écarté les Russes de la mer Baltique et de la mer
Noire. La Russie ne touchait qu'à deux mers, l'une et l'autre
presque inutilisables : la mer Blanche, gelée une partie de
l'année, et la mer Caspienne, qui est une mer fermée et tout
asiatique.

2. Le règne d'Alexis, préface du règne de Pierre le Grand.

Les premières transformations se produisirent sous le règne
d'*Alexis* (1645-1676), fils de Michel Romanov. Au-dehors, le
tsar reprit aux Polonais une partie de la Russie blanche avec la
ville de Smolensk et une partie de l'Ukraine avec la ville de
Kiev. A l'intérieur, son règne fut marqué par trois grands faits.

D'une part, il acheva de réduire les boïars à l'obéissance et se
donna une forte armée permanente, les *streltsi*. D'autre part, il
établit définitivement le *servage* en Russie. Jusqu'alors, les
paysans avaient le droit de quitter leur maître pour s'engager au
service d'un autre : souvent même ils fuyaient vers les terres
encore inoccupées du Sud et s'y installaient comme colons. A
partir du début du XVIIᵉ siècle, ils furent fixés à leurs champs
et ils devinrent des *serfs*. L'établissement du servage favorisait
les intérêts des nobles et du tsar : les premiers pouvaient désormais compter sur une main-d'œuvre abondante pour cultiver
leurs terres, le second était assuré d'avoir toujours à sa disposition des contribuables et des soldats.

Enfin, les idées de l'Occident commencèrent alors à s'infil-
trer timidement à la Cour et chez quelques boïars. Sous le
règne d'Alexis et surtout sous celui de son fils, *Fédor* (1676-
1682), on vit paraître des traductions d'ouvrages étrangers ; la
tsarine osa assister à des représentations théâtrales. Des marchands et des aventuriers, venus d'Europe centrale et occidentale, s'établirent sinon à Moscou même, du moins dans un
faubourg. Ils contribuèrent à faire connaître à la Russie les
mœurs européennes. Bientôt un nouveau tsar, *Pierre le Grand*,
allait les lui imposer.

3. Les débuts de Pierre le Grand.

A la mort de Fédor (1682), son demi-frère, *Pierre*, enfant d'un deuxième mariage d'Alexis, fut proclamé tsar. Mais, comme il n'avait que dix ans, sa sœur Sophie devint régente. Laissé à lui-même, Pierre fréquenta les étrangers de Moscou : un charpentier hollandais lui construisit un bateau à voiles ; avec des enfants de son âge, il joua à la guerre et finit par posséder une petite armée organisée à l'européenne. Au bout de quelques années, il enleva le pouvoir à sa sœur et resta seul maître (1689). Il avait dix-sept ans.

Il montrait déjà une curiosité d'esprit insatiable, le désir de s'instruire de tout et très vite. Il s'intéressait avec passion aux choses pratiques et voulait introduire en Russie ce qui faisait la supériorité matérielle de l'Occident. Il pensait que l'avenir de sa patrie en dépendait. Convaincu de la grandeur de sa tâche, il s'y donna tout entier. Ce jeune colosse — il mesurait plus de deux mètres — d'une activité prodigieuse, d'humeur bizarre, sujet à des colères terribles et à des accès de cruauté féroce, était prêt à briser tous les obstacles.

Pierre commença par se donner une armée et une marine fortes. Puis il eut le désir de s'en servir. Il entra dans la coalition formée contre les Turcs et s'empara de la ville d'*Azov* (1696). Très fier de son succès, il décida alors de *visiter cette Europe* que ses amis étrangers lui avaient tant vantée. Il passa cinq mois en Hollande, trois mois en Angleterre, s'intéressant surtout à la construction des navires. Une grave révolte des streltsi (1697) le rappela brusquement à Moscou. Quand il y arriva, l'ordre était déjà complètement rétabli, mais Pierre voulut faire un exemple terrible : des centaines de révoltés furent torturés puis exécutés, parfois de ses propres mains.

Le tsar en profita pour imposer aux nobles quelques-uns des usages qu'il avait appris à connaître en Occident : il leur ordonna de se raser la barbe (ce qui pour les Russes était un sacrilège), de couper leurs longues manches, de porter l'habit à l'allemande ; il leur conseilla de fumer (autre sacrilège) ; il osa modifier le calendrier, faire commencer l'année en janvier au lieu de septembre et dater les événements non plus de la création du monde, mais de la naissance de Jésus-Christ. Les masses populaires, profondément attachées aux vieilles habitudes, s'effaraient, croyaient voir dans le tsar l'Antéchrist[1]. Mais lui ne se souciait guère des protestations : déjà il était tout entier à ses projets contre la Suède.

4. La fenêtre sur la Baltique.

On a vu comment Pierre le Grand, d'abord vaincu par les Suédois, les avait ensuite écrasés à Poltava et avait acquis, en 1721, les côtes de la mer Baltique entre la Finlande et la Pologne. Il s'était ainsi, comme il le disait lui-même, «ouvert une fenêtre sur la Baltique».

La Russie était maintenant une grande puissance. On avait vu ses troupes s'avancer au cœur de l'Allemagne, jusqu'à l'Elbe, pour en chasser les Suédois. Déjà le roi de Prusse proposait au tsar un partage de la Pologne. Avant même la fin de la guerre, en 1716-1717, Pierre avait fait un deuxième voyage en Occident ; mais ce n'était plus, comme en 1697, un prince qui venait incognito se mettre à l'école des autres nations, c'était un vainqueur, qui proposait même à la France son alliance.

5. Les réformes de Pierre le Grand.

Alors seulement, après son triomphe sur la Suède, Pierre le Grand essaya de transformer l'organisation de son empire. Il entreprit ses réformes *sans plan préconçu*, s'inspirant au jour le jour des projets que lui présentaient ses collaborateurs étrangers. Il essaya d'adapter à son pays certaines institutions françaises, hollandaises, suédoises. Mais, comme il laissait subsister en même temps les anciens organes administratifs, son œuvre donne une *impression de confusion*.

Pierre le Grand exigea de la noblesse des boïars qu'elle se mît entièrement au service de l'État. Désormais ne purent être nobles que les fonctionnaires et les officiers, mais tous ceux qui faisaient partie de l'administration et de l'armée le furent. A cette *noblesse de service*, le tsar donna d'ailleurs des avantages considérables, mais il eut souvent à lui reprocher sa paresse, sa vénalité, sa brutalité à l'égard des petits et sa servilité à l'égard

1. Ce mot, qui signifie *Ennemi du Christ*, désigne dans l'Apocalypse un personnage qui, peu avant le Jugement dernier, déchainera sur la terre les guerres et les meurtres.

des puissants. Pierre le Grand institua à côté de lui un *Sénat* qui eut la haute main sur l'administration, la justice et les finances : il créa plusieurs *collèges*, qui tenaient lieu de ministères.

En fait, ce qui l'intéressait surtout, c'était l'armée et la marine. Pour ses dépenses militaires, il lui fallait de l'argent : il augmenta donc les impôts. Pour que ses sujets puissent les payer, *il essaya de les enrichir*. A l'instar de Colbert, le tsar favorisa les industriels et les commerçants : il leur fournit une main-d'œuvre abondante de serfs ou même de condamnés de droit commun, il leur alloua des subventions, parfois même il les anoblit. Il encouragea l'exploitation des mines d'or, de cuivre, de fer, il fit creuser des canaux, protégea les foires de Moscou et d'Astrakhan, aménagea enfin et peupla *Saint-Pétersbourg* : la ville, où les premiers travaux avaient commencé en 1703, comptait 100 000 habitants à la fin du règne et elle était devenue non seulement la nouvelle capitale de la Russie, mais encore le grand port de commerce, à la place d'Arkhangelsk. Malheureusement, en dépit des efforts d'ingénieurs appelés d'Allemagne ou de Suède, les connaissances techniques les plus élémentaires manquaient souvent aux patrons et aux ouvriers.

Pierre le Grand avait senti dès le début combien le clergé, attaché aux traditions, était opposé à ses réformes. L'Église russe avait à sa tête un patriarche. Lorsque celui-ci mourut, en 1700, le tsar ne lui donna pas de successeur. Quand, en 1721, il institua les collèges, il confia à l'un d'eux, composé de neuf évêques et appelé le *Saint Synode*, la direction du clergé, mais il prit soin de s'y faire représenter par un fonctionnaire laïc, le «procureur», qui en fait dirigea l'Église de Russie.

6. Les résistances.

Ces réformes se heurtaient à l'hostilité d'une grande partie des boïars et du peuple tout entier. Les adversaires de Pierre le Grand plaçaient leurs espoirs dans son fils *Alexis*. Ignorant et paresseux, élevé dans un cercle d'ecclésiastiques très opposés aux idées nouvelles, le prince héritier (on disait le *tsarevitch*) ne dissimulait pas qu'à son avènement au trône il détruirait tout ce qu'avait fait son père : on disait même qu'il restituerait les pays conquis sur la Suède. Le tsar enleva d'abord à Alexis tout droit à la couronne, puis il le fit juger et condamner à mort. Le tsarevitch mourut des suites de la torture qui lui fut infligée dans sa prison (1718).

Pierre n'en sentait pas moins combien ses réformes étaient fragmentaires, confuses, toutes en surface. L'opposition se cachait, mais restait forte. Qui continuerait l'œuvre commencée ? Pierre mourut (1725) sans avoir eu le temps de désigner son successeur.

La France sous le règne de Louis XV

1. La Régence, époque de réaction contre le règne de Louis XIV.

Louis XIV laissait pour successeur un enfant de cinq ans, orphelin, son arrière-petit-fils Louis XV. Par testament, il avait confié la présidence du Conseil de Régence à son neveu, le duc *Philippe d'Orléans*, mais sans lui donner tout le pouvoir. A l'exemple d'Anne d'Autriche, le duc demanda au Parlement de Paris de casser le testament du feu roi et se fit attribuer le titre de *Régent* avec pleine et entière autorité. On appelle *Régence* la période de huit années (1715-1723) où le royaume fut gouverné par le Régent.

La Régence fut marquée par une *violente réaction contre tout ce qui avait caractérisé la fin du règne précédent.* Versailles fut provisoirement délaissé et la Cour s'établit à Paris. Après les années moroses où ils avaient dû, pour plaire à Louis XIV, se donner une attitude de dévotion, les courtisans voulurent prendre leur revanche. La Régence fut, à Paris surtout, une époque de plaisirs, de fêtes et d'impiété, le Régent donnant l'exemple. Le Parlement de Paris exerça de nouveau son droit de remontrance. Les Jansénistes emprisonnés furent mis en liberté et les Jésuites disgraciés. Enfin le Contrôleur Général et les Secrétaires d'État furent remplacés par des *Conseils*, recrutés principalement dans la haute noblesse : cette innovation ne dura d'ailleurs que quelques années.

Les nouveautés les plus audacieuses s'étaient faites dans les finances.

2. La crise financière et le système de Law.

A la mort de Louis XIV, le gouvernement était acculé à la banqueroute. Le Trésor était vide et les revenus des deux années suivantes étaient déjà dépensés. En désespoir de cause, le Régent prêta l'oreille aux propositions séduisantes de l'Écossais *John Law*[1].

Law avait étudié le fonctionnement des banques en Angleterre, en Hollande, en Italie, et il avait conçu un système hardi. Un pays, disait-il, est d'autant plus riche qu'il fait plus de commerce et possède plus de monnaie. Or la monnaie la plus commode est la monnaie de papier. L'État doit se faire banquier et émettre, sous le nom de *billets de banque*, du papier monnaie que l'on pourra d'ailleurs échanger contre de l'or ou de l'argent. L'État doit aussi se faire commerçant : les bénéfices qu'il réalisera lui permettront de rembourser la Dette.

Le Régent ne permit d'abord à Law que de fonder une banque *privée* (1716). La banque fit de si bonnes affaires qu'en 1718 elle fut reconnue *Banque d'État*. Law voulut alors qu'elle se substituât aux «traitants» pour la levée des impôts indirects et qu'elle dirigeât tout le commerce extérieur de la France. Pour mettre en valeur les colonies, elle lança des emprunts, et, comme elle promettait des dividendes très élevés, tout le monde voulut avoir des actions. Leur prix naturellement monta : on en vint à payer 20 000 livres des actions de 500 livres.

Mais la confiance du public dans la banque disparut dès le premier paiement des dividendes : les bénéfices furent en effet infimes, d'autant qu'on avait acheté les actions à un prix fort élevé. On se mit donc à vendre les actions, et leur valeur baissa. Pris de peur, le public perdit aussi confiance dans les billets et exigea leur remboursement en or et en argent. Mais la valeur des billets émis dépassait de beaucoup l'encaisse de la banque. Il fallut donner *cours forcé* aux billets, c'est-à-dire interdire au

1. Prononcer : *Lass*.

possesseurs de billets de se les faire rembourser. De là une formidable panique (1720). La banque fit faillite. Law, qui venait d'être nommé Contrôleur Général, s'enfuit.

Le système avait donc échoué. Il eut pourtant quelques bons résultats : la Dette avait été un peu diminuée et le commerce maritime avait reçu une vive impulsion. En revanche, la folle spéculation à laquelle s'étaient livrées des milliers de personnes, riches ou pauvres, nobles ou roturiers, démoralisa la nation. Enfin la confiance du public dans les banques fut pour longtemps détruite en France.

3. Le ministère réparateur de Fleury.

Au début de 1723, Louis XV, devenu majeur, fut déclaré roi. Mais, jusqu'en 1743, il se déchargea du pouvoir, d'abord sur le Régent, qui mourut quelques mois plus tard, puis sur le *duc de Bourbon*, qui négocia le mariage du roi avec *Marie Leczinska* (fille de Stanislas Leczinski, que Charles XII avait fait roi de Pologne), enfin sur son ancien précepteur, bientôt nommé cardinal, *Fleury* (1726).

Fleury voulait une politique de paix et tranquillité qui pût favoriser l'enrichissement de la France. On fixa en 1726 la valeur de la *livre* et la monnaie resta stable jusqu'en 1790. On réussit, en 1739, à équilibrer le budget, c'est-à-dire à trouver des ressources égales aux dépenses. La création de routes favorisa le développement du commerce intérieur, pendant que le commerce maritime continuait à suivre l'impulsion donnée par le système de Law. Les intendants remplissaient leur tâche avec conscience, équité et bienveillance : jamais sans doute la France ne fut mieux administrée que de 1730 à 1789. La population passa d'environ 19 millions d'habitants en 1715 à 23 millions en 1750.

Malheureusement, Fleury allait se heurter à une double agitation : celle des Jansénistes et celle des Parlementaires. Elles étaient liées l'une à l'autre. Jansénistes et Parlementaires haïssaient également la bulle *Unigenitus :* les premiers parce qu'elle les condamnait ; les seconds parce qu'ils lui reprochaient d'avoir été imposée par le pape à la France, au mépris des «libertés gallicanes». Les esprits étaient surexcités à un point

tel que des scènes d'exaltation religieuse eurent lieu sur la
tombe du Janséniste *Pâris*, au cimetière Saint-Médard (1729-
1732). Le Parlement de Paris se mit en grève, démissionna.
Fleury exila d'abord les Parlementaires, puis les rappela et,
après des concessions réciproques, la paix fut provisoirement
rétablie.

4. Le roi Louis XV. Espoirs et déception.

A la mort de Fleury (1743), on crut que Louis XV allait enfin
gouverner par lui-même. Les premiers actes du roi semblèrent
montrer qu'il y était disposé. A ce moment, les Autrichiens
envahissaient la Lorraine (1744) : Louis XV y courut pour
organiser la résistance. Brusquement, il tomba gravement malade. Dans tout le royaume, spontanément, ses sujets témoignèrent de leur amour pour celui qu'on appela *Louis le Bien-
Aimé*. Le roi guérit, mais déçut leur espoir.

Louis XV avait de l'esprit et du bon sens ; il voyait ce qu'il
devait faire, mais, à la fois indolent et timide, il manquait de
volonté et de confiance en soi. Au lieu d'exercer lui-même le
métier de roi, il l'abandonna à ses ministres ou à ses favorites ;
pendant près de vingt ans (1745-1764), *la marquise de Pompa-
dour* joua dans l'État un grand rôle. Faute d'une direction
ferme, le gouvernement alla à la dérive ; les pensions, les fêtes,
les constructions aggravèrent sans cesse le déficit.

Quelques bons ministres tentèrent cependant de faire des
réformes, mais, abandonnés par le roi, ils échouèrent. *Machault*, ancien intendant, qui fut contrôleur général de 1745 à
1754, voulut établir l'égalité devant l'impôt en levant sur tous,
privilégiés comme roturiers, une contribution du *vingtième* des
revenus. Les Parlements, les États provinciaux, l'Assemblée du
Clergé protestèrent, organisèrent même de véritables émeutes.
Le roi prit d'abord parti pour Machault, employa la force
contre les rebelles ; mais il retomba vite dans son apathie et
renvoya Machault. *L'égoïsme de la Cour et les privilégiés empêchait toute réforme*. Cette reculade de Louis XV devant la
révolte des privilégiés le rendit fort impopulaire dans le peuple.
E 1 1750, des Parisiens parlaient de marcher sur Versailles et de
mettre le feu au château. En 1757, un exalté, le valet de

chambre *Damiens*, frappa le roi d'un coup de canif, «pour le rappeler à ses devoirs».

En même temps, l'apathie et la passivité de Louis XV eurent pour contrecoup la *hardiesse croissante des Parlements*. Ceux-ci profitèrent des difficultés financières et des querelles religieuses, sans cesse renaissantes, pour critiquer âprement l'absolutisme monarchique et revendiquer, comme au temps de la Fronde, un droit de contrôle sur le gouvernement. Parlement de Paris et Parlements de province, intimement unis, entretinrent l'agitation et contribuèrent à créer dans tout le royaume un *état d'esprit «révolutionnaire»*. *Le duc de Choiseul* qui, de 1758 à 1770, fut le ministre le plus influent, n'osa pas entrer en lutte ouverte avec eux. Ils en profitèrent pour accentuer leur opposition, forçant la main au roi ou même se rebellant ouvertement contre lui.

5. La suppression de la Compagnie de Jésus.

Les Parlementaires, qui étaient gallicans, s'étaient toujours montrés adversaires acharnés des Jésuites, qui étaient ultramontains. En 1764 ils imposèrent à Louis XV la suppression de la Compagnie de Jésus.

L'occasion en fut le procès du *Père la Valette*. Ce Jésuite avait fait de mauvaises affaires aux Antilles. Ses créanciers se portèrent partie civile contre la Compagnie et celle-ci fut condamnée à les rembourser. A cette occasion, le Parlement de Paris examina les «Constitutions» de la Compagnie, les déclara «contraires aux lois du royaume» et conclut que la Société devait être dissoute en France : les Jésuites ne pourraient rester dans le royaume qu'à titre de simples prêtres, directement soumis aux évêques. Les autres Parlements prirent des décisions analogues.

Louis XV aurait voulu sauver la Société. Il demanda au pape de modifier les passages des «Constitutions» qui étaient contraires aux «lois du royaume». Le général des Jésuites aurait, dit-on, répondu : «Qu'elles soient comme elles sont, ou qu'elles ne soient pas.» D'autre part, Choiseul pensait acheter la docilité des Parlementaires en leur livrant les Jésuites. Après deux ans de résistance, le roi céda : *la Société de Jésus fut abolie en France* (1764).

Les autres princes Bourbons — ceux d'Espagne, de Parme, des Deux-Siciles — suivirent son exemple. Puis ils se mirent d'accord avec Louis XV pour exiger du pape la *suppression de la Compagnie dans le monde catholique tout entier* (1773). La Compagnie de Jésus ne se reconstitua qu'au début du XIXe siècle.

6. Révolte des Parlements et réforme de Maupeou.

Cette victoire enhardit les Parlementaires, d'autant que l'issue désastreuse de la guerre de Sept Ans portait un nouveau coup au prestige du gouvernement. Durant six années (1765-1771), ils tinrent tête au roi. Puis, brusquement, l'initiative d'un ministre énergique les brisa.

Un impôt nouveau établi sans l'approbation des États provinciaux de Bretagne, la rivalité d'un magistrat de Rennes, *La Chalotais*, et du représentant du roi dans la province, le *duc d'Aiguillon*, enfin l'arrestation de La Chalotais furent l'occasion d'une révolte du Parlement de Rennes, bientôt soutenu par tous les autres (1765). Les Parlementaires présentèrent des remontrances de plus en plus violentes, firent grève, envoyèrent leurs démissions collectives. Finalement, le Parlement de Paris inculpa d'illégalité le duc d'Aiguillon et lui fit son procès en dépit de l'interdiction du roi (1770). *Pour une fois, Louis XV s'obstina.* Il renvoya Choiseul, qu'il jugeait trop faible à l'égard des Parlementaires, et choisit pour chancelier un homme autoritaire, *Maupeou* (1770).

Bien qu'ancien magistrat lui-même, Maupeou prit parti contre ses collègues. Le Parlement de Paris s'étant mis en grève une fois de plus, Maupeou résolut d'agir. Dans la nuit du 20 au 21 janvier 1771, il envoya un mousquetaire demander à chaque parlementaire de répondre sur-le-champ, par *oui* ou par *non*, s'il était décidé à reprendre son service. Presque tous refusèrent. Ils perdirent leurs charges et furent exilés.

Puis Maupeou fit une réforme devant laquelle tous ses prédécesseurs avaient reculé. *La vénalité des charges judiciaires fut abolie.* Les juges seraient désormais des fonctionnaires rétribués par l'État et il leur serait interdit de recevoir des *épices :* on appelait ainsi les redevances que les plaideurs payaient à leurs juges. Pour accélérer la justice dans le ressort immense du Parlement de Paris, Maupeou institua, à côté du Parlement, *six Conseils supérieurs :* chacun jugeait sans appel dans le ressort qui lui était attribué. Les Parlements conservaient le droit de remontrance, mais limité.

Cette réforme, d'une importance capitale, fut acceptée assez facilement. Il avait suffi d'un geste énergique du gouvernement pour que la noblesse de robe fût matée.

7. Mort de Louis XV.

La royauté n'en était pas moins tombée dans un profond discrédit : au-dehors, les affaires de Pologne et de Turquie marquaient le déclin de l'influence française ; au-dedans, l'abbé *Terray,* nommé Contrôleur général en 1770, en était réduit aux pires expédients, pour ne pas dire à la banqueroute, d'autant que la nouvelle favorite, la *Comtesse du Barry,* dépensait sans compter. Le mécontentement augmentait, surtout à Paris. Quand Louis XV mourut (mai 1774), on n'osa pas lui faire de funérailles publiques : c'est de nuit, à travers le bois de Boulogne, que l'on conduisit son corps à la sépulture de Saint-Denis.

L'Angleterre au XVIIIᵉ siècle

1. La dynastie hanovrienne.

A la mort de la reine Anne (1714), et en vertu de l'Acte d'Établissement, l'électeur de Hanovre devint roi d'Angleterre, sous le nom de *George Iᵉʳ*. Cependant beaucoup de tories restaient *jacobites*, c'est-à-dire partisans de Jacques Stuart, fils de Jacques II. Les plus ardents parmi eux se soulevèrent deux fois (1715 et 1746), mais ils furent écrasés. Vers 1760, le parti jacobite avait disparu.

Les premiers rois hanovriens furent *George Iᵉʳ* (1714-1727), *George II* (1727-1760) et *George III* (1760-1820). Jusque vers 1789, l'histoire intérieure de l'Angleterre fut marquée par trois faits principaux : l'importance croissante du Parlement ; de grandes transformations économiques et sociales ; un renouveau de la vie religieuse.

2. Le Parlement anglais.

Le Parlement restait organisé comme il l'était au XVIIᵉ siècle. La Chambre des Lords comprenait des membres dont la dignité était héréditaire. La Chambre des Communes était élue par les électeurs des comtés et des bourgs. Les électeurs ne votaient d'ailleurs pas librement ; ils subissaient presque toujours, soit par intimidation, soit par corruption, l'influence d'un riche propriétaire du voisinage qui leur imposait son candidat. Le cas était particulièrement fréquent dans les bourgs sans importance, appelés bourgs de poche ou *bourgs pourris*. De même, à la Chambre, les députés se groupaient autour d'un personnage influent qu'on appelait le «patron» et dont ils constituaient les «amis». Il y avait ainsi les «amis» du roi, les «amis» des ministres, les «amis» de tel ou tel lord.

Dans ces conditions, la politique des ministres consistait à rallier à eux le plus grand nombre possible d'«amis». Pour se les attacher, ils leur faisaient attribuer par le roi des fonctions, des grades dans l'armée, des pensions, des monopoles ou même simplement de l'argent. Cette «corruption» (les Anglais disent : ce «patronage») était admise par tout le monde.

3. Premiers pas vers le régime parlementaire.

Le régime parlementaire, tel qu'il est aujourd'hui pratiqué en Angleterre et dans un certain nombre d'autres États, se caractérise par deux traits : 1° les ministres sont choisis dans le parti qui a la majorité au Parlement et ils forment un *cabinet*, que dirige l'un d'entre eux, sous le nom de Premier Ministre ; 2° ils dépendent non du chef de l'État (qui ne peut les renvoyer), mais uniquement du Parlement : s'ils y sont mis en minorité sur une question importante, ils doivent tous ensemble donner leur démission.

Un tel régime était tout à fait inconnu en Angleterre au début du XVIIIe siècle. Même après la Révolution de 1688, le roi conservait des pouvoirs très étendus. Il dirigeait seul l'administration et la diplomatie, il nommait et révoquait les ministres à sa guise. Ceux-ci n'étaient pas solidaires les uns des autres et aucun d'eux n'était supérieur à ses collègues. Cependant, sous George Ier et George II, on en vint peu à peu à *s'engager timidement dans la voie du régime parlementaire*.

Ni George Ier ni George II ne parlaient l'anglais : ils ne pouvaient donc présider les réunions des ministres. Mais l'un de ceux-ci leur en rendait compte, soit en français, soit en latin, et faisait connaître à ses collègues les vues du souverain. Pendant plus de vingt ans (1721-1742), *Walpole* remplit ce rôle d'intermédiaire et, sans en prendre le titre, il fit figure de Premier ministre. Comme, d'autre part, il était autoritaire, il faisait renvoyer par le roi ceux de ses collègues qui ne partageaient pas ses idées. Ainsi se forma, non pas officiellement mais en fait, un cabinet homogène, choisi et présidé par Walpole.

En même temps, Walpole — et c'était une grande nouveauté — affirmait que les ministres doivent posséder non seulement la confiance du roi, mais aussi celle du Parlement. Lorsque la majorité des députés lui reprocha sa politique pacifique à l'égard de la France, Walpole démissionna, *quoiqu'il eût encore la confiance de George II*. Ainsi apparaissait le second principe du régime parlementaire.

Quinze ans plus tard, on put noter un nouveau progrès. En 1757, alors que l'Angleterre venait de subir de graves échecs dans la guerre contre la France, il y eut dans l'opinion publique un grand sursaut national et elle imposa au roi la nomination au ministère de *William Pitt*. Par son éloquence, sa scrupuleuse honnêteté et, plus encore, par son ardent patriotisme et la foi qu'il avait dans les destinées de son pays, Pitt était devenu l'homme politique le plus populaire d'Angleterre. George II dut se résigner à lui confier la direction de la Guerre et des Affaires étrangères, malgré l'antipathie qu'il avait pour ce caractère indépendant et impérieux. Les quatre ans que Pitt resta au pouvoir furent marqués par le triomphe de l'Angleterre sur mer, au Canada et dans l'Inde. Mais le nouveau roi George III (1760-1820) supportait mal d'être mis en tutelle par son ministre et il le contraignit à démissionner (1761).

4. La tentative de George III. L'affaire Wilkes.

Né et élevé en Angleterre, *George III* était en effet très jaloux de son autorité. Il voulut en revenir aux usages de Guillaume III, c'est-à-dire gouverner par lui-même et imposer aux ministres sa politique personnelle. Son attitude n'avait rien d'illégal.

Comme il fallait tout de même compter avec le Parlement, il acheta sans vergogne électeurs et députés. Sur ce point non plus il n'innovait pas. Quand, après avoir essayé plusieurs hommes politiques, il eut trouvé en *Lord North* un ministre docile, il crut avoir cause gagnée (1770). Mais cette tentative de rétablir, selon la tradition, le pouvoir personnel du roi échoua pour deux raisons : d'une part l'affaire Wilkes, d'autre part la guerre d'Amérique.

Le député *Wilkes* avait été arrêté à la suite de violentes attaques que, dans un journal, il avait lancées contre la politique du roi. Beaucoup d'Anglais considérèrent que l'arrestation était injuste, parce que le gouvernement avait violé les deux principes de l'immunité parlementaire et de la liberté de la presse. Puis, aux élections de 1768, Wilkes fut réélu ; mais, sur l'ordre du roi, la Chambre l'invalida, c'est-à-dire déclara son élection nulle. Élu une seconde fois, il fut à nouveau invalidé. Cette décision causa une énorme émotion dans tout le pays. Des pamphlets violents reprochèrent à la fois au roi et à la Chambre de ne pas tenir compte du droit des électeurs de choisir le candidat qui leur plaisait. Pour pouvoir surveiller dans une certaine mesure les députés, l'opinion publique imposa au Parlement en 1770 une loi permettant aux journalistes de publier les comptes rendus des séances parlementaires. Quelques grands journaux, comme le *Times*, se fondèrent alors. *Le développement de la presse fut une conséquence de l'importance grandissante de l'opinion publique.*

5. Échec de George III.

L'autorité du roi, déjà affaiblie par l'affaire Wilkes, le fut encore davantage quand il fallut, en 1782, reconnaître l'indépendance des colonies anglaises révoltées : par son refus d'accorder aucune concession aux colons, George III était en effet, plus que quiconque, responsable de l'échec de l'Angleterre. Devant le mécontentement général, il dut prendre pour ministre l'un des chefs de l'opposition (1782). Celui-ci osa former le cabinet sans même demander au roi son accord préalable.

Le régime parlementaire allait-il donc s'établir en Angleterre ? On en était encore loin. George III lança contre le nouveau ministère une campagne très violente (une pareille attitude serait aujourd'hui considérée, dans le régime parlementaire, comme déloyale). Il réussit à le faire tomber ; puis, contre le désir de la Chambre des Communes, il appela au pouvoir un tout jeune homme, le fils de William Pitt, le *second Pitt*[1] (1783). Mis seize fois en minorité, Pitt refusa chaque fois de démissionner. Il fit ensuite dissoudre la Chambre et, dans les nouvelles élections, la corruption joua un rôle scandaleux. Il semblait donc que George III l'emportât.

Mais Pitt, comme Walpole, voulait s'appuyer à la fois sur le roi et sur le Parlement, et même (ce à quoi Walpole n'avait jamais songé) sur l'opinion publique, dont l'affaire Wilkes avait montré l'importance. *Plus encore que Walpole, Pitt, dans son long ministère de dix-huit années, allait orienter son pays vers l'application du régime parlementaire.*

6. Les transformations dans l'agriculture.

En même temps que ces nouveautés apparaissaient dans la vie politique, la vie économique se modifiait profondément. Jusque-là pays agricole, où prédominait la moyenne propriété, l'Angleterre devint, au cours du XVIIIe siècle, un pays de grande propriété, d'agriculture rénovée, d'élevage soigné, enfin de grande industrie.

A la suite des progrès de la médecine, de la fondation de nombreux hôpitaux et des mesures d'hygiène prises par les municipalités, la population de la Grande-Bretagne passa de 6 millions et demi d'habitants en 1714 à 9 millions en 1789. L'accroissement de la population exigeant plus de blé et de viande, les propriétaires essayèrent d'obtenir des *rendements meilleurs*. Ils desséchèrent les marais, essartèrent les régions boisées et mirent en valeur des terres restées jusqu'alors incultes. Ils firent disparaître la jachère en utilisant plus judicieusement les engrais, en introduisant les plantes fourragères (trèfle, luzerne, sainfoin) et les plantes à racines comme le navet. Ils comprirent aussi l'importance d'un *élevage rationnel* : ils apprirent à élever scientifiquement les animaux, à augmenter leur poids de viande, à croiser les races pour obtenir

---

1. Son père, qu'on appelle le *premier Pitt*, est aussi connu sous le nom de *Lord Chatham*, titre qu'il porta après que George III l'eut nommé lord, en 1766.

des bêtes sélectionnées. L'élevage devint pour l'agriculture un concurrent redoutable. *Beaucoup de champs furent convertis en pâturages.* A partir de 1770, l'Angleterre, jusqu'alors grande exportatrice de blé, commença à en importer.

Ces *progrès agronomiques s'accompagnèrent de mesures très défavorables aux petits propriétaires.* On vit, surtout à partir de 1760, les riches gentilshommes clôturer leurs champs, accaparer les communaux, contraindre parfois leur voisin sans défense à leur vendre à vil prix sa parcelle. Ainsi se réalisa une rapide *concentration de la terre* entre les mains d'un petit nombre de très grands propriétaires. Beaucoup de paysans, jusque-là aisés, ne furent plus que fermiers ou métayers sur le domaine qu'ils possédaient autrefois. D'autres, plus malheureux, ne trouvèrent même plus à s'employer à la campagne, car bien des terres cultivées avaient été transformées en pâturages. Ils émigrèrent vers les villes où justement l'industrie réclamait alors une main-d'œuvre abondante.

7. Commerce et industrie.

Pendant ce temps, le commerce par mer continuait ses progrès. Les navires anglais allaient chercher les fourrures du Canada, le riz, l'indigo, le rhum de la Jamaïque ou de la côte orientale des États-Unis actuels, le coton du Brésil, les porcelaines d'Extrême-Orient, les mousselines et les cotonnades (qu'on appelait *indiennes)* de l'Inde ; ils transportaient aussi des esclaves d'Afrique dans les colonies espagnoles et anglaises d'Amérique. Aux ports de Londres et de Bristol s'ajouta, à partir du milieu du XVIIIe siècle, celui de *Liverpool.*

L'industrie textile profita de cet essor du commerce. Jusquelà, les Anglais travaillaient surtout la laine ; désormais, ils fabriquèrent également des *cotonnades* dans la région de *Manchester,* à proximité du port de Liverpool, où arrivait le coton. En même temps, une série de *perfectionnements techniques* augmenta la production : on inventa des métiers à filer et à tisser, qui produisirent davantage, plus vite et à moindres frais. *Le machinisme apparut.*

L'industrie métallurgique prit, elle aussi, un développement considérable. Pour remplacer le bois, on employa de plus en plus la *houille*. La mise en exploitation des très riches gisements houillers de l'Angleterre et de l'Écosse et l'exportation de la houille devinrent dès lors l'un des traits essentiels de la richesse économique de la Grande-Bretagne. Le travail du *fer* profita aussi de progrès techniques : pour fondre le minerai on utilisa le *coke* et le procédé du *puddlage* permit de mieux transformer la fonte en acier. *L'essor de la métallurgie* anglaise commença vers 1780 : on construisit alors les premiers ponts en fer, les premières péniches en fer, et la ville de Birmingham se développa rapidement.

Enfin, un dernier perfectionnement technique, d'une importance exceptionnelle, vint révolutionner les conditions de tout le travail industriel. L'Écossais *Watt* améliora la machine de Newcomen et mit au point, entre 1780 et 1789, la *machine à vapeur*.

Ces progrès techniques, l'usage plus fréquent de la houille, l'emploi de la vapeur, le développement du machinisme déterminèrent ce qu'on appelle la *Révolution industrielle* et donnèrent pour un siècle à l'industrie anglaise la suprématie sur tous ses concurrents.

8. Conséquences sociales.

La révolution industrielle s'accompagna d'une grave transformation sociale. Le développement du commerce, de l'industrie et de l'agriculture enrichit prodigieusement la Grande-Bretagne. La quantité d'argent qui circulait dans le pays augmenta : de nombreuses banques se fondèrent qui prêtèrent aux hommes d'affaires, à des conditions très favorables pour eux, les fonds dont ils avaient besoin. Une classe de *grands industriels* apparut : jusqu'alors, on ne trouvait de gens très riches que parmi les propriétaires, les commerçants ou les banquiers ; on en trouva désormais parmi les industriels. Les hommes d'argent ne s'opposaient pas d'ailleurs aux propriétaires ; ils achetaient, eux aussi, de la terre, car la possession d'un vaste domaine était alors le seul moyen de faire partie de l'aristocratie — et aussi de pouvoir être élu à la Chambre des Communes.

En face des riches se développa en revanche une *plèbe ouvrière*, de plus en plus nombreuse et misérable. Dans l'industrie textile, le travail à domicile restait encore le plus fréquent, mais, de plus en plus, on vit s'élever des usines qui employaient des centaines de travailleurs. A la vieille Angleterre du Sud-Est, agricole et pastorale, s'opposa désormais l'Angleterre du Centre et du Nord, le pays de la houille, des usines et du ciel enfumé, ce qu'on appela le *pays noir*. Les patrons surent utiliser au mieux de leurs intérêts l'arrivée des milliers de petits cultivateurs qui, ne pouvant plus vivre à la campagne, émigraient dans les villes où ils se faisaient une âpre concurrence. Ils leur imposèrent des salaires très bas et refusèrent de leur appliquer les lois sociales du temps d'Élisabeth, qui jusque-là protégeaient les travailleurs. *Alors commença, pour près d'un siècle, la grande misère des ouvriers anglais.*

9. Wesley. Le Méthodisme.

Ouvriers et paysans vivaient souvent dans un état physique et moral voisin de la barbarie. Ni le gouvernement, ni les Églises anglicane ou dissidentes ne se souciaient d'eux. Il était réservé à *Wesley* (1703-1791) de les aider et de les relever.

Quand Wesley faisait ses études à l'Université d'Oxford pour devenir pasteur anglican, il avait fondé un groupement pieux où ses amis et lui se livraient très méthodiquement à la prière, à la méditation et à de dures austérités. Ils en avaient reçu le sobriquet de *méthodistes*. Profondément ému de voir tant d'âmes abandonnées par un clergé trop peu zélé, Wesley se fit pendant plus d'un demi-siècle missionnaire infatigable, prêchant l'Évangile en plein air à des centaines de milliers de déshérités. Rejeté par l'Église anglicane, il se vit contraint de fonder en dehors d'elle une «secte» nouvelle, le *méthodisme*. Le zèle des méthodistes finit d'ailleurs par réveiller de sa torpeur une partie du clergé anglican lui-même.

En même temps Wesley soulevait l'opinion publique en faveur des grandes causes humanitaires : l'adoucissement du code pénal, l'amélioration du régime des prisons, enfin la suppression de l'esclavage, à laquelle se rattache le nom d'un de ses amis intimes, le philanthrope *Wilberforce*.

Les guerres en Europe au XVIIIᵉ siècle

1. Successions d'Espagne et de Pologne.

De 1715 à 1740, les diplomates furent préoccupés par trois affaires de succession : la succession d'Espagne, la succession de Pologne, la succession d'Autriche.

La succession d'Espagne avait été officiellement réglée par la paix d'Utrecht, mais Philippe V ne renonçait pas à ses anciennes possessions d'Italie. En 1717 et 1718, il occupa, en pleine paix, la Sardaigne et la Sicile. Les gouvernements français et anglais, qui désiraient également le maintien du *statu quo*, lui firent la guerre. Vaincu, Philippe V dut, en 1720, se résigner à reconnaître le traité d'Utrecht.

Une dizaine d'années plus tard, le roi de Pologne Auguste II mourait. Deux candidats se mirent sur les rangs : son fils, électeur de Saxe, et *Stanislas Lecszinski*, qui avait déjà régné à Varsovie de 1704 à 1712. La Diète élut Stanislas, mais la Russie et l'Autriche imposèrent par la force l'électeur de Saxe, qui prit le nom d'*Auguste III*.

Louis XV allait-il soutenir son beau-père et maintenir l'influence française en Pologne? Fleury, à regret, s'y résigna.

D'une expédition à Varsovie, il ne pouvait être question : envahir les Pays-Bas eût alarmé les Anglais ; on ne pouvait combattre l'Autriche qu'en Italie. La France s'allia au roi de Piémont-Sardaigne et au roi d'Espagne.

Français et Sardes occupèrent le Milanais, pendant que les Espagnols entraient à Naples (1734). L'Autriche dut signer le *traité de Vienne* (1738) : Stanislas renonçait au trône de Pologne ; en compensation, il recevait la *Lorraine*, dont le duc, François de Lorraine, venait d'épouser Marie-Thérèse d'Autriche, fille et héritière de l'empereur. A la mort de Stanislas, la Lorraine reviendrait à la France[1]. L'Espagne recevait Naples et la Sicile. Ainsi la guerre de Succession de Pologne avait pour conséquences l'établissement d'une branche des Bourbons dans le Sud de l'Italie et l'achèvement de l'unité française au nord-est du royaume.

L'année suivante, l'Autriche subit une nouvelle défaite : vaincue par les Turcs, elle dut leur rendre, au *traité de Belgrade* (1739), ce qu'elle leur avait pris en 1718 au traité de Pojarevats.

2. Les progrès de la Prusse sous le Roi-Sergent.

La Prusse était encore un tout petit État. Elle n'avait pas joué de rôle actif en Europe de 1720 à 1740, mais, pendant ces vingt-cinq années, elle avait silencieusement accru sa puissance. Ç'avait été l'œuvre de *Frédéric-Guillaume Ier*, plus connu sous le nom de *Roi-Sergent* (1713-1740).

Ce gros homme, d'apparence et de goûts vulgaires, d'humeur despotique et sujet à de terribles accès de colère, se consacra tout entier - fortifier et à enrichir son royaume. Il simplifia l'administration, surveilla ses fonctionnaires, les contraignit à être laborieux et économes. Comme ses prédécesseurs, il colonisa, accueillit les réfugiés de tous les pays, créa des centaines de villages nouveaux. Il thésaurisa, toujours attentif à «faire un plus», comme il le disait. Enfin il se donna une forte armée. Il posa le principe que «tous les sujets sont nés pour les armes», et, si les bourgeois et les artisans échappèrent au service militaire, les paysans furent tenus de fournir autant de recrues

1. L'événement eut lieu en 1766. En 1768, Louis XV achetait la Corse à la République de Gênes : Napoléon Bonaparte naquit à Ajaccio en 1769.

qu'on leur en demanderait. Pour une population de moins de deux millions et demi d'habitants, le roi eut 83 000 soldats, dont beaucoup étaient d'ailleurs étrangers. Soumise à des exercices continuels, cette armée fut la mieux entraînée d'Europe. A la fin de son règne, Frédéric-Guillaume Ier pouvait, en toute justice, écrire à son fils, le futur Frédéric II : «J'ai mis le pays et l'armée en état... A vous d'acquérir les territoires...»

Frédéric II, jeune prince ambitieux, sans scrupules, ami du risque, ne demandait pas mieux. L'occasion allait s'offrir à lui de réaliser ce vœu. Son avènement au trône (1740) coïncide avec la mort de l'empereur Charles VI : alors commence une nouvelle période de guerre : la *guerre de la Succession d'Autriche* (1740-1748), puis la *guerre de Sept Ans* (1756-1763).

3. La guerre de Succession d'Autriche.

Charles VI avait fait accepter par ses sujets puis par toutes les Puissances de l'Europe une loi successorale appelée *Pragmatique Sanction*. En vertu de cette loi, tous les États des Habsbourg devaient passer à sa fille *Marie-Thérèse*.

Or, à peine était-il mort (1740), que Marie-Thérèse vit ses droits contestés par l'électeur de Bavière, le roi d'Espagne et surtout par Frédéric II : celui-ci envahit la province autrichienne de Silésie. Qu'allait faire la France? Fleury désirait maintenir la paix, mais il y avait à la Cour un parti qui voulait reprendre la lutte contre l'ennemie traditionnelle, la Maison d'Autriche. Fleury dut céder. Sous la direction de la France, une coalition se noua contre Marie-Thérèse (1741). Frédéric II acheva la conquête de la Silésie, Français et Bavarois entrèrent à Prague, l'électeur de Bavière fut proclamé roi de Bohême, puis élu empereur[1] (1742).

Marie-Thérèse ne se laissa pas abattre. Elle obtint des Hongrois une forte armée ; elle s'allia à l'Angleterre, à la Sardaigne et aux Provinces-Unies. Elle put alors chasser les Français de Bohême, occuper la Bavière, menacer la Lorraine, battre les Espagnols en Italie (1744). Peu après, l'électeur de Bavière étant mort, son fils fit la paix avec les Habsbourg, et François de Lorraine, époux de Marie-Thérèse, fut élu empereur (1745).

---

1. Il fut le seul empereur qui, entre 1438 et 1806, ne fût pas un Habsbourg.

Mais les Autrichiens ne purent reprendre la Silésie à Frédéric II. D'autre part, les Français, commandés par le *maréchal de Saxe*, occupèrent les Pays-Bas autrichiens après la victoire de *Fontenoy* (1745) et envahirent même les Provinces-Unies. L'Autriche dut faire la paix.

4. La paix d'Aix-la-Chapelle.

Maîtresse des Pays-Bas autrichiens et de la Savoie enlevée au roi de Sardaigne, sollicitée par des adversaires épuisés et divisés entre eux, la France aurait pu dicter ses conditions. Mais Louis XV voulait «en finir vite»; il fit savoir à ses ambassadeurs qu'il entendait traiter «non en marchand, mais en roi»

A la paix d'*Aix-la-Chapelle* (1748) il rendit toutes ses conquêtes, il s'engagea même à ne jamais faire de Dunkerque une base navale et à chasser de Paris le fils de Jacques II qui s'y était réfugié. L'Autriche, qui était la vaincue, cédait à Frédéric II la Silésie, au roi de Sardaigne une petite partie du Milanais, et au fils de Philippe V d'Espagne deux principautés autrichiennes en Italie. En France, où pourtant on souhaitait la paix, beaucoup s'indignèrent qu'on eût rendu les Pays-Bas, alors que Richelieu, Mazarin et Louis XIV avaient tant fait pour les conquérir. Louis XV, disait-on avait «travaillé pour le roi de Prusse» — et aussi pour les Bourbons d'Espagne.

5. Renversement des alliances et guerre de Sept Ans.

Cette paix, si chèrement achetée, ne dura que sept ans. Deux des belligérants, au moins, l'Angleterre et l'Autriche, désiraient recommencer la guerre. Marie-Thérèse voulait reprendre la Silésie à Frédéric II. En Angleterre, un fort courant d'opinion, inspiré par les colons d'Amérique et par les marchands, demandait la destruction de l'empire colonial français. Le roi de Prusse s'offrit à jouer ce rôle. La volte-face de Frédéric II effraya Louis XV et le poussa à s'allier à Marie-Thérèse. Ainsi s'opéra le *renversement des alliances* (1756). Les Français allaient se battre pour rendre la Silésie à l'Autriche, alors que tous leurs intérêts étaient aux colonies.

Marie-Thérèse obtint encore l'alliance de la tsarine *Élisabeth*, de l'électeur de Saxe roi de Pologne, *Auguste III*, et de la plupart des princes allemands. Le petit royaume de Prusse, cerné par une formidable coalition, semblait perdu. Mais Frédéric II, sans laisser à ses adversaires le temps d'achever leur concentration, envahit la Saxe, fit capituler les troupes d'Auguste III et les incorpora à son armée (octobre 1756).

La guerre se poursuivit sur deux théâtres. Dans l'Allemagne du Nord-Ouest, les Français s'emparèrent du Hanovre, puis le perdirent. Pendant plusieurs années ils connurent, entre le Rhin et la Weser, une alternance de succès et de revers.

La lutte décisive se livra dans l'Allemagne centrale et orientale — Bohême, Saxe, Silésie, Poméranie, Prusse. Obligé de tenir tête aux armées russes, allemandes, autrichiennes, Frédéric II connut tour à tour des victoires et des défaites. Par trois fois, il réussit à sortir victorieusement des situations les plus désespérées. Il semblait de nouveau perdu quand la mort d'Élisabeth de Russie (1762) le sauva : le nouveau tsar, *Pierre III*, fervent admirateur de la Prusse, rappela les armées russes.

La France et l'Autriche, désespérant de vaincre, posèrent, elles aussi, les armes. A la paix d'*Hubertsbourg*, en Saxe (1763), Marie-Thérèse reconnut à Frédéric II la possession de la Silésie.

6. Prestige de la Prusse. Abaissement de la France.

De cette longue lutte la Prusse sortait grandie et la France abaissée. Frédéric devait la victoire à son génie militaire et à sa ténacité ; il la devait aussi à la médiocrité de ses adversaires. Les généraux russes et autrichiens ne surent jamais combiner leurs efforts et, faute d'audace, laissèrent maintes fois échapper l'occasion décisive. Les troupes françaises se montrèrent aussi braves et solides que de coutume, mais l'insuffisance du commandement rendit inutile leur valeur. Certains généraux, tel *Soubise*, qui fut vaincu en Saxe à la bataille de *Rossbach* (1757), furent des incapables ; d'autres, qui n'étaient pas sans mérite, se haïssaient les uns les autres par rivalité d'ambition : «Voilà l'ennemi», disait, en parlant de son chef, un général français.

Si l'on songe que Louis XV avait sacrifié 200 000 hommes en Allemagne pour une question de Silésie qui n'intéressait pas la France, et que, pendant ce temps, il perdait les colonies françaises dans l'Inde et en Amérique, faute d'hommes pour les défendre, on comprend le mot d'un de ses ministres : « Notre rôle a été extravagant et honteux.» Comme disait Frédéric II, «La France fut la victime de la guerre» : jusqu'en 1792, elle ne joua plus en Europe qu'un rôle assez effacé, au regard de la politique très active de la Prusse, de l'Autriche et de la Russie.

7. Le premier partage de la Pologne.

A peine la guerre avait-elle pris fin dans l'Europe centrale qu'elle réapparut dans l'Europe orientale, en Pologne et en Turquie. La «République de Pologne» était gouvernée par un roi[1] élu et par une *Diète* composée de deux Chambres. Le roi n'avait aucune autorité et la Diète n'en avait guère davantage, par suite de l'existence du *liberum veto* : depuis 1652, toute décision devait être prise à l'unanimité ; un député pouvait, par son seul *veto*, s'opposer aux vœux du reste de la Diète. Cet absurde privilège rendait tout gouvernement impossible. L'anarchie intérieure où se débattait la Pologne était d'autant plus dangereuse que la Prusse et la Russie étaient prêtes à en profiter.

En 1764, la tsarine *Catherine II*[2] fit élire roi de Pologne un prince tout dévoué à la Russie, *Stanislas Poniatowski* ; puis, pour maintenir la république dans un état d'anarchie, elle interdit à la Diète de supprimer le *liberum veto* et fit entrer des troupes dans le pays. La Pologne était devenue un protectorat russe.

Frédéric II ne pouvait voir avec indifférence cet accroisssement de la puissance de Catherine II. Surtout, il convoitait avidement la *Prusse polonaise*, c'est-à-dire la partie de la Pologne qui séparait le Brandebourg de la province de Prusse. Par des prodiges d'habileté diplomatique, il parvint à convaincre Catherine II et Marie-Thérèse de partager avec lui une partie

---

1. Le latin fut pendant longtemps la langue officielle du gouvernement polonais et le mot latin *respublica* signifie non pas «république», mais simplement «État».

2. Elle venait de succéder à son mari Pierre III, mort assassiné.

au moins de la Pologne. L'Autriche prit la *Galicie*, la Russie un morceau de la *Lithuanie*, la Prusse la *Prusse polonaise*, à l'exception de la ville de Danzig. La Pologne s'engageait, en outre, à ne jamais modifier sa constitution, c'est-à-dire à conserver l'anarchie qui l'avait conduite à sa perte. Ce fut le *premier partage de la Pologne* (1772).

8. Affaiblissement de la Turquie.

Le ministre français *Choiseul* avait tenté de venir en aide aux patriotes polonais en lançant les Turcs contre la Russie (1768). Mais l'Empire ottoman, son armée, sa flotte étaient en pleine décadence. Les Russes occupèrent la Crimée, puis les provinces roumaines et franchirent le Danube. Leur flotte, venue de la mer Baltique en Méditerranée par le détroit de Gibraltar, détruisit l'escadre turque sur les côtes d'Asie Mineure. Le sultan dut signer la paix à *Kaïnardji* (1774).

La Russie obtint la ville d'Azov (qu'elle avait conquise en 1696 et perdue en 1711). La Crimée et les rives septentrionales de la mer Noire furent déclarées indépendantes de la Turquie : dès 1784, elles furent annexées par Catherine II. La Russie obtint le droit de commercer librement dans tout l'Empire ottoman. Enfin, le sultan promettait de «prendre en considération» les recommandations que la Russie pourrait lui présenter en faveur des sujets ottomans de religion orthodoxe, particulièrement des Roumains : ainsi la Russie se donnait un prétexte commode pour intervenir à Constantinople. Pour prix de ses bons offices, l'Autriche se fit céder la province turque de *Bukovine*, qui arrondissait la Galicie.

L'avidité qu'avait manifestée l'Autriche était due à l'influence de *Joseph II*, fils de Marie-Thérèse, à qui il succéda en 1780. Ce prince aurait voulu annexer la République de Venise pour dominer l'Italie du Nord, la Bavière pour dominer l'Allemagne, enfin la Serbie et la Bosnie pour dominer la péninsule des Balkans. En Italie et en Allemagne, ses projets ambitieux furent soutenus par le roi Frédéric II et par le ministre français des Affaires étrangères, *Vergennes*. En revanche, Joseph II s'entendit avec Catherine II pour dépecer la Turquie d'Europe : l'année même de la mort de Vergennes (1787), la guerre recommença entre l'Empire ottoman d'une part, l'Autriche et la Russie de l'autre. L'Angleterre et la Prusse virent d'un mauvais œil ce nouveau conflit. En particulier, Pitt déclara qu'il était de l'intérêt de son pays de s'opposer aux ambitions russes dans les Balkans et, depuis lors, tous les gouvernements anglais ont été fidèles à cette politique. La guerre se termina en 1791 et 1792 : l'Autriche n'y gagna rien; la Russie repoussa sa frontière jusqu'au Dniestr et acquit la région d'Odessa. A cette date, c'était la Révolution française qui préoccupait tous les gouvernements européens.

La société et l'art en France au XVIIIe siècle

1. Les paysans.

Les campagnes françaises ne connurent pas au XVIIIe siècle les profondes transformations qui marquèrent les campagnes anglaises. Le tableau de la vie paysanne, au temps de Louis XIV, donné plus haut, est encore valable, dans l'ensemble, pour 1750.

Cependant, sous l'impulsion d'agronomes qui s'inspiraient des méthodes anglaises, l'agriculture française fit çà et là de réels progrès. Le bétail, mieux soigné et mieux nourri, donna plus de viande. Le mouton *mérinos* fut importé d'Espagne. On commença à pratiquer la culture du *navet* et des *plantes fourragères :* celles-ci, en même temps qu'elles fournissaient du fourrage et permettaient d'augmenter le cheptel, rendaient à la terre des éléments fertilisants que lui avaient enlevés les céréales. La jachère recula un peu, le rendement à l'hectare augmenta ; la culture du *maïs* enrichit le Midi aquitain et celle de la *pomme de terre* se répandit sous l'impulsion de Parmentier. En même temps les vignerons apprenaient à produire des crus meilleurs : c'est alors que l'application des procédés inventés à la fin du règne de Louis XIV par le Bénédictin *dom Pérignon* donna au vin de Champagne sa réputation mondiale. En même temps, un nombre croissant de paysans trouvèrent dans l'*industrie rurale* (particulièrement la filature et le tissage) un supplément de ressources.

Ces progrès permirent au cultivateur de connaître sous Louis XV un sort moins dur que celui de son aïeul du XVIIe siècle. Non qu'on puisse encore parler de confort, ni même de la plus élémentaire hygiène, mais les famines furent plus rares, les épidémies moins meurtrières. *La mortalité baissa, l'âge moyen de la vie augmenta, la population s'accrut :* de 19 millions d'habitants environ en 1715, elle passa à 26 millions peut-être, en 1789. Si les journaliers restèrent très pauvres, les petits propriétaires et surtout les «laboureurs» purent vendre une partie de leur récolte et acheter au marché voisin quelques produits de la ville. Le nombre des foires augmenta, les instruments agricoles furent de meilleure qualité et la faux remplaça petit à petit la faucille traditionnelle.

2. L'enrichissement de la bourgeoisie.

Bien plus que les paysans, les bourgeois s'enrichirent. *Grands propriétaires*, ils bénéficièrent largement des progrès dans le rendement agricole et de la *hausse des prix* qui s'annonça vers 1730[1].

Industriels et commerçants, ils firent également de grosses fortunes. L'industrie du *coton*, la dernière-née, se développa très vite; on exploita les mines de fer et de houille, comme celles d'Anzin; quelques grands *établissements métallurgiques* apparurent, tels Le Creusot en 1785, ou la manufacture d'Indret, près de Nantes. Négociants et armateurs de Marseille trafiquaient activement avec le Levant. Ceux de Bordeaux, de Nantes, du Havre importaient aux Antilles les produits de l'industrie française et les esclaves noirs; ils en rapportaient le sucre, le café et le cacao, qui devinrent alors d'usage courant, au moins dans les classes aisées.

Plus rapidement encore, la *classe des financiers* s'éleva dans

1. La période de prospérité agricole dura jusque vers 1778.

la hiérarchie sociale. A partir de la Régence, ils se recrutèrent de plus en plus dans la bourgeoisie, parfois même dans la noblesse de robe. Ils entrèrent par mariage dans les familles nobles, ils se mêlèrent à la vie mondaine, ouvrirent des salons, s'intéressèrent aux choses de l'esprit, protégèrent écrivains et artistes. Les plus riches d'entre eux étaient les *fermiers généraux* : un groupe de quarante — plus tard soixante — financiers qui, pour une période de six ans, affermaient les impôts indirects : aides, gabelle, tabac. Beaucoup furent des esprits cultivés et des mécènes fastueux. L'un d'eux, l'illustre *Lavoisier*, fut l'un des créateurs de la chimie.

3. Le développement des villes. Les routes.

Les bénéfices que réalisèrent les bourgeois, ils les employèrent moins à améliorer les modes de culture sur leurs terres qu'à vivre dans le confort et le luxe. Aussi les villes prirent-elles au XVIIIe siècle un grand développement. Plus peuplées, elles s'agrandirent ; de riches hôtels particuliers se construisirent, des maisons de rapport, des théâtres. Les municipalités ouvrirent de larges avenues plantées d'arbres, édifièrent de grandes places bordées de monuments, ornées de statues ou de fontaines. Non seulement Paris, mais Bordeaux et Nantes qui s'enrichissaient dans le commerce avec les «Iles», Lyon, ville d'industriels et de banquiers, Rennes, Nancy, Dijon, Aix, villes de Parlements, bien d'autres encore se donnèrent un cadre de grandeur et d'élégance.

Pour unir ces villes entre elles, les voies de communication du XVIIe siècle ne suffisaient pas. On creusa quelques canaux, on s'efforça surtout d'*augmenter et d'améliorer le réseau routier*. Comme l'État ne disposait pas de ressources suffisantes pour financer cette œuvre de longue haleine, le gouvernement de Louis XV imposa aux paysans la *corvée des routes*, véritable travail forcé, qui leur prenait parfois plusieurs semaines par an. Du moins les voyages furent-ils désormais plus rapides et moins inconfortables. Voyageurs empilés dans les coches ou les diligences, rouliers conduisant leurs énormes chariots, compagnons du Tour de France en quête de travail, colporteurs qui apportaient dans les villages leur pacotille ou leurs almanachs se croisaient sur ces routes. En réunissant les points les plus éloignés du royaume, le réseau routier contribua à *unifier la France* et à y *propager lentement la langue française*, dans un temps où beaucoup d'ouvriers et de paysans en province ne connaissaient que des patois.

4. La vie mondaine et les salons.

Dans les grandes villes et surtout à Paris, banquiers et grands seigneurs rivalisèrent de luxe avec la Cour. Durant tout le XVIIIe siècle, on retrouve cet amour des fêtes et des divertissements — déguisements, pantomimes, concerts, comédies de salon — qui avait marqué les années de la Régence. La vie mondaine prit un éclat inconnu jusqu'alors. Elle dut son agrément à l'élégance et au luxe du décor, mais aussi au raffinement extrême du savoir-vivre, à cette politesse française alors admirée dans l'Europe entière, et surtout au charme d'une conversation à la fois spirituelle et nourrie d'idées.

Le centre de cette vie mondaine n'était pas Versailles, mais les *salons* de Paris. Deux d'entre eux furent particulièrement célèbres au milieu du XVIIIe siècle : celui de la *marquise du Deffand* et celui d'une bourgeoise, *Mme Geoffrin*. Tous les étrangers notables qui passaient à Paris ou y séjournaient tenaient à honneur de s'y faire admettre. La conversation y était parfois frivole et valait alors par l'esprit qu'on y déployait, mais elle était souvent sérieuse : questions de littérature et d'art, problèmes scientifiques, théories politiques et sociales, tout y était discuté. C'est dans les salons que les idées nouvelles furent d'abord agitées ; de là, elles se répandirent en province et dans l'Europe entière.

5. L'art français au XVIIIe siècle.

L'art du XVIIIe siècle est très différent de celui du XVIIe, parce qu'il ne s'adresse pas au même public et parce que les mœurs ont changé. Sous Louis XIV, les artistes avaient surtout travaillé pour Versailles et leur art reflétait le goût du roi. Mais, dès la fin du règne de Louis XIV, le nombre des amateurs — grands seigneurs et riches bourgeois de Paris — avait beaucoup augmenté ; sous Louis XV. pas d'homme de goût qui ne désirât posséder une collection de tableaux ou de dessins. Les Expositions de peinture (appelées *salons* parce qu'elles se faisaient, depuis 1725, dans le «Salon carré» du Louvre) contribuèrent à éduquer le goût du public ; alors apparut un genre littéraire inconnu : la *critique d'art*.

Les artistes s'affranchirent des contraintes et s'adaptèrent à leur clientèle. Jusque vers 1760, leurs œuvres reflétèrent son désir d'élégance et de mondanité. A la majesté noble, mais un peu compassée, du XVIIe siècle s'opposent la grâce simple et la fantaisie du XVIIIe. Les grandes pièces solennelles firent place aux *petits appartements*, plus gais et plus intimes ; on rechercha dans le décor et l'ameublement la sveltesse, la sinuosité des formes, les boiseries de couleur claire, les meubles élégants, légers ou confortables. Dans la deuxième moitié du siècle, on en revint à plus de simplicité dans le décor ; en même temps, les fouilles en Toscane, qui firent connaître, dès 1740, l'art des anciens Étrusques, puis la découverte d'Herculanum et de Pompéi (les deux villes ensevelies jadis sous les cendres du Vésuve) ravivèrent le goût pour l'Antiquité. L'aspect des *jardins*, lui aussi, se modifia. On se lassa du jardin «à la française», auquel on reprochait sa régularité architecturale et la discipline qu'il imposait à la nature. On lui préféra le jardin «à l'anglaise», où des sentiers sinueux, des ponts rustiques jetés par-dessus les ruisseaux devaient évoquer la nature à l'état champêtre.

6. Quelques artistes.

Les architectes *Louis* et *Gabriel* conservèrent souvent les formes imposantes du XVIIe siècle, les colonnades et les arcades. Mais ils surent aussi répondre au goût du temps dans les charmantes maisons de campagne — on les appelait des *folies* — dont l'exemple exquis est, à Versaille, le *Petit Trianon*.

Parmi les peintres, un très grand artiste, mort jeune, *Watteau*, vrai poète en peinture, se plut à représenter des «fêtes galantes», c'est-à-dire des conversations aimables d'hommes et de femmes dans le cadre d'un beau payasage ; *Lancret* et *Bou-*

cher montrèrent le côté superficiel et frivole de la société de leur temps, *Fragonard* également, mais avec plus de fougue, une couleur plus éclatante et une étonnante habileté de main. *Chardin*, au contraire, peignit la vie familière de la petite bourgeoisie, avec une vérité, une simplicité et un art supérieur qui forcèrent l'admiration. *Quentin de la Tour* a laissé de la plupart de ses contemporains célèbres des portraits d'une vie intense où vraiment les âmes transparaissent. Dans la seconde moitié du siècle, *Greuze* émut les cœurs sensibles, mais ses œuvres paraissent aujourd'hui manquer de simplicité et de sincérité. A la veille de la Révolution, le jeune peintre *David* remit à la mode un classicisme rigide inspiré de l'Antiquité romaine.

Les sculpteurs témoignèrent d'une remarquable habileté technique et d'un goût très sûr, aussi bien dans les grandes œuvres en marbre que dans les gracieuses terres cuites et les porcelaines qu'on appelle biscuits. *Bouchardon* montra une distinction un peu froide ; *Pigalle, Falconet* et surtout *Houdon*, l'un des plus remarquables sculpteurs français, eurent davantage le don de la vie.

Comme au XVII° siècle, la musique joua un rôle important dans la vie de société. Dans l'art de l'opéra, *Rameau* fut aussi grand que l'avait été Lulli. Dans la seconde moitié du siècle, s'acclimata en France l'*opéra-comique* venu d'Italie.

7. Le rayonnement de la culture française.

Plus encore que sous Louis XIV, la culture française rayonnait alors sur l'Europe entière. Quiconque se piquait d'être cultivé savait le français, et certains étrangers le maniaient avec autant de sûreté et de charme que nos meilleurs écrivains. On était à l'affût du dernier livre paru en France (ouvrages de Montesquieu, Voltaire, Diderot, Rousseau, romans de l'abbé Prévost, comédies de Marivaux) et l'on s'abonnait aux «Correspondances» qui relataient tout ce qui se passait d'important à Paris dans le domaine de la vie littéraire et de la vie mondaine. Les artistes français étaient invités à venir travailler à l'étranger, en Allemagne et en Espagne comme en Suède ou en Russie. Un Italien pouvait publier en 1777 un ouvrage intitulé «Paris, le modèle des nations étrangères ou l'Europe française». L'Académie de Berlin mettait au concours la question : «Qu'est-ce qui a rendu la langue française universelle?»

Cependant l'Angleterre comptait alors quelques écrivains très célèbres, particulièrement les romanciers *de Foe, Goldsmith, Richardson, Fielding*. Dans la seconde moitié du XVIIIe siècle, les écrivains *Lessing, Gœthe* et *Schiller* et le philosophe *Kant* donnèrent les premiers chefs-d'œuvre de la littérature allemande moderne. Cet essor intellectuel s'accompagna d'ailleurs en Angleterre et parfois en Allemagne d'un vif mouvement de réaction contre l'influence de la culture française.

Hors de France, il y avait aussi des artistes éminents. A Venise, *Tiepolo* retrouva l'inspiration de Véronèse pour décorer palais et églises. En Angleterre, le peintre *Hogarth* représenta cruellement les défauts de ses contemporains; après lui, *Reynolds* et *Gainsborough* furent les portraitistes de l'aristocratie : le second fut aussi un grand paysagiste. L'Autriche et l'Allemagne virent un brillant développement de l'*art baroque*, particulièrement dans l'architecture et la sculpture. Elles comptèrent surtout quelques musiciens de génie : *Gluck* s'illustra dans l'opéra, *Haendel* et *Bach* dans la musique religieuse, *Haydn* dans la symphonie, *Mozart* enfin triompha dans tous les genres.

Les philosophes et les idées nouvelles au XVIIIe siècle

1. L'enthousiasme pour les sciences.

Le XVIIIe siècle se passionna pour les sciences. Tous les esprits cultivés s'intéressèrent aux travaux des savants, et les ouvrages de vulgarisation mirent les découvertes à la portée des «honnêtes gens». Dans les salons, on discutait de problèmes scientifiques aussi bien que de questions littéraires ou de théories sociales. Voltaire avait un laboratoire, faisait des expériences de physique et contribuait à faire connaître les théories du savant anglais Newton.

Toutes les sciences firent d'immenses progrès. Les astronomes déterminèrent la distance de la Terre à la Lune, et les formes exactes de la Terre, aplatie aux pôles et renflée à l'équateur. Les perfectionnements du télescope permirent à l'Allemand *Herschell* de découvrir une planète nouvelle, «Uranus», et de nouveaux satellites de Saturne.

Les physiciens inventèrent le thermomètre à mercure et étudièrent les phénomènes électriques jusque-là presque inconnus : on distingua les deux sortes d'électricité, la positive et la négative : un Hollandais réalisa, sous le nom de *bouteille de Leyde*, le premier condensateur : l'Américain *Franklin* prouva l'identité de l'étincelle électrique et de la foudre ; à la fin du siècle, l'Italien *Volta* réussit, par le moyen d'une *pile*, à produire un courant électrique.

Lavoisier fixa la méthode d'une science nouvelle, la chimie : il étudia (1770-1784) la composition de l'air et de l'eau et le rôle de l'oxygène dans les phénomènes de combustion. La botanique fut renouvelée par le Suédois *Linné* et le Français *Jussieu*. Un parlementaire de Dijon, *Buffon*, donna dans son *Histoire Naturelle* un tableau de toutes les connaissances de son temps en zoologie, botanique et géologie. Les progrès de la cartographie et l'usage de chronomètres, grâce auxquels on put fixer exactement la longitude, facilitèrent les voyages par mer. Les explorations que les Français *Bougainville* et *La Pérouse* et l'Anglais *Cook* effectuèrent, entre 1765 et 1788, dans l'océan Pacifique, eurent un caractère avant tout scientifique.

De ces découvertes on tira des *applications pratiques*. Franklin inventa le paratonnerre ; les frères *Montgolfier* construisirent les premiers aérostats ; le Français *Lebon* découvrit le gaz d'éclairage ; l'Anglais *Jenner* allait trouver, pour protéger de la variole, le procédé de la vaccination ; *James Watt* mit au point, vers 1789, la machine à vapeur ; déjà deux Français avaient construit l'un un chariot à vapeur, l'autre un bateau à vapeur.

2. Le développement de l'esprit critique. Les Philosophes.

Ces découvertes étonnantes, et dont les applications semblaient devoir révolutionner la vie, contribuèrent à donner aux hommes du XVIIIᵉ siècle une confiance immense dans la science et, puisque la science est l'œuvre de la raison humaine, *une confiance immense dans la raison*. Mais, non contents d'appliquer la raison aux questions scientifiques, ils voulurent l'appliquer aussi aux croyances religieuses et à toutes les institutions politiques et sociales.

Jusqu'alors la plupart des hommes acceptaient, comme allant de soi, certaines affirmations : les sujets doivent professer la même religion que leur souverain : le prince doit être un maître absolu et les sujets n'ont aucun droit : la société doit être fondée sur l'inégalité : le gouvernement doit diriger l'activité économique : la censure doit interdire certains ouvrages, etc. Les hommes du XVIIIe siècle discutèrent ces affirmations et, quand elles leur parurent fausses ou déraisonnables, ils les rejetèrent. Ceux qui appliquèrent ainsi à toutes choses l'esprit critique se donnèrent eux-mêmes le nom de *Philosophes*, c'est-à-dire «amis de la sagesse».

L'œuvre des Philosophes fut donc surtout une œuvre de combat, une lutte contre les «abus» et les «préjugés». Ils étaient persuadés que, dans un monde organisé selon la raison, où le «progrès des lumières» aurait dissipé les erreurs et les préjugés, les hommes seraient enfin heureux. *Faire le bonheur des hommes, en développant leur raison, en les instruisant de leurs droits et en les libérant de tous les jougs,* telle fut la mission à laquelle ils se consacrèrent avec enthousiasme.

3. Les origines du mouvement philosophique.

Ce mouvement d'idées qu'on appelle le *mouvement philosophique* a une double origine, française et anglaise. Dès la fin du XVIIe siècle un protestant français, réfugié en Hollande, *Bayle,* avait, dans son *Dictionnaire historique et critique* (1697), soumis les dogmes du christianisme à l'examen de la raison. D'autre part, les abus et les fautes du gouvernement de Louis XIV avaient éveillé les critiques de *Vauban* et de *Fénelon,* et suscité leurs projets de réforme.

L'exemple de l'Angleterre fut plus important encore. Elle offrait le spectacle d'un pays «libre», où le régime de l'absolutisme et de l'intolérance avait été détruit par deux révolutions successives. Des écrivains, dont le plus célèbre est *Locke,* avaient justifié la révolution de 1688 : le peuple, disaient-ils, est le véritable souverain ; tous les hommes possèdent des *droits naturels* que les gouvernements sont tenus de respecter, et la tolérance religieuse doit être complète. A partir de 1715, les idées anglaises se répandirent largement en France.

4. Les principaux Philosophes.

Les principaux Philosophes français furent *Montesquieu, Voltaire, Diderot* et *Rousseau.* Montesquieu était un magistrat de Bordeaux. Il publia sous la Régence les *Lettres persanes,* spirituelle satire des mœurs et du gouvernement ; puis, en 1748, l'*Esprit des Lois,* où il passait en revue les différentes formes de gouvernement, leurs qualités et leurs défauts.

Voltaire, au cours de sa longue vie (1694-1778), eut une action plus diverse et plus puissante. Réfugié en Angleterre, il en revint avec un livre, les *Lettres philosophiques* (1734), où il exaltait les libertés dont jouissaient les Anglais. Pendant vingt ans il s'occupa ensuite de science et d'histoire — appelé en Prusse par Frédéric II, il y publia le *Siècle de Louis XIV.* Puis il s'établit à Ferney, non loin de Genève, sur la frontière franco-suisse, et, pendant près de trente ans, il exerça sur l'Europe une souveraineté intellectuelle incontestée. Son activité prodigieuse prit le plus souvent la forme de pamphlets spirituels et cinglants, vraie pluie de flèches qu'il lançait contre l'Église et contre le despotisme.

La grande œuvre à laquelle Diderot attacha son nom fut la publication de l'*Encyclopédie* (1751-1772). Cet immense dictionnaire, auquel collaborèrent tous les écrivains et savants connus, fut le plus puissant instrument de la propagande philosophique.

Enfin Jean-Jacques Rousseau (1712-1778), plus hardi que ses prédécesseurs, tira de leurs principes les conséquences devant lesquelles ils avaient parfois reculé. Dans le *Discours sur l'origine de l'inégalité,* dans le *Contrat social,* dans l'*Émile,* il dégagea, avec une éloquence souvent passionnée, les principes de la souveraineté du peuple et de l'égalité des citoyens.

5. Les attaques contre l'Église.

Toutes les institutions établies furent battues en brèche par les Philosophes au nom de la raison et de la justice. Les attaques les plus vives portèrent contre l'Église et contre la monarchie absolue.

La confiance dans la science et dans la raison devait pousser les hommes du XVIIIᵉ siècle à rejeter le surnaturel, donc toutes

les religions révélées. Voltaire surtout, en de courts écrits irré-
vérencieux, d'une verve impitoyable, se plut à tourner en dérision les dogmes, les clergés et les pratiques religieuses. Une de
ses formules favorites était : *Écrasons l'infâme*, et par ce mot il
entendait l'intolérance religieuse.

Toute sa vie il lutta pour la liberté des cultes et, dans cette
lutte, le terrible railleur se haussa jusqu'à l'indignation. Mais, si
les Philosophes rejetaient les religions révélées, ils n'allaient
point en général jusqu'à l'athéisme. Ils se ralliaient à ce que
l'on appelle la *religion naturelle*, c'est-à-dire la croyance à
l'existence de Dieu, à l'immortalité de l'âme et à une morale
qui ordonne les vertus traditionnelles.

La propagande des Philosophes en faveur de la tolérance
profita aux protestants français. Ceux-ci avaient été durement
persécutés dans le Languedoc vers 1750, mais l'opinion publique réprouvait ces violences. Vers 1770, les derniers protestants emprisonnés pour cause de religion furent libérés ; des
prêches purent se tenir ouvertement dans les campagnes : en
1776, un Genevois protestant, Necker, put devenir, en fait
sinon officiellement, ministre des Finances de Louis XVI. L'é-
dit de tolérance de 1787 ne permit pas encore aux protestants
d'exercer les charges de l'État, il ne leur accorda même pas
officiellement la liberté du culte public : il leur permit du moins
de déclarer devant un magistrat civil les naissances, les
mariages, les décès (au lieu que, jusque-là, il leur fallait les
déclarer au curé). *Ainsi le protestantisme était-il de nouveau
reconnu en France.* Mais, alors qu'il formait peut-être le cinquième de la population en 1600 et encore plus du dixième en
1685, il n'en formait plus, en 1789, qu'environ le cinquantième.

6. Les attaques contre la monarchie absolue.

Adversaires du surnaturel et de l'intolérance, les Philosophes le
furent aussi de la monarchie absolue. Ils rejetèrent le principe
que le roi est le maître de ses sujets et qu'il peut gouverner
comme il lui plaît. Mais, quand il leur fallait proposer un
nouveau régime politique, ils différaient d'opinions.

Pour Voltaire, assez timide sur ce point, l'idéal était le *despotisme éclairé*, c'est-à-dire un gouvernement où le prince, péné-

tré des idées philosophiques, a en vue non sa gloire, mais le bien-être de ses sujets. Pour atteindre ce but, il aura plein pouvoir.

Montesquieu voulait un *gouvernement aristocratique* : l'autorité royale serait limitée par une Constitution, par les États provinciaux et par les Parlements ; les pouvoirs locaux jouiraient d'une large autonomie et les pouvoirs exécutif, législatif et judiciaire seraient séparés, au lieu d'être réunis dans les mains du roi.

Enfin l'idéal de *Rousseau* était la *démocratie*, c'est-à-dire un régime où le peuple fait les lois ; pour les appliquer, le peuple se choisit un gouvernement et des fonctionnaires, et il les contrôle sans cesse. Rousseau jugeait d'ailleurs cet idéal irréalisable en France.

7. Égalité et Liberté. L'Instruction publique.

Séparés sur la forme de gouvernement, les Philosophes étaient du moins d'accord pour demander la *suppression des privilèges*, l'égalité des citoyens devant la loi et devant l'impôt et la possibilité pour chacun d'accéder à toutes les fonctions s'il en était digne.

Ils revendiquaient aussi *toutes les libertés* : d'abord la liberté personnelle, en vertu de laquelle un citoyen ne peut pas être arrêté sans raison. Ils voulaient d'ailleurs une réforme profonde de l'organisation judiciaire, la rédaction d'un code unique et surtout la suppression de la torture[1]. Voltaire mena une vive campagne contre les erreurs des tribunaux et la férocité des mœurs judiciaires[2]. Les Philosophes exigeaient la suppression de la traite et de l'esclavage. Ils demandaient aussi la pleine liberté de la presse et la liberté des cultes.

Enfin les Philosophes poussaient les gouvernements à *répandre l'instruction*. A leurs yeux, donner l'enseignement était l'un des attributs essentiels de l'État, qui doit créer lui-même des écoles et y nommer des maîtres. Ainsi apparaissait pour la

---

1. Le juriste italien *Beccaria* composa dans le même esprit un traité *Des délits et des peines* (1764).

2. Il prit souvent la défense d'inculpés condamnés à tort, par exemple celle de deux protestants : l'un, *Calas*, accusé d'avoir tué son fils pour l'empêcher de se convertir au catholicisme ; l'autre, *Sirven*, accusé d'avoir tué sa fille, qui s'était échappée du couvent où l'avait enfermée l'évêque : les deux enfants s'étaient, semble-t-il, suicidés.

première fois, en France, l'idée de l'instruction *publique*. L'éducation du peuple était, dans beaucoup de régions de la France, très en retard malgré les efforts déployés par les *Frères des Écoles chrétiennes*[1]. Les Philosophes demandaient que dans l'enseignement du second degré, comme nous dirions aujourd'hui, on donnât la première place, non au latin, selon la méthode des Jésuites, mais au français, que l'on insistât sur l'histoire des mœurs et de la civilisation, enfin et surtout que l'on fît une large part aux sciences : non seulement aux mathématiques, mais à la physique, à l'histoire naturelle et même à la chimie qui commençait alors à se fonder.

8. Les économistes.

Dans le domaine économique aussi, le XVIII° siècle prit pour mot d'ordre la liberté. Jusqu'alors, on le sait, les gouvernements dirigeaient toute la vie économique, contraignaient les ouvriers à se grouper en corporations, réglementaient les procédés de fabrication, élevaient des barrières douanières pour combattre la concurrence étrangère. Or, dès la fin du règne de Louis XIV, certains industriels et commerçants avaient demandé que l'État renonçât à ce dirigisme, qu'il laissât libre jeu à l'initiative de chacun et à la concurrence. Ceux qui adoptèrent ces théories reçurent au XVIII° siècle le nom d'*Économistes*. Leurs chefs furent en France un commerçant, *Gournay*, un médecin de Louis XV, *Quesnay*, et un intendant, *Turgot*. Hors de France, le plus célèbre fut l'Écossais *Adam Smith*.

Les Économistes soutenaient qu'il existe des lois naturelles dans le monde économique aussi bien que dans le monde physique, et qu'il faut les laisser librement agir. De là le nom de *Physiocratie*, c'est-à-dire «toute-puissance de la nature» donné à leur doctrine et le nom de *Physiocrates* qui les désigne. Le gouvernement doit donc renoncer à réglementer la vie économique : plus de corporations, plus de règlements industriels, plus de douanes, plus d'exclusif à l'égard des colonies. Le mot d'ordre devrait être : *Laissez faire* (les lois économiques), *laissez passer* (les marchandises). Sous l'influence des Physiocrates, le gouvernement prit des mesures en faveur des paysans

---

1. Les Frères des Écoles chrétiennes étaient une société de religieux, fondée en 1680 par *Jean-Baptiste de la Salle* pour donner gratuitement l'enseignement primaire.

et l'agriculture devint à la mode. Il autorisa aussi la fabrication, jusque-là interdite, des toiles de coton peintes (ou indiennes) : c'est alors, vers 1760, qu'*Oberkampf* fonda à Jouy, près de Versailles, une manufacture d'étoffes, appelées *toiles de Jouy*, qui connurent une grande vogue. Plus tard Turgot, devenu contrôleur général, proclama l'entière liberté du commerce des grains et l'abolition des corporations.

9. La propagande philosophique.

Ces idées nouvelles étaient exposées dans des livres et reprises sous forme condensée dans des libelles et dans les articles de l'*Encyclopédie*. On en parlait dans les salons et dans les *Académies*, c'est-à-dire les sociétés où, dans chaque ville importante, les esprits cultivés se rencontraient pour entendre des conférences et discuter sur les sujets les plus divers. Elles furent ainsi largement diffusées, au moins dans le public éclairé des villes. Or ces idées n'allaient à rien de moins qu'à renverser toutes les institutions établies, c'est-à-dire à faire une *révolution*. La Révolution française de 1789 a emprunté aux Philosophes toutes ses doctrines. Sur les principes qu'ils avaient formulés et qu'elle a appliqués : liberté, égalité, souveraineté du peuple, s'est fondé et a vécu (au moins jusqu'en 1914) le monde contemporain.

L'application des idées nouvelles.
Le despotisme éclairé

1. Le despotisme éclairé.

Lus et admirés partout, les Philosophes et les Économistes
trouvèrent les disciples fervents parmi les souverains ou leurs
ministres. Il y eut ainsi, dans la seconde moitié du XVIIIᵉ
siècle, un vaste mouvement de réformes, une tentative sincère
pour *gouverner d'après la raison et en vue du bien public.* Cet
effort de rénovation politique, économique et social caractérise
cette époque, connue sous les noms de *siècle des lumières* ou
ère du *despotisme éclairé.*

Le despotisme éclairé se retrouve ainsi en France, où la
plupart des intendants donnèrent tous leurs soins à bien admi-
nistrer leur généralité ; en Espagne sous le règne de *Charles III*
(1759-1788), au Piémont où le roi de Sardaigne permit aux
communautés paysannes de racheter à leurs seigneurs les droits
seigneuriaux ; en Toscane où *Léopold,* un fils de Marie-
Thérèse, établit l'égalité de tous devant l'impôt et supprima la
peine de mort ; en Allemagne occidentale où le margrave de
Bade abolit le servage, où les ducs de Brunswick et de Saxe-

Weimar se firent aimer de leurs sujets[1].

Plus importante fut l'œuvre que trois des souverains les plus puissants d'Europe tentèrent dans leur État : Joseph II, Frédéric II, Catherine II.

2. Les réformes de Joseph II dans les États des Habsbourg.

Joseph II était le fils aîné de Marie-Thérèse. Depuis la mort de son père (1765), il était empereur et corégent. Quand la mort de Marie-Thérèse (1780) le fit seul maître, il résolut d'appliquer en toute liberté ses principes philosophiques. Convaincu que ses réformes feraient le bonheur de ses sujets, et d'ailleurs très autoritaire, il voulut les leur imposer bon gré mal gré.

Il commença, «au nom de la raison et de l'humanité», par supprimer le servage : moyennant le paiement d'une rente, les paysans devinrent propriétaires des champs sur lesquels ils travaillaient. Joseph II proclama ensuite l'égalité de tous ses sujets devant l'impôt, la liberté de la presse et la tolérance religieuse. L'Église catholique fut étroitement subordonnée à l'autorité de l'État : malgré les protestations du pape *Pie VI*, Joseph II interdit aux évêques de publier les bulles pontificales sans son autorisation, supprima un certain nombre d'ordres religieux qu'il jugeait «inutiles» et ferma près de 2 000 couvents. Le *Joséphisme* fut une forme accentuée du gallicanisme.

La monarchie des Habsbourg était une étrange mosaïque de peuples divers, ayant leurs privilèges, leur langue, leur organisation distincte. Toujours au nom de la «raison», Joseph II résolut d'en faire un seul État, unifié, centralisé. Il ne convoqua plus les diètes locales et donna tout pouvoir à des fonctionnaires nommés par lui. Ces réformes furent appliquées sans trop de difficulté dans les pays héréditaires et en Bohême ; mais en Hongrie et aux Pays-Bas elles se heurtèrent à une vive résistance. Les Hongrois possédaient une large autonomie que Marie-Thérèse s'était formellement engagée à respecter[2]. Sans se soucier des promesses de sa mère, Joseph II la supprima ; il fit transporter à Vienne la couronne de Hongrie et imposa aux

---

1. Charles-Auguste, duc de Saxe-Weimar (1775-1828), est resté célèbre pour l'amitié qu'il témoigna à tous les grands esprits de l'Allemagne, particulièrement à Schiller et à Gœthe (qui fut son Premier Ministre).

2. Lorsqu'elle avait demandé l'aide militaire des Hongrois en 1741.

Hongrois l'usage de l'allemand. Les Hongrois se soulevèrent. Aux Pays-Bas aussi une révolte éclata (janvier 1789) et les Belges proclamèrent leur indépendance. Il fallut, pour calmer les esprits, que Léopold de Toscane, frère et successeur de Joseph II, reconnût aux Hongrois et aux Belges leurs libertés traditionnelles.

3. Les réformes de Frédéric II.

De culture toute française, au point d'être lui-même un bon écrivain français, Frédéric II, ami et correspondant de Voltaire, se piquait d'être un «roi philosophe». En fait, il n'appliqua les principes philosophiques que lorsqu'il les jugea compatibles avec l'intérêt de l'État prussien. Il favorisa l'instruction populaire, abolit la torture, rendit la justice plus rapide et moins coûteuse, fit travailler à la rédaction d'un code. Mais, pour tout le reste, il se montra beaucoup plus proche du Grand Électeur et du Roi-Sergent que de Voltaire.

Il se garda bien de toucher à l'organisation sociale traditionnelle : les paysans restèrent serfs, continuèrent à travailler sur les terres des nobles et à être administrés et jugés par eux ; les nobles, grands propriétaires, étaient officiers ou fonctionnaires ; les bourgeois des villes étaient industriels ou commerçants. Personne n'avait le droit de sortir de la classe où sa naissance l'avait placé : il était interdit à un fils de noble d'être marchand ou à un fils de marchand de travailler la terre.

Comme ses prédécesseurs, Frédéric II pratiqua activement la colonisation : elle était d'autant plus nécessaire que le pays était sorti ruiné de la guerre de Sept Ans. Plus de 300 000 immigrants vinrent s'installer dans les provinces prussiennes. Très tolérant, selon la tradition des Hohenzollern — et aussi parce qu'il était profondément sceptique — Frédéric accueillit les Jésuites, alors chassés des États catholiques. Il fit dessécher les régions marécageuses, développa la culture de la pomme de terre et des plantes fourragères. Pour protéger l'industrie prussienne, il créa des manufactures d'État, selon le système de Colbert. A l'exemple de son père, il surveilla de très près ses fonctionnaires, pratiqua une stricte économie et laissa un Trésor bien rempli.

A la mort de Frédéric II (1786), le bilan de son règne était impressionnant : une population presque triplée sur un territoire presque doublé, une administration laborieuse et capable, une armée qui était la meilleure de l'Europe. Mais Frédéric II trouverait-il dans son neveu, *Frédéric-Guillaume II* (1786-1797), un successeur digne de lui?

4. L'avènement de Catherine II de Russie.

Pendant près d'un demi-siècle, de la mort de Pierre le Grand (1725) à l'avènement de Catherine II (1762), la Russie fut troublée par des révolutions de palais. On vit se succéder au trône, en un ordre singulier, la femme de Pierre le Grand, un de ses petits-fils, sa nièce, son petit-neveu, enfin sa fille *Élisabeth*.

Le règne d'Élisabeth (1741-1762) fut surtout marqué par le développement de l'influence française en Russie. La société cultivée se mit à parler français et à imiter les modes de Versailles.

A la mort d'Élisabeth, le pouvoir passa à un petit-fils de Pierre le Grand, *Pierre III*. Inintelligent, ivrogne, admirateur fanatique du roi de Prusse, avec lequel il signa immédiatement la paix, le nouveau tsar fut vite impopulaire. Sa femme, *Catherine*, une petite princesse allemande qu'il songeait à répudier, en profita pour prendre le pouvoir : elle gagna les soldats de la garde et se fit proclamer impératrice. Quelques jours plus tard Pierre était mort, sans doute assassiné.

Cette jeune femme, qui commençait son règne par une conspiration et un crime, sut être une grande tsarine. D'une activité infatigable, voulant tout décider par elle-même, elle fut, selon le mot d'un poète russe, «la sentinelle qu'on ne relève jamais». *D'éducation et de culture toutes françaises*, elle entretint une correspondance suivie avec les Philosophes français et, flattant habilement leur vanité, se proclama leur disciple. En fait, son despotisme éclairé ne fut jamais que de surface : Catherine II pratiqua une politique plus *réaliste* encore que celle de Frédéric II.

5. Le gouvernement de Catherine II.

Détachée de toute croyance religieuse, Catherine se montra tolérante et laissa les Jésuites s'établir en Russie. Elle confisqua les biens du clergé orthodoxe et acheva de le mettre sous le contrôle de l'État. Bien loin de supprimer l'inégalité sociale, elle l'aggrava plutôt. Elle *favorisa les nobles* et leur abandonna l'administration locale : dans chacun des cinquante gouvernements ils purent choisir ceux d'entre eux qui devaient exercer les fonctions administratives, financières et judiciaires.

En revanche, le règne de Catherine fut *désastreux pour les paysans*. L'impératrice avait pourtant proclamé bien haut son désir d'améliorer leur sort et avait réuni à cet effet une grande *Commission* pour rédiger un nouveau code, d'après les idées des Philosophes. En fait, le servage fut aggravé : les serfs n'eurent plus le droit de porter plainte contre les cruautés de leurs maîtres ; l'impératrice donna à ses nombreux favoris des centaines de milliers de «serfs de la Couronne» (dont le sort était assez doux) qui tombèrent ainsi au rang de «serfs domestiques», c'est-à-dire d'esclaves ; enfin elle introduisit le servage dans les territoires de la Russie méridionale, où il n'existait pas encore. La colère des paysans se manifesta par la formidable révolte de *Pougatchev*. Ce cosaque déserteur se fit passer pour Pierre III et souleva des millions de serfs dans la région de la Volga. Il fallut cinq ans (1771-1775) pour venir à bout de l'insurrection.

La *colonisation de la Russie du Sud* est, avec sa politique extérieure, l'œuvre essentielle du règne de Catherine II. Un de ses favoris, *Potemkine*, se donna la tâche de peupler ces territoires immenses, fertiles mais presque vides. Il y appela des Allemands, y fit construire des routes, des villages, des villes.

A la mort de Catherine (1796), le territoire de la Russie était considérablement augmenté, la haute société plus cultivée, le gouvernement plus régulier, mais presque toute la population continuait à vivre dans la misère et le servage.

Les Européens en Asie du XVIe au XVIIIe siècle

1. L'Asie turque. La Perse.

Au milieu du XVIe siècle, il y avait en Asie cinq grands empires : la Turquie, la Perse, le Japon, la Chine et l'Inde.

Toute l'Asie occidentale faisait partie de l'empire turc. Le sultan y possédait l'Asie Mineure, la Syrie, la Palestine, la Mésopotamie et l'Arabie occidentale. Les Vénitiens et les Français, auxquels se joignirent depuis la fin du XVIe siècle les Anglais et les Hollandais, venaient commercer dans les grands marchés que l'on appelait les *Échelles du Levant* : particulièrement *Smyrne* et *Tripoli de Syrie*. Ils y apportaient les draps, les cotonnades, le papier, la quincaillerie, le café, le sucre et même les épices. Ils en revenaient avec des cargaisons de soie, de laine, de coton, de cuir et de produits pharmaceutiques. Grâce aux efforts de Colbert, le port de Marseille tenait la première place dans le commerce de l'Europe avec le Proche-Orient. Des *Capitulations* du début du XVIIe siècle, renouvelées en 1740, avaient reconnu aux Français le droit de protéger les Lieux Saints de Palestine (Église du Saint-Sépulcre à Jérusalem, Grotte de la Nativité à Bethléem) : les rois de France affirmaient aussi avoir reçu le droit de protéger tous les religieux catholiques dans l'empire ottoman.

La Perse avait une civilisation très raffinée. Sa capitale, *Ispahan*, était une des plus belles villes du monde en même temps qu'une grande place de commerce : les soieries, les tapis, les miniatures témoignaient d'un art souvent exquis ; les poètes persans étaient célèbres et la langue persane était connue de tous les Musulmans cultivés d'Asie. Les souverains ou *chahs* se montraient favorables aux marchands et artistes européens. Les Persans sont musulmans, mais ils étaient en butte à l'hostilité acharnée de leurs voisins (Turcs, Afghans, Turkmènes du Turkestan), qui les regardent comme des hérétiques. A ces adversaires se joignirent, à partir du règne de Pierre le Grand, les Russes. Mais, jusque vers 1750, la Perse repoussa toutes les attaques des envahisseurs.

2. L'empire chinois.

Vers le milieu du XIVe siècle, les Chinois avaient rejeté le joug des Mongols et ils étaient de nouveau gouvernés par une dynastie chinoise, celle des *Ming*. La civilisation était toujours très raffinée : la peinture, le travail du bronze et surtout la céramique produisaient des chefs-d'œuvre. Mais, pas plus qu'au Japon, on ne trouvait en Chine aucun progrès technique.

En 1644, les Ming succombèrent sous les coups de tribus venues d'un pays situé au nord de la Chine : la Mandchourie. La *dynastie des empereurs mandchous* gouverna la Chine pendant près de trois cents ans, jusqu'en 1912. Quelques-uns de ses souverains, au XVIIe et XVIIIe siècles, furent à la fois de grands conquérants et d'excellents administrateurs. Vers 1789, l'empire chinois était le plus étendu du monde. Outre la Chine proprement dite, il comprenait la Corée, la Mandchourie, la Mongolie, le Turkestan oriental et le Tibet. En revanche, il ne s'étendait plus sur la péninsule indochinoise que les Annamites dominaient à l'Est, les Siamois et les Birmans à l'Ouest.

3. Les Européens en Chine.

Les premiers Européens qui arrivèrent par mer — c'étaient des Portugais venus de Malacca à Canton vers 1520 — furent bien accueillis. Mais ils se firent bientôt haïr pour leur cruauté et leur cupidité et ils furent parqués dans un îlot près de Canton, à *Macao*. D'autres Européens, Espagnols des îles Philippines, Hollandais des îles de la Sonde, Anglais, Français, vinrent commercer à Macao puis à Canton. L'Europe achetait surtout à la Chine des soieries, des laques[1], du thé, des porcelaines. De leur côté des marchands chinois apportaient à *Manille* (le grand port des îles Philippines) leurs soieries que les galions espagnols transportaient jusqu'à la côte occidentale du Mexique, d'où elles parvenaient ensuite en Europe. Vers la fin du XVIIe siècle, les Chinois entrèrent en relation avec leurs nouveaux voisins du Nord, les *Russes*, qui venaient d'achever le conquête de la Sibérie[2] : en 1689, puis de nouveau en 1727, ils leur reconnurent le droit de commercer en Chine, d'y vendre des fourrures et d'y acheter du thé.

À côte des marchands étaient venus des missionnaires, surtout des *Jésuites*. Par le respect qu'ils témoignèrent de la pensée chinoise, par leurs connaissances en astronomie, en mathématiques, en géographie, par leur habileté à construire des horloges, des automates et même des canons, les Jésuites surent, dès le début du XVIIe siècle, conquérir la confiance des empereurs, et ils obtinrent le droit de prêcher le christianisme en Chine. Pour faciliter leur propagande, ils se montrèrent très larges d'esprit : par exemple, ils ne demandèrent jamais aux nouveaux convertis de renoncer au culte des ancêtres, qui est l'un des traits essentiels de la religion des Chinois. Vers 1670, on comptait en Chine 30 000 chrétiens, et un édit de 1692 permit officiellement la prédication du christianisme. Mais la largeur d'esprit des Jésuites fut condamnée par la Papauté au début du XVIIIe siècle. Le christianisme fut alors interdit par les empereurs.

Du moins les lettres écrites par les Jésuites contribuèrent-elles à faire connaître, surtout en France, la civilisation chi-

---

1. La laque est une résine que l'on recueille en Asie sur les branches de certains arbres. On appelle aussi laque (mais alors le mot est masculin) un objet revêtu d'un vernis dans la composition duquel entre de la laque.

2. Vers 1730, le Danois *Behring* découvrit le détroit qui sépare la Sibérie de l'Amérique et qui porte encore son nom, puis il longea les côtes du Kamtchatka.

noise : on s'enthousiasma pour les porcelaines et les soieries de Chine ; on imita les jardins à la chinoise et les peintres firent des «chinoiseries», c'est-à-dire des décors inspirés de ceux qu'on trouvait sur les vases ou les étoffes de Chine.

4. Le Japon.

Le Japon était gouverné par un empereur — les Européens l'appellent le *mikado* — qui était en théorie un souverain absolu ; en fait, tout le pouvoir était aux mains du *chogoun*, le plus riche des grands possesseurs de fiefs du pays. Les Japonais firent très bon accueil aux Européens, et particulièrement aux missionnaires jésuites que conduisait vers 1550 *saint François Xavier*, l'un des premier compagnons d'Ignace de Loyola. Des centaines de milliers de Japonais se convertirent au christianisme.

Mais très vite Portugais et Espagnols se firent haïr pour leur avidité, leurs intrigues et leur fanatisme religieux. Avant même la fin du XVIe siècle, des mesures très dures furent prises contre les missionnaires et les Japonais convertis. Puis, en 1638, le christianisme fut interdit sous peine de mort et nul Européen n'eut plus le droit de pénétrer au Japon : seuls les Hollandais, qui s'interdisaient tout prosélytisme religieux, furent autorisés à embarquer chaque année dans un îlot de la rade de Nagasaki quelques marchandises japonaises. Pendant plus de deux siècles (1638-1854), le Japon allait vivre entièrement replié sur lui-même.

5. L'Inde.

Au XVIe siècle, comme aujourd'hui encore, on trouvait dans l'Inde deux populations très différentes : d'une part des Hindous de *religion brahmanique* ; d'autre part, des *Musulmans*, envahisseurs venus du Nord-Ouest et Hindous convertis par force, surtout nombreux dans les vallées de l'Indus et du Gange. Entre musulmans et brahmanistes les haines religieuses sont féroces. Au début du XVIe siècle, un chef musulman du Turkestan, Baber, fonda à *Delhi*, dans la vallée du Gange, une dynastie qu'on appela en Europe la *dynastie des Grands Mo-*

gols (1526-1858). Ses successeurs tentèrent, avec plus ou moins de succès, d'étendre leur autorité sur l'Inde entière.

Les premiers Européens qui arrivèrent dans l'Inde après avoir contourné le cap de Bonne-Espérance furent les Portugais. Ils acquirent des comptoirs dont les plus importants furent Goa et Diu, puis commencèrent à évangéliser les indigènes. Au début du XVIIe siècle apparurent les Hollandais et les Anglais. Les Hollandais enlevèrent aux Portugais l'île de Ceylan et la conservèrent pendant près de deux siècles jusque vers 1800. De leur côté, les Anglais s'établirent à *Madras* (1640), à *Bombay* (1662) et à *Calcutta* (1690).

Les Français arrivèrent les derniers. La Compagnie des Indes orientales, créée par Colbert à l'imitation de celle d'Amsterdam, fonda les «établissements» de *Pondichéry* et *Chandernagor* au temps de Louis XIV, puis de *Mahé*, *Yanaon* et *Karikal* au début du règne de Louis XV. Comme les Compagnies anglaise et hollandaise, la Compagnie française voulait non pas conquérir des territoires, mais seulement s'enrichir en revendant en Europe des cotonnades, des soieries, du thé, des épices.

6. Les ambitions de Dupleix.

Tout allait changer quand, en 1741, *Dupleix* devint gouverneur des établissements français de l'Inde[1].

Dupleix voulut faire de la Compagnie française une puissance politique qui posséderait des territoires et lèverait des impôts. Les circonstances semblaient favorables. Depuis la mort du Grand Mogol *Aureng-Zeb* (1707), l'Inde était en pleine anarchie, les gouverneurs de provinces luttaient les uns contre les autres, faisant parfois appel aux Anglais ou aux Français. Dupleix fut ainsi entraîné à se mêler aux rivalités des indigènes et il espéra pouvoir, par ce biais, faire d'une partie de l'Inde un protectorat français. Il trouva pour le seconder dans sa tâche un admirable collaborateur, le *marquis de Bussy* : avec quelques centaines de Français, quelques milliers de *cipayes* (soldats indigènes armés à l'européenne) et une batterie d'artillerie, Bussy fit dans le Décan une extraordinaire campagne, prit

---

1. La politique de Dupleix avait été amorcée par son prédécesseur, *Dumas* (1735-1741).

des villes réputées imprenables; mit en déroute des armées de cent mille hommes. En 1753, une grande partie de l'Inde péninsulaire reconnaissait la suzeraineté de la France. *C'était le début de la colonisation européenne de l'Inde.*

Mais quand Dupleix demanda des renforts, il se heurta à une double hostilité : celle des directeurs de la Compagnie, qui voulaient s'enrichir en faisant du commerce et non dépenser de l'argent à faire la guerre, puis celle du gouvernement de Versailles, soucieux à ce moment-là de ne pas mécontenter les Anglais. Dupleix fut rappelé. Français et Anglais furent d'accord pour interdire aux deux Compagnies tout activité politique dans l'Inde (1754). La Compagnie anglaise ne perdait rien, la Compagnie française perdait un empire !

7. La victoire des Anglais.

Quelques mois plus tard, la guerre recommençait sur mer entre l'Angleterre et la France en 1755. Elle s'étendit à l'Inde. Un fonctionnaire de la Compagnie anglaise, *Clive*, conquit sur un vassal du Grand Mogol une partie de la province du Bengale et enleva le comptoir français de Chandernargor (1757). Mais Bussy se maintenait dans le Décan, et un énergique officier, *Lally-Tollendal*, arrivait de France, avec trois mille hommes. Malheureusement, l'absence d'autres renforts (le gouvernement de Versailles ne lui envoya que *17 hommes !*) et la maladresse de Lally, qui n'avait que mépris pour les Hindous, rendirent bientôt la situation des Français très critique. Assiégé dans Pondichéry avec sa petite troupe de 700 hommes par une armée ennemie de 22 000 soldats, soutenue par une escadre de quatorze navires, Lally dut se rendre après une résistance héroïque (1761). A son retour en France, il fut injustement rendu responsable de la défaite et exécuté[1]. Le *traité de Paris* (1763) ne laissa à la Compagnie française que les cinq comptoirs qu'elle possédait en 1741.

La Compagnie anglaise, au contraire, représentée dans l'Inde par des hommes énergiques, pleins d'initiative et souvent sans scrupules, comme *Clive* et *Warren-Hastings*, étendit son autorité dans la vallée du Gange et même sur une partie du

1. Quelques années plus tard, Voltaire réussit à faire réhabiliter la mémoire de Lally-Tollendal.

Décan. Elle courut un grave danger lorsque l'escadre française du bailli de *Suffren* vint assiéger Madras (1782), mais le traité de Versailles ne modifia pas l'état territorial de l'Inde. A ce moment, la Compagnie anglaise commandait à quarante millions d'indigènes. Aussi, le gouvernement de Londres jugea-t-il nécessaire de lui imposer un certain contrôle. Sur la proposition du secont Pitt, alors Premier ministre, le Parlement vota la *loi sur l'Inde* (1784). Elle laissait à la Compagnie toute liberté de gérer à sa guise les affaires commerciales, mais elle lui enlevait la direction des affaires politiques et la donnait à un Conseil nommé par le roi. Ce régime dura jusqu'à la suppression de la Compagnie, en 1858.

Les Européens en Amérique aux XVIIᵉ et XVIIIᵉ siècles

1. Les États en présence.

En 1580, deux États européens seulement possédaient des territoires en Amérique : le Portugal, qui occupait le Brésil ; l'Espagne, dont l'empire colonial s'étendait, au moins officiellement, sur tout le reste de l'Amérique du Sud, sur l'Amérique centrale, les grandes Antilles, le Mexique et la Floride.

Dans les premières années du XVIIᵉ siècle, trois autres États européens, l'Angleterre, la France, les Provinces-Unies, s'établirent aux Antilles et sur la côte orientale de l'Amérique du Nord. Très vite les Hollandais furent mis hors de cause, mais une rivalité chaque jour plus âpre opposa les Anglais et les Français, jusqu'à ce que le traité de Paris (1763) ne laissât plus guère aux Français que leurs possessions des Antilles.

2. Les empires espagnol et portugais.

Au cours du XVIIᵉ siècle, les Espagnols continuèrent la

conquête du Chili, de l'Argentine, du Venezuela et du sud-ouest des États-Unis actuels. En 1763, ils reçurent de la France les immenses territoires situés entre le Mississippi et les Montagnes Rocheuses ; en même temps, ils colonisèrent, sur la côte de l'océan Pacifique, la Californie : la ville de San Francisco fut fondée par des missionnaires franciscains en 1776. De ses possessions primitives l'Espagne ne perdit rien, sinon aux Antilles l'île de la Jamaïque conquise par les Anglais (1655) et une partie de l'île de Saint-Domingue occupée par les Français[1].

L'organisation de cet immense empire était toujours celle qu'avaient fixée Charles Quint et Philippe II. Le Conseil des Indes établi à Madrid nommait les hauts fonctionnaires, édictait les lois et jouait le rôle de Cour d'appel. Au-dessous des vice-rois, des intendants étaient chargés de contrôler les fonctionnaires et de protéger les Indiens : officiellement, ceux-ci n'étaient plus astreints à aucun travail forcé. Les missionnaires continuaient à les convertir : dans le Paraguay, les Jésuites les groupaient dans des territoires appelés *réductions*, fermés à toute influence extérieure et exerçaient sur eux une autorité à la fois temporelle et spirituelle. Les grandes villes avaient des monuments somptueux, églises surtout et palais ; la langue espagnole progressait, les Universités s'étaient multipliées. L'exploitation des mines, ralentie depuis le milieu du XVIIᵉ siècle, avait repris et l'afflux des métaux précieux en Europe y amena, on l'a vu, une sérieuse hausse des prix. L'activité commerciale entre l'Amérique et la métropole s'accrut énormément après 1760, lorsque de nombreux ports espagnols reçurent le droit (jusqu'alors réservé à Séville, puis à Cadix) d'envoyer des navires en Amérique.

L'autorité du roi semblait toujours fortement assise dans ses colonies. Cependant, il lui fallait compter avec le *mécontentement des créoles*, c'est-à-dire des Blancs nés en Amérique de parents espagnols. Nombreux, enrichis dans l'agriculture et le commerce, souvent cultivés, les créoles voyaient avec dépit les hautes fonctions administratives, religieuses et militaires réservées aux Espagnols venus d'Espagne[2]. Ils supportaient mal des

1. L'Espagne dut céder la Floride à l'Angleterre en 1763, mais elle la recouvra dès 1783.

2. Vers 1789, la population de l'Amérique espagnole était de 16 millions d'habitants environ. Là-dessus, on comptait 250 000 Espagnols nés en Espagne ; 2 775 000 créoles ; 4 500 000 métis ; 7 500 000 Indiens et 775 000 esclaves noirs, nombreux surtout dans les Antilles espagnoles (Cuba, Saint-Domingue, Porto-Rico).

taxes énormes que le roi levait sur eux et le régime très strict de censure qui leur interdisait de lire les livres français et anglais. Surtout, ils s'indignaient contre le régime de l'exclusif qui réservait le monopole du commerce aux vaisseaux espagnols et qui interdisait, en Amérique, la culture de l'olivier et de la vigne, parce qu'elle aurait porté préjudice aux agriculteurs de la métropole[1]. Ainsi se préparaient les révoltes qui, au début du XIXe siècle, aboutirent à l'indépendance des colonies espagnoles d'Amérique.

Au Brésil, possession portugaise[2], l'autorité du gouvernement de Lisbonne était plus libérale et l'administration était en grande partie aux mains des créoles. Aux richesses agricoles (bois de teinture, canne à sucre, tabac) s'ajouta, au début du XVIIIe siècle, l'exploitation de mines d'or et de diamant.

3. Les Anglais en Amérique.

A la mort de la reine Élisabeth (1603), l'Angleterre ne possédait encore aucune colonie. Au cours du XVIIe siècle, elle s'empara de quelques Antilles (particulièrement de la Jamaïque en 1655), et les dizaines de milliers d'Anglais s'établirent sur la côte orientale des États-Unis actuels.

La *Virginie* fut la première colonie anglaise sur le continent américain (1607). A l'est et au sud de la Virginie se constituèrent successivement, au XVIIe siècle, le *Maryland*, les deux *Carolines*, puis, en 1732, la *Georgie*. Pendant ce temps, beaucoup plus au Nord, des puritains, adversaires de l'Église Établie, fondèrent de 1620 à 1640 les quatre colonies de la «Nouvelle-Angleterre» : la plus importante était le *Massachusetts*. Les deux groupes du Nord et du Sud étaient séparés par d'immenses forêts et par des territoires hollandais. Ceux-ci furent conquis par les Anglais (1664) et formèrent trois nouvelles colonies, dont celle de *New York*; quant à la région forestière elle constitua la *Pennsylvanie* (1681). Telle fut l'origine des

1. Quand le petit-fils de Louis XIV devint roi d'Espagne (1700), les marchands français purent commercer avec l'Amérique espagnole. Au traité d'Utrecht, l'Angleterre contraignit l'Espagne à maintenir strictement le régime de l'exclusif : cependant, elle se fit attribuer le monopole de la traite en Amérique espagnole et le droit d'envoyer chaque année en Amérique une certaine quantité de marchandises anglaises.

2. De 1580 à 1640, le Portugal étant alors annexé à l'Espagne, le Brésil fut possession espagnole. Les Hollandais en occupèrent quelques régions, mais ils en furent chassés par les Portugais après 1640. Ils conservèrent du moins ce qui forma la *Guyane hollandaise* (dont les Anglais conquirent une partie en 1796). La *Guyane française* avait été fondée vers 1630.

treize colonies anglaises d'Amérique, qui prirent le nom d'É-
tats-Unis, lorsqu'elles se furent déclarées indépendantes en
1776. Une forte natalité et une continuelle émigration expliquent qu'elles comprenaient en 1763 environ 1 320 000 Blancs
— auxquels il faut ajouter 330 000 esclaves noirs, surtout nombreux dans les colonies du Sud.

A la différence des Espagnols et des Portugais, les Anglais
refusèrent toujours de frayer avec les indigènes Indiens (on
disait couramment les *Peaux Rouges*) et leur faire une place
dans leur société : ils ne tentèrent ni de les convertir au christianisme, ni de les réduire en esclavage. Ils ne pensaient qu'à les
refouler toujours plus loin, vers l'intérieur, et à défricher les
forêts où les Indiens vivaient de la chasse. De là entre indigènes
et colons des guerres incessantes, d'une atroce cruauté.

4. Organisation des colonies anglaises.

Dans chaque colonie, un *Gouverneur*, venu d'Angleterre, représentait le roi. A ses côtés une *Assemblée*, élue par les riches
propriétaires, votait les impôts et faisait les lois, mais celles-ci
pouvaient être annulées par le roi. D'autre part, le Parlement
de Londres avait le droit de légiférer directement pour les
treize colonies, et celles-ci, de leur côté, entretenaient auprès
du gouvernement anglais des commissaires chargés de les défendre.

L'organisation sociale et économique n'était pas la même
dans toutes les colonies. Dans le Sud, les planteurs, en majorité
de religion anglicane, vivaient sur de grands domaines où des
esclaves noirs amenés d'Afrique cultivaient le tabac et le riz.
Dans le Nord et le Centre, les colons, dont presque aucun
n'était anglican, étaient de petits paysans. Ils défrichaient la
forêt et, dans les clairières qu'ils y avaient ouvertes à grands
coups de hache, ils construisaient leur hutte en rondins, se-
maient du maïs et élevaient des porcs. Bientôt un village se
formait, une école s'ouvrait et la civilisation européenne progressait lentement vers l'Ouest. Dans les villes, dont les plus
importantes étaient *Boston*, *Philadelphie* et *New York*, on
trouvait des négociants, des hommes de loi, des médecins.
L'exportation des fourrures, des bois de construction, de la

farine, du poisson salé, la fabrication du rhum, la traite des noirs, l'importation des produits anglais donnaient lieu à un commerce lucratif.

Le gouvernement anglais interdisait aux colons tout commerce avec les colonies espagnoles et françaises; il leur interdit même, au XVIIIe siècle, de fabriquer aucun produit métallurgique, mais ces lois n'étaient pas appliquées : les citoyens les plus respectables s'adonnaient à la contrebande, au su des autorités.

5. Les Français en Amérique.

En Amérique, les Français occupèrent d'une part la Guyane et quelques Antilles, d'autre part le Canada. Aux Antilles ils s'emparèrent d'abord de la *Martinique* et de la *Guadeloupe*, puis de la partie occidentale de l'île espagnole de *Saint-Domingue*. Ces îles s'adonnèrent surtout à la culture de la *canne à sucre*, puis du tabac, du coton, du cacao et du café : à la mort de Colbert, deux cents navires français partaient chaque année de Rouen, Nantes, La Rochelle et Bordeaux pour aller «aux Iles». Comme à la Jamaïque ou en Virginie, les riches planteurs blancs faisaient travailler des esclaves, amenés du Sénégal ou du golfe de Guinée.

Toute différente était l'organisation du *Canada*. Sous le règne d'Henri IV, Champlain avait pris possession au nom de la France des rives du Saint-Laurent. A la différence des Anglais, les colons français témoignèrent aux Indiens beaucoup de sympathie. Ils s'appliquèrent à les convertir au catholicisme et les traitèrent en égaux. Les *trappeurs*, qui faisaient la chasse aux animaux à fourrures, vivaient à la manière des Indiens et épousaient souvent des Indiennes converties. Colbert organisa le Canada comme une province française : il mit à sa tête un gouverneur et un intendant, et il y envoya de nombreux paysans français. Le pays, qui comptait à peine 2 000 Européens en 1660, en comptait 10 000 en 1683 et près de 20 000 en 1715.

Pour étendre leur trafic, les trappeurs ou *coureurs des bois* explorèrent les régions qui s'étendaient à l'ouest et au sud-ouest de la vallée du Saint-Laurent. Les uns créèrent des postes commerciaux sur les bords des Grands Lacs; d'autres, sous la direction de *Cavelier de la Salle*, atteignirent le fleuve Mississi-pi, le descendirent jusqu'à son embouchure et prirent posses-sion au nom de la France des territoires qu'ils venaient de parcourir (1682). Vingt ans plus tard, un autre explorateur, d'*Iberville*, fit le même trajet en sens inverse : il aborda au delta du Mississipi et gagna le Saint-Laurent en créant des postes sur le golfe du Mexique, sur le Mississipi, sur les Lacs Michigan et Érié. En l'honneur de Louis XIV, il donna à ces régions le nom de *Louisiane*.

6. Le conflit franco-anglais.

Colons français et colons anglais devaient nécessairement en-trer en conflit. Ils se disputaient âprement le marché des four-rures, l'exploitation de la côte méridionale de la *baie d'Hud-son*, le monopole de la pêche sur les côtes de l'île de Terre-Neuve et de la presqu'île de l'Acadie. La lutte fut particulière-ment acharnée pendant la guerre de Succession d'Espagne, et c'est surtout en Amérique que s'affirma la victoire de l'Angle-terre au traité d'Utrecht (1713) : non seulement la France fut écartée du commerce avec l'Amérique espagnole, mais encore elle dut *renoncer à l'Acadie, à Terre-Neuve et aux territoires de la baie d'Hudson.*

Au lendemain de la paix, chacun des deux adversaires augmenta fébrilement ses forces. Les Français fondèrent au sud de la Louisiane la ville de La Nouvelle-Orléans, puis ex-plorèrent une partie des régions qui s'étendent à l'ouest du Mississipi jusqu'aux Montagnes Rocheuses. De leur côté, les colons anglais, dont le nombre s'accroissait par l'afflux d'immi-grants écossais et allemands, atteignaient, par-delà les monts Alleghanys, la *vallée de l'Ohio*. Elle leur était nécessaire s'ils voulaient desserrer l'étreinte qui les bloquait entre les Allegha-nys et la mer. Mais les Français y tenaient tout autant parce qu'elle était la voie la plus commode du Saint-Laurent à la Louisiane. Les deux rivaux construisirent hâtivement des forts sur les rives de l'Ohio et se préparèrent à la guerre. Elle commença en 1754 quand des miliciens de Virginie, commandés par le jeune *Washington*, attaquèrent un poste français. Les colons appelèrent l'Angleterre à l'aide, et celle-ci décida de leur envoyer tous les secours dont elle pourrait disposer.

7. Le triomphe des Anglais.

La lutte allait durer sept ans (1754-1760), mais dans des conditions très différentes pour les Français et pour les Anglais. A Versailles, les ministres ne s'intéressaient qu'à la guerre en Allemagne contre Frédéric II : au Canada, ils envoyèrent en tout 236 hommes de renfort[1]. En Angleterre au contraire, Pitt, premier ministre de 1757 à 1761, était décidé à occuper coûte que coûte le Canada et la vallée de l'Ohio : il y envoya plus de 30 000 hommes.

Malgré l'abandon où ils furent laissés, les Français prirent vaillamment l'offensive. Sous le commandement d'un admirable officier, le *marquis de Montcalm*, ils infligèrent d'abord de rudes défaites aux Anglais. Mais, par la suite, ceux-ci de plus en plus nombreux et aidés par les colons anglais d'Amérique, réussirent à prendre la ville de Québec après une bataille acharnée où Montcalm et son adversaire, le général *Wolfe*, furent tués l'un et l'autre (1759). L'année suivante, Montréal dut capituler à son tour. Le Canada était perdu. Dans le même temps, les Antilles françaises, à l'exception de Saint-Domingue, tombaient aux mains des Anglais.

Au *traité de Paris* (1763), la France abandonna à l'Angleterre le Canada, la vallée de l'Ohio et la partie de la Louisiane située à l'est du Mississippi, à l'exception de la ville de La Nouvelle-Orléans. C'est à peine si elle recouvra la Martinique et la Guadeloupe et, près de Terre-Neuve, les îlots de Saint-Pierre et Miquelon. Comme son allié, le roi d'Espagne avait dû céder la Floride aux Anglais, Louis XV lui donna à titre de compensation la ville de La Nouvelle-Orléans et la Louisiane à l'ouest du Mississipi.

A l'égard des colons français au Canada, le gouvernement anglais fit preuve d'une très large tolérance. La *loi de Québec* (1774) leur permit de conserver leur langue, leur religion et

1. Le Canada n'intéressait alors ni le gouvernement, ni l'opinion publique parce qu'il ne fournissait pas de produits tropicaux, mais seulement des fourrures. De nos colonies d'Amérique, les Antilles seules comptaient, particulièrement Saint-Domingue, dont la France possédait la moitié occidentale. En 1789, près de 40 p. 100 du commerce extérieur de la France se faisait avec les «Iles».

l'usage de la loi française dans leurs tribunaux. Les descendants de ces colons forment aujourd'hui, sous le nom de *Canadiens français*, le tiers de la population du Canada.

La formation des États-Unis

1. Premières difficultés avec l'Angleterre.

Au lendemain du traité de Paris (1763), le gouvernement anglais prit plusieurs mesures qui mécontentèrent gravement les colons américains. Il leur interdit, par crainte d'un soulèvement des Indiens, de s'établir dans le pays entre l'Ohio, les Grands Lacs et le Mississippi. Cette décision causa une vive indignation chez les spéculateurs qui espéraient s'enrichir en achetant des terres à bas prix pour les revendre très cher.

Par là-dessus, une tribu indienne s'étant révoltée, le gouvernement de Londres décida de maintenir de façon permanente une petite armée anglaise dans les treize colonies. Enfin les gouverneurs, dont le traitement était jusqu'alors voté par les Assemblées des colonies, seraient désormais payés par le Trésor de Londres, de façon à être plus indépendants à l'égard des colons.

Pour trouver les ressources nécessaires à ces dépenses supplémentaires, le ministère anglais décida de réprimer sévèrement la contrebande : de la sorte, les droits de douane rapporteraient davantage. Puis il établit un impôt nouveau, le *droit de*

Timbre, c'est-à-dire qu'il introduisit en Amérique l'usage du papier timbré vendu au profit du Trésor anglais (1765). Les spéculateurs, les négociants qui s'enrichissaient de la contre-bande, les hommes de loi et les imprimeurs frappés par le droit de timbre suscitèrent de violentes émeutes, particulièrement dans les colonies de Virginie, de New York et de Massachu-setts. Effrayé, le Parlement anglais supprima le droit de Tim-bre, et l'agitation cessa.

2. Aggravation du conflit.

L'agitation reprit peu après, lorsque des droits nouveaux sur l'entrée en Amérique du fer, du papier et du thé eurent été votés à Londres. Les colons utilisèrent alors un argument juri-dique qui leur paraissait très fort. Ils rappelèrent qu'ils étaient citoyens anglais et que, d'après les principes de la constitution anglaise, aucun citoyen n'est tenu de payer un impôt qui n'aurait pas été, au préalable, voté par lui ou par ses représen-tants. Les colons n'étant pas représentés au Parlement de Lon-dres, celui-ci n'avait donc aucun droit de leur imposer des taxes.

Bientôt des incidents purement locaux, dont, à Londres comme en Amérique, on exagéra la portée, aggravèrent le conflit. Ce fut d'abord ce que les colons appelèrent le *massacre de Boston* (1770) : des soldats anglais, frappés dans les rues, tuèrent quatre manifestants. Puis ce fut la *partie de thé de Boston* (1773) : des colons, déguisés en Indiens, jetèrent à la mer 340 caisses de thé qui venaient d'entrer dans le port. Furieux, George III cassa la constitution de la colonie de Mas-sachusetts et ferma le port de Boston jusqu'à ce que les habi-tants eussent remboursé la valeur du thé. Le Massachusetts fit alors appel aux autres colonies.

3. La rupture avec l'Angleterre

Un congrès composé de délégués de toutes les colonies — sauf la Georgie — se réunit en 1774 à *Philadelphie :* dans une *Déclaration des Droits*, il affirma le droit que possède tout citoyen anglais de n'être pas taxé sans son consentement. En même temps, les colons créaient partout des dépôts d'armes. Un détachement anglais, qui cherchait à s'emparer de l'un de ces dépôts, se heurta près de Boston à des miliciens américains et perdit environ 250 hommes (1775).

Cet incident entraîna la rupture définitive. Pendant que George III décidait de réduire les colons par les armes, le Congrès de Philadelphie assuma l'autorité souveraine, leva des troupes et donna le commandement suprême à un planteur de Virginie, *Washington*. L'année suivante, en 1776, la colonie de Virginie se déclara indépendante du roi George III. La très grande majorité des colons hésitait cependant à rompre avec la mère patrie. Mais les chefs de l'insurrection comprenaient qu'ils n'avaient aucune chance de triompher s'ils n'avaient pas l'alliance de la France : or, pour l'avoir, il leur fallait rompre avec l'Angleterre. Un nouveau Congrès vota, le 4 juillet 1776, la *Déclaration d'Indépendance des États-Unis*.

Désormais le conflit ne pouvait plus se régler que par la force.

4. Les débuts de la guerre d'indépendance.

La guerre dura près de huit ans. Chacun des deux adversaires se heurtait à de graves difficultés. Les troupes anglaises, en partie composées de mercenaires allemands, étaient bonnes et nombreuses ; mais elles combattaient dans un pays inconnu, presque sans routes, couvert d'immenses forêts, où il était souvent impossible de se ravitailler et où l'ennemi était insaisissable. — Quant aux Américains, ils étaient loin de faire front d'un commun accord contre les Anglais. Très jalouses de leur souveraineté, les treize colonies refusaient de se soumettre à un gouvernement unique, même pour la durée de la guerre. D'ailleurs, à côté des partisans de la rupture avec l'Angleterre, surtout nombreux parmi les petites gens, il ne manquait pas de *loyalistes*, grands planteurs et riches marchands, qui voulaient maintenir l'entente avec la mère patrie. Enfin l'armée américaine manquait d'armes et de vêtements ; les engagés volontaires quittaient le front dès que leur engagement expirait ; les miciliens ne voulaient pas combattre loin de chez eux ; les généraux étaient médiocres. Washington lui-même n'avait rien d'un grand capitaine : c'est plutôt par ses qualités morales, sa fermeté d'âme, sa ténacité, son abnégation qu'il fut l'artisan de la victoire.

Les deux premières années de la guerre furent défavorables aux colons : les deux villes de New York et de Philadelphie furent occupées par les Anglais. Mais, à la fin de 1777, une armée anglaise venant du Canada fut cernée dans les forêts et obligée de capituler à *Saratoga*. Ce succès rendit courage aux Américains et surtout il leur procura l'alliance de la France.

5. L'alliance de la France. La victoire des Insurgents.

La cause américaine était très populaire en France : déjà un certain nombre de gentilshommes, dont le marquis de *La-fayette*, étaient venus servir comme volontaires sous les ordres de Washington. Depuis longtemps Vergennes, qui attendait l'occasion de venger les humiliations du traité de Paris, conseil-lait la guerre contre l'Angleterre. Le gouverment commença par fournir aux *Insurgents* — c'est ainsi qu'on appelait les colons révoltés — des vêtements et des armes, puis il signa avec leur représentant en France, *Franklin*, un traité d'alliance (1778). L'année suivante, l'Espagne se joignit à la France dans l'espoir de reprendre aux Anglais Gibraltar et la Floride.

La guerre dura encore cinq ans et se déroula sur des théâtres très divers. En Amérique, où la lutte s'était portée vers le Sud, le corps français du général *Rochambeau* aida les Insurgents à bloquer une armée anglaise dans la ville de *Yorktown*, en Virginie, et à la faire capituler (octobre 1781). En Europe, les flottes franco-espagnoles ne purent ni réussir un débarquement en Angleterre ni reprendre Gibraltar. Aux Antilles, les esca-dres françaises, d'abord victorieuses, subirent en 1782 une grave défaite. En revanche, sur les côtes de l'Inde, le *bailli de Suffren* battit à plusieurs reprises la flotte anglaise et signa un traité d'alliance avec un souverain hindou, adversaire acharné des Anglais.

Finalement, l'Angleterre céda et signa le *traité de Versailles* en 1783. Elle reconnaissait l'indépendance des États-Unis et leur abandonnait tout le pays entre les monts Alleghanys et le

Mississippi ; elle rendait à l'Espagne l'île de Minorque et la Floride ; elle restituait à la France une Antille et quelques postes sur la côte du Sénégal qu'elle lui avait enlevés en 1763, elle lui reconnaissait enfin le droit de fortifier Dunkerque. De cette longue guerre, qui lui avait coûté des sommes énormes, la France ne retirait que des avantages minimes, mais il suffisait à Vergennes d'avoir restauré le prestige français et abaissé l'Angleterre.

6. Organisation des États-Unis.

La guerre d'Amérique eut des conséquences multiples. La plus considérable fut la création d'un État nouveau, les *États-Unis*, le premier État libre fondé par des Européens hors d'Europe.

Après bien des difficultés — crise financière, divergences politiques et commerciales entre colonies, haines sociales entre riches et pauvres — les treize États se donnèrent, en 1787, une Constitution qui, dans ses grandes lignes, est encore en vigueur aujourd'hui. Comme les Provinces-Unies en Europe, les États-Unis furent une *République fédérale*. Chaque État avait ses institutions particulières, mais, au-dessus de ces treize gouvernements d'États, il y avait un *gouvernement fédéral*, chargé des affaires communes : guerre, diplomatie, monnaie, commerce. Le pouvoir exécutif fédéral fut confié à un *Président* ; le pouvoir législatif, à un *Congrès* formé de deux chambres : un Sénat, où chaque État est représenté par deux membres, et une Chambre des représentants, où chaque État compte d'autant plus de députés qu'il est plus peuplé. Enfin il y eut des tribunaux fédéraux, dont le plus important fut la *Cour Suprême de Justice*.

7. Retentissement en Amérique et en France.

L'exemple de l'émancipation des colonies anglaises eut un profond retentissement en Amérique et en France. Dès la fin du XVIIIe siècle, des soulèvements éclatèrent dans l'Amérique espagnole et, quarante ans après le traité de Versailles, il ne restait plus rien de l'Empire espagnol sur le continent américain.

En France, l'exemple des Etats-Unis eut une répercussion plus rapide encore. Les principes qu'avaient défendus et vulgarisés les Philosophes français étaient à la base de la Déclaration des Droits de 1774 et de la Déclaration d'Indépendance de 1776. Les Français les avaient fait triompher en Amérique : n'allaient-ils pas les faire triompher en France même ? D'autre part, les dépenses occasionnées par la guerre avaient accru les difficultés financières du royaume, et ces difficultés contraignirent Louis XVI à accepter la convocation des États Généraux pour l'année 1789. Or la convocation des États Généraux marque le début de la *Révolution française*.

Louis XVI et la fin de l'Ancien Régime

1. Avènement de Louis XVI.

Si grand que fût le discrédit où était tombée la monarchie à la mort de Louis XV, les Français restaient profondément attachés à la dynastie des Bourbons. Ils reportèrent leurs espoirs sur le nouveau roi, *Louis XVI*, petit-fils de Louis XV. C'était un jeune homme de vingt ans, lourd, mal à l'aise dans les cérémonies, et qui n'était heureux qu'à la chasse ou dans son atelier de serrurerie. Mais on le savait bon, honnête, désireux de faire le bien. Malheureusement, son manque de volonté le mettait à la merci de toutes les influences, et la plus néfaste fut celle de la reine. La jeune *Marie-Antoinette*, l'une des filles de l'impératrice Marie-Thérèse, était vive, capricieuse et frivole. Son goût pour les fêtes, ses folles dépenses, son entourage de courtisans avides de pensions et adversaires de toute réforme, son origine autrichienne même la rendirent bientôt impopulaire.

Le premier acte de Louis XVI fut l'*abolition de la réforme de Maupeou* : c'était une grave imprudence, mais la mesure fut accueillie avec enthousiasme parce que l'opinion publique voyait dans les Parlementaires les adversaires de la monarchie absolue. D'autre part, Louis XVI se choisit de bons ministres : il confia les Affaires étrangères à un habile diplomate, *Vergennes*, et le Contrôle général des Finances à *Turgot*.

2. La tentative et l'échec de Turgot.

Économiste réputé, Turgot s'était montré excellent administrateur dans la généralité de Limoges, où il était resté intendant pendant treize ans. Il arrivait au pouvoir avec des idées bien arrêtées et le vif désir de les réaliser. «Point de banqueroute, point d'augmentation d'impôts, point d'emprunts», tels furent ses premiers mots au roi. Il voulait d'abord faire des économies, puis augmenter la richesse de la nation — et donc le rendement des impôts — en proclamant la liberté de l'industrie et du commerce.

Turgot donna l'exemple des économies en diminuant son propre traitement de moitié. Il lutta contre le gaspillage, abaissa les frais de recouvrement des impôts, supprima beaucoup d'offices inutiles ; mais il ne put obtenir du roi la réduction des dépenses de la Cour.

Il comptait davantage sur le bon effet de ses réformes économiques. Turgot, on l'a vu, était l'un des plus connus des Économistes. Il proclama d'abord (1774) l'entière *liberté du commerce des grains*, jusque-là soumis à une étroite réglementation, puis (1776) la liberté du travail industriel par la *suppression des corporations* ; enfin l'*abolition de la corvée des routes* qui pesait si lourdement sur les paysans : le travail serait désormais rétribué et la dépense en serait couverte par un impôt levé sur tous les propriétaires, roturiers ou non.

Turgot avait encore bien d'autres projets de réformes en tête, mais ses adversaires ne lui laissèrent pas le temps de les réaliser. Il eut contre lui les spéculateurs sur les grains, les maîtres des corporations, les courtisans, enfin tous les privilégiés, indignés de sa prétention d'établir l'égalité devant l'impôt. Le roi soutint quelque temps son ministre : «Il n'y a que M. Turgot et moi, disait-il, qui aimions le peuple» ; puis il céda aux instances de Marie-Antoinette et le renvoya brutalement (1776). Presque rien ne subsista de l'œuvre de Turgot.

3. La tentative et l'échec de Necker.

Quelques mois plus tard, Louis XVI confiait la direction des finances à un autre ministre réformateur, *Necker*, originaire de Genève et protestant. Necker était un ancien banquier. Il avait su acquérir une grosse fortune tout en gardant la réputation d'être un homme honnête. Grand admirateur de Colbert, il était opposé aux vues des Économistes et avait combattu les idées de Turgot.

La situation financière devint encore plus difficile quand la France entra en guerre aux côtés des colonies anglaises d'Amérique révoltées contre l'Angleterre (1778). Pour subvenir aux dépenses nouvelles, Necker en fut réduit à emprunter : procédé commode mais dangereux, auquel s'était refusé Turgot. Il prit du moins quelques bonnes mesures qui le rendirent populaire : il supprima le servage sur les domaines du roi, réorganisa les hôpitaux et les prisons, abolit en partie la torture qu'on infligeait aux accusés pour leur arracher des aveux. Enfin, reprenant un projet de Turgot, il tenta de *faire participer les sujets à l'administration locale :* à titre d'essai, il créa dans deux généralités des *Assemblées provinciales,* formées de notables qui devaient collaborer avec l'intendant. Ces notables étaient pris dans les trois ordres ; bien plus, les représentants du Tiers État y étaient aussi nombreux que ceux du Clergé et de la Noblesse réunis.

Si prudent que fût Necker, si soigneux qu'il fût de sa popularité, il ne manquait pas d'ennemis. Pour répondre à leurs attaques et aussi pour gagner la confiance du public, il publia, sous le titre *Compte rendu au roi* (1781), un exposé des réformes qu'il avait faites. L'ouvrage eut un succès extraordinaire : pour la première fois on faisait connaître le détail des recettes et des dépenses. Le peuple apprit avec indignation le montant énorme des pensions. Les courtisans, furieux, s'acharnèrent contre Necker. Abandonné par le roi comme l'avait été Turgot, il démissionna (1781). *Une fois de plus, l'égoïsme des privilégiés avait empêché toute réforme.*

4. Calonne et Brienne. Le refus de la Noblesse.

En 1783, le Contrôle des Finances fut donné à un ancien intendant, *Calonne*. Celui-ci affirmait que, pour inspirer confiance, il faut paraître riche et dépenser largement. Il accorda donc à la reine, au roi, aux courtisans toutes les sommes qu'ils lui demandèrent. Jamais les fêtes de Versailles n'avaient été plus splendides. Mais, après trois années de semblables prodigalités, la confiance s'épuisa, les banquiers se refusèrent à de nouveaux emprunts et Calonne se trouva en présence de difficultés insurmontables.

Alors le ministre s'improvisa réformateur. Il proposa d'établir l'égalité en matière d'impôt et de lever un impôt sur tous les propriétaires, privilégiés ou non, de diminuer la taille, de transformer la corvée selon les idées de Turgot, de permettre la libre circulation des grains et de faire participer très largement les sujets à l'administration. Sachant que son projet se heurterait à l'opposition des Parlements, Calonne le soumit à une *Assemblée de Notables*. Ceux-ci le repoussèrent. Louis XVI renvoya Calonne (1787).

Le nouveau ministre, l'archevêque *Loménie de Brienne*, reprit à son compte les édits de Calonne et demanda au Parlement de Paris de les enregistrer. Le Parlement refusa et affirma que seuls les États Généraux avaient qualité pour consentir de nouveaux impôts.

5. Révolte de la Noblesse et crise économique.

Le Parlement espérait que les États Généraux aboliraient la monarchie absolue et donneraient à la noblesse le pouvoir politique. C'est pourquoi il avait demandé leur convocation. Or le roi la refusa et exila le Parlement à Troyes.

Ce fut alors une rébellion de toute la noblesse de robe. Les remontrances de plus en plus insolentes, les enregistrements imposés en lit de justice et déclarés nuls le lendemain par le Parlement, le roi et la reine personnellement ridiculisés, leurs ordres bafoués, le procès de l'Ancien Régime fait par les privilégiés eux-mêmes devant l'opinion publique, les émeutes dans la rue organisées au grand jour par la magistrature, l'armée prête à faire cause commune avec les insurgés : tel fut l'état d'anarchie où la noblesse de robe plongea la France pendant les années 1787 et 1788.

Cette opposition des privilégiés à toute tentative de réformes était d'autant plus grave que le règne de Louis XVI fut marqué par une *crise économique*. La prospérité qui avait caractérisé l'économie française depuis 1730 prit fin vers 1778. Des récoltes trop abondantes amenèrent la mévente du blé et du vin : les intempéries réduisirent à rien la récolte de fourrage et il fallut abattre une partie du cheptel. Les bénéfices des paysans s'effondrèrent, beaucoup d'entre eux furent réduits à la misère au moment où les propriétaires nobles et bourgeois, eux-mêmes atteints par la crise, exigeaient avec plus d'âpreté les droits seigneuriaux. Pour développer leur industrie, certains pays étrangers se fermèrent aux exportations françaises ; d'autre part, un traité de commerce conclu avec l'Angleterre en 1786 ouvrit brusquement le marché français à l'industrie anglaise, qui était très en avance sur la nôtre. De nombreuses entreprises françaises, incapables de résister à la concurrence, durent fermer leur portes et renvoyer leurs ouvriers. C'est dans une France hantée par la double menace de la famine et du chômage, en un temps où les salaires ne suivaient pas la hausse des prix, qu'éclata la Révolution.

6. La capitulation de Louis XVI.

Sur les conseils du Garde des Sceaux[1] *Lamoignon*, Louis XVI décida d'enlever aux Parlements le droit d'enregistrement (mai 1788). Le mouvement de révolte redoubla de violence. Les événements les plus graves eurent lieu en Dauphiné. Le parlement de Grenoble ayant été exilé, les habitants se soulevèrent à la Journée des Tuiles. Puis les Dauphinois des trois ordres se réunirent à *Vizille* (juin 1788) et rétablirent, de leur propre autorité, les États provinciaux du Dauphiné, supprimés depuis Richelieu. Ils exigèrent ensuite la convocation immédiate des États Généraux et invitèrent les Français à refuser le paiement des impôts jusqu'à ce que le roi eût cédé.

Acculé à la banqueroute, incapable de rétablir l'ordre, le roi

1. Un chancelier gardait son titre toute sa vie ; s'il était disgracié, sa place était tenue par un *Garde des Sceaux*. Le Chancelier Maupeou, disgracié en 1774, ne mourut qu'en 1792. Aussi n'y eut-il, de 1774 à 1789, que des Gardes des Sceaux.

capitula : il annonça que les États Généraux seraient convoqués pour le 1ᵉʳ mai 1789. Puis il renvoya Brienne et rappela Necker (août 1788). *Sous les coups des Parlementaires, la Monarchie absolue s'effondrait.*

7. Patriotes contre privilégiés.

Les États Généraux allaient certainement limiter le pouvoir royal. Mais au profit de qui ? Au profit de la noblesse d'épée et de robe ou bien au profit de la bourgeoisie, qui la soutenait dans leur lutte commune contre l'absolutisme ? De là, entre les alliés de la veille, des discussions passionnées.

Les nobles voulaient que les États Généraux fussent organisés comme en 1614, dernière date à laquelle ils avaient été convoqués : les trois ordres disposant chacun d'une voix, délibérant et votant séparément ; ainsi le Tiers serait toujours en minorité avec une voix contre deux. Les bourgeois au contraire — on les appelait les *Patriotes* — voulaient appliquer aux États Généraux l'organisation que les Dauphinois avaient demandée pour leurs États provinciaux : le doublement du Tiers (c'est-à-dire que les députés du Tiers seraient aussi nombreux que ceux des deux autres ordres réunis), la réunion des trois ordres dans une même salle et le vote par tête.

Dans toute la France, nobles et bourgeois s'affrontèrent sur cette question fondamentale. Il y allait du sort de l'égalité politique et sociale. Le Tiers trouva un appui dans le bas clergé, pauvre et jaloux du haut clergé, et chez certains nobles libéraux, tel *Lafayette*. D'innombrables pamphlets discutèrent les arguments des uns et des autres : le plus célèbre fut celui qu'un ecclésiastique, l'*abbé Sieyès*, publia sous le titre : *Qu'est-ce que le Tiers État ?*

Necker sut convaincre Louis XVI qu'il serait dangereux de résister au Tiers. En décembre 1788, le roi admit le doublement du Tiers (il ne parlait pas du vote par tête), l'égalité de tous devant l'impôt, le vote d'un budget régulier des dépenses, des garanties de liberté individuelle. *Les nobles l'avaient d'abord emporté sur le roi, maintenant la bourgeoisie l'emportait sur la noblesse.* Appuyée sur le bas clergé et les nobles libéraux, elle pouvait croire sa victoire assurée.

Les États Généraux furent élus au cours des premiers mois de l'année 1789. Ils allaient transformer radicalement les institutions politiques et sociales de la France. *Cette destruction de l'Ancien Régime et la création d'un régime nouveau qui s'inspirait du programme des Philosophes, c'est là ce qu'on appelle la* Révolution de 1789 *ou* Révolution française.

CONCLUSION

L'Europe en 1789

1. L'apparente unité.

En 1789, l'Europe compte environ 200 millions d'habitants[1]. Elle a considérablement accru sa population au cours du XVIIIe siècle : elle s'est aussi beaucoup enrichie. Des terres nouvelles ont été mises en valeur, le rendement de l'agriculture s'est accru, les disettes se font plus rares, les paysans eux-mêmes sont moins mal nourris. Déjà aussi apparaissent, en Angleterre, en France, aux Pays-Bas, dans l'Allemagne occidentale, quelques-uns des traits qui caractérisent la grande industrie : concentration des ouvriers, emploi des machines (en cette année 1789, Watt met au point la machine à vapeur). Les échanges se font plus actifs et les banquiers jouent un rôle de plus en plus grand à Londres, à Amsterdam, à Paris, à Francfort, à Gênes. Dans le domaine économique, la primauté de l'Angleterre est éclatante.

En ce siècle des «lumières», l'Europe s'est aussi rénovée moralement et socialement. Philosophes et, après eux, despotes «éclairés» ont fait campagne pour établir la tolérance,

1. L'Asie en compterait peut-être 600, l'Afrique 100, l'Amérique 25.

développer l'instruction, abolir la torture et parfois même le servage. Alors apparaissent dans notre langue les mots de «bienfaisance» et de «philanthropie». La confiance en la raison, la croyance au progrès illustré et pour ainsi dire démontré par le développement des sciences et des techniques expliquent l'optimisme de tous et la certitude que l'humanité va enfin connaître, dès ici-bas, le bonheur.

En même temps que les idées des Philosophes et des Économistes, presque toute l'Europe cultivée adopte la langue, la littérature, l'art de la France. Chaque prince a son Versailles, chaque homme cultivé parle le français, lit Racine et Voltaire, admire Watteau et Boucher. Le XVIIIe siècle semble être le siècle de l'«Europe française».

2. L'Europe divisée.

Cependant, depuis 1760 environ, l'influence de la littérature et de la pensée française décline. Sans même parler de l'Angleterre qu'elles n'ont guère touchée, l'Allemagne les rejette parfois brutalement. Dans ces deux pays, des écrivains affirment que chaque nation a son caractère particulier, son «génie», et qu'il faut renoncer à imiter les civilisations étrangères, si brillantes soient-elles. En Angleterre comme en Allemagne une littérature vient au jour, qui ne doit rien au classicisme français, qui annonce au contraire le Romantisme.

A ce moment d'ailleurs, le *nationalisme* commence à apparaître chez certains peuples de l'Europe. Dans la monarchie des Habsbourg, les Hongrois, les Belges, les Tchèques veulent conserver ou recouvrer une large autonomie administrative et culturelle ; dans l'Empire ottoman, les Roumains et les Grecs s'agitent ; la Pologne s'efforce de réformer ses institutions pour mieux résister aux convoitises de ses trois voisins qui l'ont déjà dépecée en 1772 ; les Italiens, divisés en neuf États, se sentent pourtant unis par la langue, la littérature et les souvenirs glorieux de la Rome antique et de la Renaissance ; les Espagnols sont fiers de leur fidélité à cette Église catholique tant attaquée par les Philosophes.

Le sentiment des nationalités, qui au XIXe et au XXe siècle déchaînera tant de guerres, n'en est encore qu'à ses débuts. Les rivalités entre les gouvernements des Grandes Puissances sont plus dangereuses et mettent en péril la paix de l'Europe. En 1789 Catherine II et Joseph II sont engagés dans une guerre difficile contre la Turquie : pour mieux les affaiblir, l'Angleterre et la Prusse lancent les Suédois contre la Russie, soutiennent les Belges et les Hongrois contre l'Autriche. Au nord de la Californie, les Espagnols se heurtent aux Anglais du Canada et un conflit semble probable entre les gouvernements de Londres et de Madrid. On peut d'autant plus redouter une guerre générale que la France est incapable d'agir pour maintenir la paix. En 1763, elle a dû renoncer à l'Inde et au Canada et n'a pu triompher de Frédéric II : elle n'a pas su empêcher le partage de la Pologne, ni porter aide à la Turquie et, si elle a regagné un vif prestige dans la guerre de l'Indépendance américaine, elle l'a vite perdu dans les années suivantes. La modération qu'elle affiche ressemble beaucoup à de la faiblesse et l'anarchie où se débat la monarchie de Louis XVI confirme encore les étrangers dans leur certitude que, de longtemps, la France ne se relèvera pas.

3. France révolutionnaire et Europe contre-révolutionnaire.

Ce n'est pourtant pas entre les Grandes Puissances rivales que la guerre va éclater, mais entre elles et la France. Très vite, en effet, la France révolutionnaire apparaît au reste de l'Europe comme un redoutable danger.

Riche, cultivée, ardente, laborieuse, la bourgeoisie française hait le gaspillage et l'arbitraire. Elle veut la suppression des privilèges et l'égalité de tous devant la loi. Elle veut la liberté : non seulement la liberté personnelle, mais encore la liberté économique, c'est-à-dire un régime où la concurrence laisse au labeur et au talent de chacun la possibilité de réaliser les plus grands profits sans qu'il soit entravé par les règlements de l'État ; elle veut enfin la liberté politique, c'est-à-dire une monarchie constitutionnelle où le gouvernement soit contrôlé par une Assemblée qui vote le budget et fait les lois. Consciente de sa puissance économique et de sa valeur intellectuelle, la bourgeoisie se sent capable de rénover la France et elle est prête, au cas où la noblesse tenterait de s'y opposer, à la briser. Dès avant la réunion des États Généraux, le 5 mai 1789, la lutte est engagée entre ces deux forces, l'une qui représente le passé, l'autre l'avenir. A la fin de l'année 1789, la bourgeoisie l'aura emporté et la rénovation de la France sera en grande partie réalisée.

Mais, fier de sa victoire, le peuple français entend la compléter en transformant à son image le reste de l'Europe. Il se sent une foi de missionnaire et affirme qu'il est de la vocation de la France de «régénérer» les peuples étrangers, de leur apporter à eux aussi le bonheur. Or, à cette «croisade» de la liberté et de l'égalité, à cette primauté de la bourgeoisie, à cette émancipation des paysans délivrés des droits féodaux, à cette méfiance à l'égard des religions, les gouvernements et les aristocraties de l'Europe, appuyés sur l'Église, s'opposeront.

Entre la France révolutionnaire et conquérante et l'Europe contre-révolutionnaire, le conflit va commencer et il durera pendant tout le XIXe siècle.

Table des matières

Histoire

MAURICE AGULHON
La République (1880 à nos jours) 2 vol.
De Gaulle, histoire, mémoire, mythe

GUILLEMETTE ANDREU
Les Egyptiens au temps des pharaons

MICHEL ANTOINE
Louis XV

PIERRE AUBÉ
Le Roi lépreux, Baudouin IV de Jérusalem
Les Empires normands d'Orient

GÉNÉRAL BEAUFFRE
Introduction à la stratégie

GÉRARD BÉAUR (présenté par)
La Terre et les hommes, Angleterre et France aux XVIIe et XVIIIe siècles

GUY BECHTEL
La Chair, le diable et le confesseur

BARTOLOMÉ BENNASSAR
L'Inquisition espagnole, XVe-XIXe siècles

B. BENASSAR et B. VINCENT
Le temps de l'Espagne

YVES-MARIE BERCÉ
Fête et révolte

ANDRÉ BERNAND
Alexandrie la grande
Sorciers grecs

JEAN-PIERRE BIONDI
et GILLES MORIN
Les Anticolonialistes (1881-1962)

FRANÇOIS BLUCHE
Le Despotisme éclairé
Louis XIV

HENRY BOGDAN
Histoire des pays de l'Est, des origines à nos jours
Histoire des peuples de l'ex-URSS, du IXe siècle à nos jours

JEAN-CLAUDE BOLOGNE
Histoire de la pudeur
Histoire du mariage en Occident

JEAN BOTTÉRO
Babylone et la Bible

JEAN BOTTÉRO,
CLARISSE HERRENSCHMIDT
et JEAN-PIERRE VERNANT
L'Orient ancien et nous

ALAIN BROSSAT
Les Tondues

ZBIGNIEW BRZEZINSKI
Le Grand Echiquier

EDMUND BURKE
Réflexions sur la Révolution en France

CLAUDE CAHEN
L'Islam, des origines au début de l'empire ottoman

PIERO CAMPORESI
Les Baumes de l'amour

HÉLÈNE CARRÈRE D'ENCAUSSE
Nicolas II, la transition interrompue
Lénine

PIERRE CHAUNU
Le Temps des réformes
3 Millions d'années,
80 milliards de destins

GUY CHAUSSINAND-NOGARET,
JEAN-MARIE CONSTANT,
CATHERINE DURANDIN
et ARLETTE JOUANNA
Histoire des élites en France, du XVIe au XXe siècles

JEAN CHÉLINI
Histoire religieuse de l'Occident médiéval

JEAN CHÉLINI
et HENRY BRANTHOMME
Les Chemins de Dieu
Histoire des pèlerinages non-chrétiens

VITALI CHENTALINSKY
La Parole ressuscitée

JEAN-CLAUDE CHESNAIS
Histoire de la violence

LOUIS CHEVALIER
Classes laborieuses et classes dangereuses

ANDRÉ CHOURAQUI
Jérusalem, une ville sanctuaire

ART, MUSIQUE, CRITIQUE LITTÉRAIRE

Achevé d'imprimer en septembre 2007
sur les presses numériques de l'Imprimerie Maury S.A.S.
Z.I. des Ondes – 12100 Millau

HACHETTE LITTÉRATURES – 31, rue de Fleurus – 75006 Paris

Collections n° 25 – Édition 08
Dépôt légal : 94204-09/07
N° d'impression : I07/41364 H

Imprimé en France